LES OISEAUX FAMILIERS DU QUÉBEC

JULIEN BOISCLAIR

À tous les membres de ma famille
et aux amis des oiseaux,
je dédie ce volume.

ISBN 2-7604-0068-9

Dépôt légal: 2e trimestre 1980

LES OISEAUX FAMILIERS DU QUÉBEC

JULIEN BOISCLAIR

La plupart des 127 espèces décrites dans ce volume vivent dans toutes les provinces de l'est du Canada.

Stanké

PHOTOGRAPHIES

Guy Drapeau; p. 104, 108.

André Duquette; p. 122.

Germaine Gauthier; p. 37, 71, 77.

Jean Giroux; p. 32, 48.

Roger Larose; p. 93.

Maxime St-Amour; p. 31, 59, 110, 120, 131.

Julien Boisclair; p. 181.

Canards illimités, inc., par Augus Short, p. 34, 36.

Musée national des Sciences naturelles, Musées nationaux du Canada, p. 17, 39, 55, 57, 64, 66, 77, 80, 82, 106, 107, 121, 132, 137, 144, 146, 150, 154.

Ministère du Loisir, de la Chasse et de la Pêche, Québec, par Léo Henrichon, p. 62.

Ministère de l'Énergie et des Ressources, Québec, service de l'Éducation en conservation, par Jean Sylvain, p. 21, 26, 89, 98, 112, 115, 125, 138, 149.

Ministère des Communications, Québec, direction générale du cinéma et de l'audiovisuel, par J.-L. Frund, p. 17, 52, 76, 96, 101, 133, 152, 164.

LES SOURCES DOCUMENTAIRES ÉCRITES

BIRDS OF AMERICA
Garden City Publishing Company, Inc., Garden City, New York, 1936, 888 p.

CANADIAN NATURE
Revue mensuelle des années 1942, 1943, 1944, 1945, 1948, 1949, 1955, 1956, 1957 et 1958, Toronto.

CAYOUETTE, RAYMOND
GRONDIN, JEAN-LUC
Les Oiseaux du Québec, Orsainville, La Société zoologique de Québec, inc., 1972, 117 p.

COMEAU, NAPOLÉON-A.
La Vie et le Sport sur la Côte-Nord du Bas Saint-Laurent et du Golfe, Québec, Garneau, 1945, 372 p.

CUISIN, MICHEL
Le comportement animal, Paris-Bruxelles-Montréal, Bordas, 1973, 175 p.

GODFREY, W. EARL
Encyclopédie des Oiseaux du Québec, Montréal, Les Éditions de l'Homme, 1972, 603 p.

HANZAK, JAN
Encyclopédie illustrée des Oiseaux, Tchécoslovaquie, Grund, 1972, 579 p.

MARIE-VICTORIN, Fr.
Flore laurentienne, 2e éd., Montréal, P.U.M., 1964, 927 p.

MELANÇON, CLAUDE
Charmants voisins, Montréal, Granger et Frères, 1940, 281 p.

MELANÇON, CLAUDE
Percé et les oiseaux de l'île Bonaventure, Montréal, E. du Jour, 1963, 95 p.

PETERSON, ROGER TORY
A Field Guide to the Birds, Boston, Houghton Mifflin Company, 1947, 230 p.

POTVIN, DAMASE
Le Saint-Laurent et ses îles, Québec, Garneau, 1945, 427 p.

SERVICE CANADIEN DE LA FAUNE
Noms des oiseaux du Canada: noms français, anglais et scientifiques, Ottawa, 3e édition, 1972, 32 p.

SERVICE CANADIEN DE LA FAUNE
Les oiseaux protégés au Canada, Ottawa, 1978, 40 p.

SOCIÉTÉ DE GÉOGRAPHIE DE QUÉBEC
Monographie des îles de la Madeleine, Québec, La cie d'Imprimerie Commerciale Limitée, 1927, 43 p.

TAVERNER, P.-A.
Les Oiseaux de l'est du Canada, 2e édi., Ottawa, 1922, 308 p.

TINBERGEN, NIKO
L'univers du Goéland argenté, Paris-Bruxelles, Elsevier Sequoia, 1975, 223 p.

LES SOURCES DOCUMENTAIRES SONORES

BÉDARD, JEAN
Guide sonore des oiseaux du Québec, La Société zoologique de Québec, inc.

CORNELL UNIVERSITY
A Field Guide to Bird Songs, Laboratory of Ornithology, Cornell University, Boston, U.S.A.

INTRODUCTION

Les oiseaux et l'homme

Les oiseaux ont conquis leurs lettres de noblesse. De tout temps, ils ont été l'objet d'une attention spéciale de la part de l'homme. Dans l'Égypte des Pharaons, l'Ibis était vénéré parce que son retour, au printemps, coïncidait avec les crues du Nil, qui par ses limons fécondait la terre. Chez les Romains, la vue du Corbeau, considéré comme un oiseau de mauvais augure, présageait un malheur. Au Moyen Âge, la fauconnerie était à la mode chez le seigneur qui dressait le Faucon pour chasser le petit gibier.

Les peintres des contes et des légendes représentent toujours la méchante sorcière en compagnie du Hibou et de la Corneille, tous deux rattachés à quelque pouvoir maléfique. Les artistes chrétiens ont emprunté beaucoup au monde des oiseaux, afin de les ériger en symboles: l'Aigle accompagnant l'évangéliste saint Jean; la Colombe marquant la simplicité; le Paon, l'orgueil; le Pélican, le dévouement, etc.

Plusieurs nations ont choisi un oiseau comme signe distinctif de leur pays. Pour sa part, l'Aigle a été mis au premier rang: les anciens Romains l'avaient peint sur leurs étendards; pour les Prussiens, ce fut l'Aigle noir; les États-Unis ont choisi l'Aigle à tête blanche. Sur les armoiries du Guatemala, le Quetzal — nom donné chez les Incas au Couroucou — tient fermement entre ses griffes le parchemin sur lequel est consignée l'indépendance de ce pays.

Le gouvernement canadien a émis quelques timbres-poste illustrant nos grands oiseaux: la Bernache du Canada en 1946 et en 1952; le Fou de Bassan en 1954; la Grue blanche en 1955 et le Huart à collier en 1957.

Les chansonniers comme les poètes savent également composer avec la gent ailée. Le folklore canadien s'en est inspiré dans plusieurs de ses chansons: « L'Hirondelle messagère de nos amours », « Alouette, je t'y plumerai », « Mon Merle » et plusieurs autres dans lesquelles on parle de Mésange, de Goéland, de Corbeau, etc.

Trente-huit fables de La Fontaine ont pour thème un ou plusieurs oiseaux. D'autres poètes nous ont légué des chefs-d'œuvre littéraires que ni les époques ni les ans ont ternis: « Le sommeil du Condor » de Leconte de Lisle, « L'Albatros » de Charles Beaudelaire, « La mort du Bouvreuil » d'Auguste Brizeux. Quelques auteurs québécois ont également mis en valeur notre faune ailée: « Les oiseaux de neige » de Louis Fréchette, « Les oies sauvages » de Félix-Antoine Savard, « L'Engoulevent », une pièce de théâtre de Guy Dufresne, etc.*

Ces exemples suffisent à rappeler les liens qui ont uni de tout temps l'Homme et l'Oiseau.

LES GÉNÉRALITÉS

L'embranchement des vertébrés est composé de cinq classes d'animaux dont l'une, celle des oiseaux, se subdivise en deux sous-classes: les ratites et les carinates.

Les ratites sont pourvus d'ailes très réduites, d'un sternum plat sans bréchet. Ils ne volent pas, tels les Emeus en Australie, les Autruches en Afrique du Nord et en Arabie, les Aptéryx ou Kiwis en Nouvelle-Zélande, les Nandous en Amérique du Sud et quelques autres espèces. Les carinates possèdent un bréchet sur lequel sont fixés de puissants muscles pectoraux chargés d'abaisser les ailes au cours du vol.

Les traits suivants caractérisent fort bien ces vertébrés: tous sont ovipares c'est-à-dire qu'ils se reproduisent par des œufs; animaux à plumes dont les membres antérieurs sont constitués pour le vol; bec de forme variée et sans dents; langue dure; corps à température constante, muni de sacs aériens qui facilitent la respiration et le vol; cœur divisé en quatre cavités — deux oreillettes et deux ventricules —; deux poumons communiquant à l'extérieur par une trachée; estomac formé de deux parties: un ventricule succenturié et un gésier.

LA MIGRATION

Le phénomène de ces déplacements massifs d'oiseaux, à la fin de l'été et au cours de l'automne, est toujours l'objet de recherches de la part des ornithologistes. La raison qui semble le mieux justifier, chez la plupart d'entre eux, ces voyages longs et périlleux, est la pénurie d'aliments.

Certains oiseaux comme l'Hirondelle, l'Engoulevent et le Martinet ramoneur se nourrissent, en vol, exclusivement d'insectes. Plusieurs rapaces diurnes se sustentent quotidiennement d'une ou de plusieurs espèces des animaux suivants: mulots, souris, rats, grenouilles et gros insectes. Dans le cas des autres migrateurs ailés, c'est surtout la nourriture qui les incite à s'envoler vers des contrées susceptibles de pourvoir à leur subsistance. L'énigme, pour le scientifique, est de connaître cet instinct profond collectif dont sont animés les oiseaux migrateurs.

Ces hasardeux périples du nord au sud ne sont pas entrepris à la légère. Le moment venu, les oiseaux de même espèce se groupent, vivent en société. Ce phénomène peut être observé, à la fin de l'été, chez les Fauvettes, les Moucherolles et autres. À la fin de septembre ou au tout début d'octobre, chez les Merles, les Grives et les Pinsons. Très souvent, les voyages s'effectuent la nuit. Parfois, les phares maritimes attirent ces petits voyageurs. Alors, nombre d'entre eux, enivrés par la lumière, vont s'écraser sur leurs parois.

Où se dirigent nos oiseaux migrateurs? Le Tangara écarlate s'envole jusqu'au Pérou; le Goglu, l'Hirondelle pourprée, l'Hirondelle des sables, l'Hirondelle des granges, l'Engoulevent hivernent au Brésil. Des milliers d'oiseaux traversent le golfe du Mexique, soit une distance de plus de cinq cents milles. Le Colibri à gorge rubis réalise ce trajet en une seule nuit. Le champion est sans contredit la Sterne arctique qui parcourt près de 40,300 km par année, car son lieu d'hivernement est le Sud jusqu'au continent antarctique.

Le printemps venu, à divers intervalles, selon les espèces, nos voyageurs ailés reviennent au paysage de leur naissance où la nourriture est redevenue abondante.

L'OBSERVATION DES OISEAUX

Pour bien observer les oiseaux et étudier leurs mœurs, il faut aller les rencontrer sur leur propre terrain de chasse, au moment du jour où ils sont en pleine activité.

En été, tôt le matin, les insectivores et les granivores se mettent au travail. C'est également l'heure où les chanteurs — Merles, Grives, Viréos, Pinsons, Fauvettes, etc. — égrènent leurs notes. Les arbres résonnent sous les coups de bec des Pics; les Geais et les Pies font entendre leurs voix de crécelle. Dans les prés, les Goglus, les Pinsons vespéraux et les Sturnelles des prés lancent leurs notes mélodieuses.

En forêt, il faut savoir prêter l'oreille, s'arrêter au moindre bruissement des feuilles et s'ouvrir les yeux. Là les roulades cristallines des Roitelets, des Fauvettes et des Viréos se confondent. Dans les champs, voisinant un lac ou une rivière, vivent les Maubêches et les Pluviers; les Bécasses préfèrent les sous-bois non loin d'un ruisseau. Les savanes et les abords des étangs sont les lieux de prédilection des Butors, des Hérons, des Carouges à épaulettes et de quelques espèces de canards.

Les berges du fleuve et des grands cours d'eau sont fréquentées par les Goélands, les petits et les grands échassiers; les Busards des marais sont souvent aperçus survolant à basse altitude les grandes herbes, lorsque la marée est à la baisse. De son côté, l'Aigle pêcheur survole les baies et les anses des lacs. Les grands refuges tels l'Ile-aux-Basques, l'île Bonaventure et bien d'autres abritent une multitude d'oiseaux.

Après le coucher du soleil, les Martinets ramoneurs et les Engoulevents s'élancent à la poursuite d'insectes. Plusieurs oiseaux chantent même très tard le soir, voire avant l'aurore. C'est le cas du Merle d'Amérique, des Grives, des Pinsons chanteurs, à couronne blanche et à gorge blanche. Le Huart se fait entendre à toute heure du jour et de la nuit.

Les arbres de nos parterres sont des attraits pour les oiseaux. Quelques espèces nous visiteront même tous les jours d'hiver, à condition que nous leur procurions le couvert: fruits laissés dans les arbres — pommettes, cormes —, suif suspendu à une branche ou déposé sur le rebord d'une fenêtre, grains de mil, de tournesol, etc. C'est ainsi que peuvent être attirés les Gros-becs errants, les Mésanges, les Sizerins à tête rouge, les Geais bleus et plusieurs autres. Si ce garde-manger n'est pas éloigné de la grande forêt, les Pics mineurs et chevelus ainsi que les Sittelles viendront y chercher leur quote-part.

Il est intéressant d'écouter le ramage des oiseaux, de tendre l'oreille à leurs cris, d'admirer le coloris de leur plumage! Cet intérêt s'accroîtra si l'observateur peut désigner par un nom l'espèce vue ou entendue. Une jumelle aide souvent à mieux distinguer les formes. Quelques notes jetées sur papier, indiquant les couleurs de la tête, du cou, du dos, des ailes, de la queue, de la gorge, de la poitrine, la grosseur approximative ainsi que le lieu où l'oiseau a été vu, tout cela facilitera son identification en consultant un bon livre de notre avifaune.

C'est toutefois au printemps, avant que les arbres reprennent leur feuillage, que les oiseaux se prêtent le mieux à l'observation. Avant de regagner leur biotope de nidification, plusieurs espèces s'attardent dans les cours entourées de haies ou plantées d'arbres. Il arrive parfois qu'un ou plusieurs chanteurs construisent leur nid dans un arbre ou dans quelque coin discret en plein centre urbain. Le Merle d'Amérique, le Pinson familier, l'Hirondelle bicolore, pour n'en citer que quelques-uns, ne dédaignent pas la compagnie de l'homme. Il n'est pas rare non plus d'apercevoir le Mainate bronzé pénétrer dans les branches touffues d'une haute épinette, afin d'y nourrir ses petits.

LES CHANTS ET LES CRIS DES OISEAUX

Dans la classe des oiseaux, les communications s'expriment par des cris ou des chants. Selon quelques chercheurs, certaines espèces héritent de leur art vocal, mais la plupart des oiseaux apprennent à chanter en imitant leurs semblables. Les meilleurs artistes appartiennent à l'ordre des Passeriformes et, parmi eux, les Pinsons, les Merles, les Grives, le Goglu et la Sturnelle des prés possèdent des dons musicaux exceptionnels. Les mâles surtout jouissent du privilège de chanter; quant aux femelles, à part de rares exceptions, elles demeurent des interprètes de qualité moindre.

On croit généralement que, chez l'oiseau, le chant traduit la joie. À nos oreilles, c'est vrai. Il suffit, pour nous en convaincre, d'entendre le Merle d'Amérique exécuter ses jeux de flûte, très tôt le matin ou après une ondée, voire tard le soir. Toutefois, le chant est le plus souvent la déclaration d'un droit sur une propriété. C'est ce qui se déroule, à son retour de migration, au printemps, quand le mâle, devançant presque toujours les femelles, délimite son territoire de chasse. Il le parcourt alors en entier, s'arrête çà et là et le borne

de ses chants ou de ses cris. Pour Tinbergen, un oiseau chanteur s'exprime dans le chant surtout avant de trouver un partenaire.

C'est surtout le matin que les oiseaux se révèlent très loquaces. Un arrêt bien marqué se fait sentir vers midi, au moment où le soleil plombe ses plus chauds rayons. Pour sa part, en mai et en juin, le Goglu survole les champs de son biome en faisant éclater ses notes extatiques. Chez plusieurs espèces, les sons émis, comme leur étendue, ne sont pas toujours identiques. Les Pinsons à gorge blanche maîtrisent un éventail de modulations très nuancées compte tenu de leur lieu d'habitat. Plusieurs Fauvettes possèdent deux chants distincts.

Certaines espèces exécutent des duos. Ce type de composition vocale figure dans l'une des composantes suivantes: le mâle chante et la femelle lui répond; mâle et femelle chantent à tour de rôle; la femelle répond tellement vite que parfois les notes des duettistes se confondent.

Plusieurs congénères d'une même espèce font parfois chorus et remplissent l'air de leurs cris ou de leurs chants: l'Étourneau sansonnet, le Gros-bec des pins, le Gros-bec errant, le Jaseur des cèdres, l'Hirondelle bicolore, l'Hirondelle pourprée, la Corneille d'Amérique, le Goéland argenté et d'autres encore. Les espèces de la famille des Mimidés, de façon toute spéciale le Moqueur polyglotte, parodient fort bien un nombre considérable d'oiseaux et de quadrupèdes.

Les cris des oiseaux varient selon leurs émotions — peur, surprise, détresse — ou selon leurs besoins. Le Goéland argenté fait usage de treize cris différents; certains Passeriformes en possèdent près d'une vingtaine. Ces intonations caractérisent souvent l'espèce: toujours harmonieuses chez la Mésange à tête noire et la Mésange à tête brune, pathétiques chez la Gelinotte huppée qui rassemble ses poussins, tapageuses chez le Geai bleu. Beaucoup d'oisillons disent leur faim par des piaillements continuels; d'autres trahissent leur présence par de doux sifflements. Les Oies sauvages qui se déplacent, soit le jour soit la nuit, criaillent sans cesse.

On ne peut oublier, une fois qu'on les a entendues, les exclamations traînantes de l'Engoulevent commun, les vociférations du Huart à collier, le message crépus-

culaire du Bihoreau à couronne noire ou les bruyants
« killi » de la Crécerelle d'Amérique. Les oiseaux profitent de toutes les occasions pour émettre des cris qui
révèlent souvent les situations dans lesquelles ils se
trouvent. Le développement d'une gamme diversifiée
de cris, de sons et de chants s'amplifie en raison des
avantages que l'espèce en retire dans le champ de sa
vie sociale.

Il est excessivement difficile de traduire par des
mots les chants et les cris des oiseaux. Nous le faisons
toutefois en utilisant des onomatopées, mais combien
imparfaites et personnelles demeurent ces interpréta-
tions. Seuls les appareils électroniques, magnéto-
phones et autres instruments enregistreurs, ont su
capter avec précision les sons et les chants de nombreuses espèces. Le microsillon GUIDE SONORE DES
OISEAUX DU QUÉBEC, volume I, de Jean Bédard,
rappelle quelques-uns des cris et des chants de 83
espèces d'oiseaux; les deux microsillons AMERICAN
BIRD SONGS, enregistrés au laboratoire d'ornithologie de l'université de Cornell et publiés par Houghton
Mifflin Company de Boston, reproduisent les appels et
les chants de plus de 300 espèces d'oiseaux.

LA CLASSIFICATION DES OISEAUX

L'embranchement des vertébrés sous-tend cinq classes, dont celle des oiseaux. De là, en passant par
l'ordre, la famille, le genre, on descend à l'espèce,
parfois à une ou plusieurs sous-espèces.

Le nom de chacun des ordres se termine toujours
par le suffixe forme — du mot latin forma qui veut dire
« configuration des corps » — et celui de la famille par
le suffixe idae en latin et idé en français — cette
terminaison est empruntée à la langue grecque et signifie « qui a l'apparence de ». Ainsi l'ordre des Falconiformes comprend quatre familles: les Cathartidés
(Vautours), les Accipitridés (Éperviers, Buses, Aigles,
etc.), les Pandionidés (Aigles pêcheurs) et les Falconidés (Faucons).

Le nom scientifique, en raison de son caractère
universel, apparaît dans les notes préliminaires de
chacune des monographies. La plupart du temps, il
dérive du latin ou du grec. Le premier mot indique à
quel genre l'oiseau appartient; le second désigne
l'espèce; le troisième, s'il y a lieu, la sous-espèce.

Voici deux exemples qui illustrent ces cas:

a) Gavia immer (Le Huart à collier)

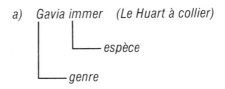

b) Spizella passerina passerina (sous-espèce du
Pinson familier)

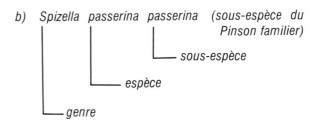

Certains volumes traitant d'ornithologie indiquent,
immédiatement après le nom scientifique, le nom de la
personne qui a défini l'espèce. Si l'espèce ou la sous-
espèce sont classées dans un genre autre que celui
d'origine, le nom de l'auteur est inscrit entre paren-
thèses. Cette façon de procéder a été adoptée dans le
présent ouvrage.

L'APPELLATION DES OISEAUX

Les oiseaux étudiés dans ce volume sont identifiés
selon deux fascicules du Service canadien de la Faune.
Le dernier paru, LES OISEAUX PROTÉGÉS AU CANA-
DA, édition 1978, mentionne toutes les espèces d'oiseaux migrateurs qui ont été l'objet d'une convention
signée entre le Canada et les États-Unis en 1916.
Beaucoup d'autres espèces, dont quelques-unes émigrent, n'entrent pas dans le cadre de cette entente et
sont soumises à des lois provinciales ou territoriales.
Il s'agit des Galliformes, des Falconiformes, des Strigiformes, de quelques Pélécaniformes (pélicans et cormorans) et de plusieurs Passeriformes (corbeaux, corneilles, geais, mainates, vachers, carouges, étourneaux, sansonnets et moineaux). Ces dernières
espèces figurent dans le fascicule NOMS DES
OISEAUX DU CANADA: NOMS FRANÇAIS, ANGLAIS
ET SCIENTIFIQUES publié en 1972 (3e édition).

Comme des personnes sont familières avec des
noms d'espèces utilisés dans des productions orni-

thologiques antérieures à 1978, l'auteur les signale ainsi que plusieurs autres en usage dans quelques régions. De cette façon, le lecteur, qui a déjà étudié les oiseaux sous telle appellation, se sentira plus à l'aise, étant déjà en pays de connaissance.

LA RÉPARTITION DES OISEAUX

L'Amérique du Nord compte environ 1,200 espèces et sous-espèces. Le Canada en protège 775 qui sont groupées sous 19 ordres et 75 familles. La province de Québec possède des représentants dans 18 ordres répartis en 50 familles, soit environ 350 espèces dont approximativement 250 sont communes et qui, effectivement, composent notre avifaune.

Des individus d'une centaine d'espèces, tels que l'Albatros à bec jaune, le Pélican blanc, le Petit Héron bleu, la Grande Aigrette, la Frégate superbe, le Vautour à tête rouge, le Vautour noir, etc., apparaissent très accidentellement dans l'une ou l'autre région du Québec.

Une cinquantaine d'espèces — dans plusieurs cas, quelques individus seulement d'une espèce donnée — passent l'hiver avec nous. Toutefois, la grande majorité de nos oiseaux trouvent leur pitance sous des climats plus sereins.

LES ESPÈCES ÉTUDIÉES

Les 127 espèces étudiées dans ce volume composent 50 p. cent de l'avifaune québécoise et elles descendent de 41 familles et sous-familles groupées sous 12 ordres. Elles habitent également toutes les provinces de l'est du Canada. Quatre-vingt-quinze autres espèces, dont 69 du Québec et de tout l'Est ainsi que vingt-six des provinces de l'Ouest, sont signalées au passage, parfois accompagnées de notes brèves. De plus, il est fait mention de quatorze espèces d'oiseaux exotiques.

LE BAGUAGE DES OISEAUX

C'est au début du siècle que débuta le baguage des oiseaux. Cette pratique s'amplifia d'une année à l'autre, surtout depuis la signature, en 1916, du « Traité sur les oiseaux migrateurs » qui lie le Canada et les États-Unis. Quelques années plus tard, le Mexique signa une entente semblable. Afin de mieux coordonner les recherches en ornithologie des trois pays signataires, toutes les données recueillies sont centralisées et analysées à Washington.

En plus des Services de la Faune des gouvernements fédéral et provinciaux, quelques organismes, entre autres « Canards illimités », et plusieurs ornitholoques, tant des amateurs que des professionnels, s'occupent de baguage. Toutes les bagues proviennent des États-Unis et portent un numéro de code ainsi que la note « Avise Bird Band Write Washington D.C. U.S.A. ». Toute personne, qui alors trouverait un oiseau porteur d'une bague, contribuerait à la recherche ornithologique en la faisant parvenir à l'adresse ci-haut mentionnée ou à un bureau du Service de la Faune de sa région, fédéral ou provincial, en indiquant son nom, son adresse, le lieu de la découverte et la date. Il est à noter que beaucoup de bagues de sauvagine sont retournées en saison de chasse. On doit à Christian Mortensen, un Danois, l'usage de l'anneau en aluminium.

Le baguage constitue l'un des meilleurs moyens scientifiques pour élargir nos connaissances sur les oiseaux: leur comportement, leur milieu de nidification, leur secteur d'alimentation, les voies migratoires empruntées au printemps et en automne et leur lieu de migration. Les préposés au Service de la Faune utilisent surtout deux méthodes pour capturer les oiseaux: cage en treillis métallique dans laquelle la sauvagine, attirée par le grain, accède par une ouverture conique; technique du filet japonais pour attraper les espèces forestières. Dans les deux cas, les oiseaux sont retirés de leur piège un par un. Pendant qu'une personne retient l'oiseau et le bague, une autre en note l'espèce, le sexe, l'âge (adulte ou jeune), les mensurations, le numéro de la bague, l'endroit et la date.

TOPOGRAPHIE DE L'OISEAU

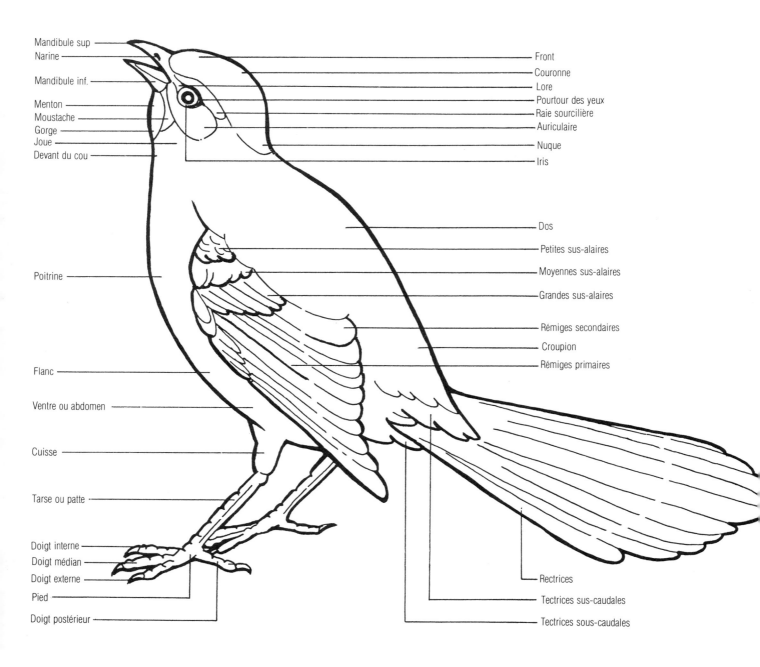

Mandibule sup

Narine

Mandibule inf.

Menton

Moustache

Gorge

Joue

Devant du cou

Poitrine

Flanc

Ventre ou abdomen

Cuisse

Tarse ou patte

Doigt interne

Doigt médian

Doigt externe

Pied

Doigt postérieur

Front

Couronne

Lore

Pourtour des yeux

Raie sourcilière

Auriculaire

Nuque

Iris

Dos

Petites sus-alaires

Moyennes sus-alaires

Grandes sus-alaires

Rémiges secondaires

Croupion

Rémiges primaires

Rectrices

Tectrices sus-caudales

Tectrices sous-caudales

REMERCIEMENTS

À messieurs Elzéar Campagna, agronome et docteur ès sciences, Louis Perron, licencié ès sciences agronomiques, et Gabriel Allaire, professeur en écologie à l'École secondaire Pamphile-le-May (Sainte-Croix de Lotbinière) qui ont lu mon manuscrit et suggéré des corrections pertinentes.

Au ministère des Affaires culturelles qui, par une subvention, m'a aidé dans la préparation de cet ouvrage.

À de nombreux collaborateurs qui ont participé à son illustration:

ministère de l'Énergie et des Ressources (Service de l'Éducation en conservation), Québec;
ministère des Communications (Direction générale du cinéma et de l'audiovisuel), Québec;
ministère du Loisir, de la Chasse et de la Pêche, Québec;
musée national des Sciences naturelles des Musées nationaux du Canada;
service canadien de la Faune;
Canards illimités, inc.

P. Bernier	R. Laverdière
Guy Drapeau	Jacques Prescott
André Duquette	Léo-Guy de Repentigny
J.-L. Frund	Gaétan Rochette
Germaine Gauthier	Maxime Saint-Amour
Jean Gauthier	Short Augus
Jean Giroux	Jean Sylvain
Roger Larose	
Mario Laverdière	

À mon épouse, à mes enfants et à de nombreux amis qui m'ont encouragé à écrire sur l'avifaune québécoise.

Aux Éditions internationales Alain Stanké ltée qui ont accepté de publier *Oiseaux familiers du Québec*.

Julien Boisclair

ORDRE DES GAVIIFORMES

Les Gaviiformes ont donné naissance à une seule famille, celle des Gaviidés, dont les Huarts sont les uniques représentants. Ils offrent des caractères bien particuliers: bec droit, long et pointu; ailes brèves qui les désavantagent fort au moment de s'envoler; pattes courtes, situées très en arrière, qui rendent la marche pénible, à un point tel que l'oiseau se glisse sur le ventre. Par contre, ce sont des plongeurs remarquables qui s'aventurent profondément sous l'eau. Ils détiennent le record parmi tous les palmipèdes, y demeurant le plus longtemps, en raison d'une physiologie sanguine spéciale et de sacs aériens communiquant avec leurs poumons. À l'instar des Anatidés, ils subissent une mue totale, au cours de l'été, qui les empêche de voler.

Le Canada en compte quatre espèces dont trois au Québec: le Huart à collier — le mieux connu —; le Huart arctique — plus rare, mais vu parfois dans le Bas-Saint-Laurent —; le Huart à gorge rousse — assez commun autour de l'île d'Anticosti et sur les côtes du Labrador.

Photo: Musée national des Sciences naturelles, Musées nationaux du Canada, 79-3139.

LE HUART À COLLIER

Nom anglais: Common Loon
Nom scientifique: Gavia immer (Brunnïch)
Longueur: 81,28 cm (32 po)
Ponte: 2 œufs gris olive, tachetés de brun et de noir.

Un grand nombre de lacs disséminés partout au Canada donnent refuge à plusieurs espèces d'oiseaux aquatiques, dont le Huart à collier connu également sous le nom de Plongeon à collier ou tout simplement Huard. Astucieux face à l'homme qu'il considère comme un envahisseur de son domaine, plongeur émérite en eau profonde, sous-marin ailé qui déjoue tous les calculs, car nul ne sait où il va faire surface, il peut être considéré à juste titre comme le Roi de nos lacs.

Description — C'est un grand plongeur qui peut peser douze livres, souvent davantage, au bec noir, long, effilé, droit et pointu. Les pattes sont brèves, noires et très palmées; les ailes, courtes et pointues. La tête de l'adulte dessine des teintes verdâtres et violacées, est illuminée d'yeux vifs et rouges. Le cou noir nuancé de violacé est coupé sous la gorge d'un demi-collier à traits verticaux blancs. Juste avant la naissance de la poitrine d'un blanc très pur, un second collier plus large confère au Huart une fière allure. Le dos et les ailes noirs sont parsemés de nombreux quadrilatères blancs disposés comme les carrés d'un damier. Le jeune n'a pas de collier. Le dos est d'un gris uniforme; l'iris est brun. En octobre ou novembre, l'adulte reprend les couleurs du jeune.

Photo: Ministère de l'Énergie et des Ressources. Service de l'éducation en conservation, Québec, par Jean Sylvain.

Habitat — Le début de mai marque habituellement le retour, des côtes de l'Atlantique, du Huart à collier qui se dirige aussitôt vers un lac solitaire. Après l'avoir survolé, il l'occupe, à moins qu'un membre de l'espèce l'y ait précédé. Lorsqu'il se rend maître d'un terrain de chasse, il ne tolère pas qu'un autre individu vienne s'emparer de ce qu'il considère comme un bien personnel. Toutefois, deux ou trois couples peuvent vivre dans le même milieu aquatique de très grande superficie.

Nid — Élevage des petits — La femelle, gagnée par les ardeurs d'un mâle, rassemble quelques végétaux défraîchis sur un sol marécageux, à proximité de l'eau, et les dispose de façon telle qu'ils constituent un logis moelleux. Les œufs de forme ovale mesurent 8,89 cm sur 5,71 cm (3½ po sur 2¼ po). L'incubation dure 24 jours et est assurée par le couple. À la moindre alerte, l'oiseau quitte la couvée et file prestement dans l'eau. Deux jours après leur naissance, les jeunes accompagnent leurs parents, quelquefois accrochés à leur dos.

Techniques de chasse — Le Huart à collier est ce qu'on pourrait appeler un oiseau spectaculaire. Corps immergé, laissant hors de l'eau son long cou, il glisse lentement, prudemment, regardant de gauche à droite, en dessinant derrière lui un mince sillage. Quand il capture un petit poisson, il s'en fait un jouet, le retourne dans son bec, lui donne l'illusion de lui rendre la liberté, le rattrape aussitôt et l'avale. Comme il se nourrit de poissons très petits, le véritable sportif ne s'inquiète pas de ce fretin, mais se plaît plutôt, entre deux lancers, à regarder évoluer l'élégant pêcheur emplumé.

Techniques de vol — Il faut le voir aussi en vol, cou très tendu et agitant rapidement les ailes. Quand il amerrit, il avance ses larges palmes vers l'eau, le corps rejeté en arrière comme s'il appliquait les freins. En raison de sa lourdeur et à cause surtout de ses courtes ailes, il déploie des efforts considérables pour s'envoler. Il nage alors rapidement à fleur d'eau, tout en accélérant le mouvement des ailes qui produisent un genre de vrombissement de moteur, puis, lorsque la course a été jugée suffisamment longue, il prend son essor et s'élève graduellement. Quand la piste d'envol n'offre pas une envergure assurant une possibilité de départ, il attend une brise favorable qui l'aidera à prendre les airs.

Le cri — Si cet oiseau se fait admirer comme plongeur, nageur et pêcheur, il déclenche un mouvement d'effroi et de stupeur quand il lance ses cris lugubres se précipitant en cascade et ressemblant à des ricanements démoniaques. Entendues dans le silence de la nuit ou lorsque l'orage est sur le point d'éclater, ces vocalises semblent encore plus macabres et engendrent chez l'homme des frissons à donner la chair de poule. Parfois, deux Huarts à collier se répondent d'un lac à l'autre, ce qui ajoute à ce duo des effets plus sinistres.

Valeur économique — Le Huart à collier n'appartient pas à cette catégorie de gibier à plumes comestible. Comme sa chair coriace n'invite aucun palais à la déguster, il vaut mieux le laisser patrouiller en paix le lac le jour et le hanter la nuit de l'horreur de ses rires sarcastiques.

LE FOU
DE BASSAN

Nom anglais: Gannet
Nom scientifique: Morus bassanus *(Linnaeus)*
Longueur: 88,9 cm (35 po)
Ponte: un œuf blanc teinté légèrement de bleu

ORDRE DES PÉLÉCANIFORMES

Six familles appartiennent aux Pélécaniformes: les Pélécanidés, les Phaethontidés, les Sulidés, les Phalacrocoracidés, les Anhigidés et les Frégatidés.

Les Pélécanidés sont représentés au Canada par deux espèces: le Pélican brun vu parfois au sud du pays et le Pélican blanc, un oiseau très rare au Québec.

Deux espèces, le Grand paille-en-queue et le Petit paille-en-queue, font partie des Phaethontidés.

Les Sulidés nombrent cinq espèces. Une seule vit au Québec: le Fou de Bassan. Le mot « sulidé » dériverait de *solan,* un mot scandinave qui signifie « mer ». Les noms anglais donnés au Fou de Bassan *Soland Goose* et *Solan Goose* en découlent.

Les Phalacrocoracidés ont donné naissance à quatre espèces, dont deux au Québec, le Grand Cormoran et le Cormoran à aigrettes. Le nom de cette famille vient du mot grec *phalacrocorax* et signifie sorte de « corbeau de mer » et « cormoran ».

Les Anhingidés comprennent une seule espèce, le Anhinga dont le cou et le bec ressemblent à ceux du Grand Héron.

Les Frégatidés comptent deux espèces: la Frégate superbe et la Petite Frégate. La Frégate superbe pêche parfois dans le golfe Saint-Laurent. N.-A. Comeau signala sa présence à Godbout, le 13 août 1884; le lendemain, le capitaine Leblanc l'observa à bord d'un bateau-phare.

Tous ces oiseaux sont des palmipèdes totipalmés à quatre doigts réunis par trois membranes. Leur menu quotidien se compose surtout de poisson. Les parents nourrissent leurs petits par régurgitation de leur contenu stomacal.

Parmi les oiseaux du Québec, — l'Oie blanche exceptée — aucun ne soulève autant de curiosité et n'attire autant d'observateurs que ce grand palmipède vivant en très grand nombre sur l'île Bonaventure, au large de Percé en Gaspésie. Son nom générique « Fou » lui a été donné parce qu'on le croyait stupide, lui qui se laissait tuer facilement à coups de bâtons sans opposer de résistance. Heureusement, une loi sévère défend actuellement de le molester. Quant à son nom d'espèce « Bassan », il provient de la petite île Bassan située dans le golfe d'Edimbourg en Écosse, où cet oiseau abonde.

Tous les étés, des milliers de touristes font le tour de la pittoresque île Bonaventure. Plusieurs même y font escale, afin de voir de près la faune ailée qui a adopté ce refuge comme lieu de nidification.

Description — Le plumage du Fou de Bassan adulte, dans sa presque totalité, est blanc. Seuls le noir des rémiges primaires et de l'abord des yeux, ainsi que le teint crème de la couronne et du cou rompent la monotonie de ce vêtement quasi immaculé. Le bec grisâtre teinté verdâtre, légèrement incurvé à la mandibule supérieure, un peu plus long que la tête, pointu et acéré, taillé pour retenir le poisson, constitue un attirail de pêche efficace. L'iris est bleuâtre. L'envergure des ailes atteint 1,8 mètre (6 pieds). Les pattes et les pieds sont noirs.

Le jeune se présente en un plumage brun grisâtre; l'extrémité des plumes des dessus et des ailes est terminée en un V blanc. Ce n'est qu'après trois ou quatre ans qu'il devient adulte et qu'il en prend les couleurs.

Notes historiques — Ce palmipède appartient presque à notre folklore, tellement il remonte loin dans l'Histoire du Canada. Le célèbre navigateur Jacques Cartier nota sa présence, le 25 juin 1534, lors de son passage dans le golfe Saint-Laurent, près d'une île escarpée littéralement recouverte d'oiseaux et située à la pointe nord-est de l'archipel de la Madeleine. Parmi eux vivait une multitude de Fous de Bassan que le grand explorateur décrivit comme de grandes oies blanches et qu'il nomma « Margaulx ». Cet endroit, baptisé alors Île-de-Margaulx et connu aujourd'hui sous le nom de Rocher-aux-Oiseaux, est devenu en 1919, en vertu de la loi — 9 Georges V, ch. 32 — ainsi que le Rocher Percé et l'île Bonaventure, un refuge d'oiseaux.

Photo: Ministère du Loisir, de la Chasse et de la Pêche, Québec.

Habitat — Cette dernière île abrite la plus importante colonie de Fous de Bassan. En 1913, selon l'ornithologiste Taverner, ils se chiffraient entre 7,000 et 8,000; en 1966, on en recensait 50,000. Une autre colonie habite l'Île-aux-Oiseaux (Bird Island) au large de Cap Sainte-Marie, à Terre-Neuve: le 28 juin 1942, on y dénombrait 5,000 couples. En 1884, N.-A. Comeau rapporta en avoir découvert une quantité innombrable qui nichait à la pointe ouest de l'île d'Anticosti et sur les Îles-aux-Perroquets (deux des îles Mingan).

Nid — Incubation — Les nids, grossièrement fabriqués d'herbes marines, où s'ajoutent parfois des branchettes, sont dressés les uns à côté des autres et contiennent chacun un œuf. Toutes les corniches accrochées aux parois servent d'emplacements. L'espace occupé par chaque couple est très restreint, ce qui provoque de temps en temps des chocs qui se traduisent en coups de bec et, alors, de stridents « currach » sortant de milliers de gosiers produisent un tintamarre infernal.

La femelle et le mâle se relèguent tout le temps de l'incubation d'une durée moyenne de 43 jours. À la mi-juin, les premiers oisillons brisent leur coquille. D'autres apparaîtront plus tard, tout dépendant du moment de la ponte. Le nouveau-né est nu, gris-noir: une vraie petite laideur. Quelques jours après, un duvet blanc très fin le recouvre. Le jeune restera au nid jusqu'à la pousse complète des ailes. Les parents, à tour de rôle, le nourrissent.

Régime alimentaire — Techniques de chasse — Cet oiseau marin se sustente uniquement de poisson frais: hareng, maquereau, capelan et autres espèces. C'est un as de la plongée. Lorsqu'il a repéré une proie, du haut d'un rocher ou en vol, tel un bolide, il descend à la verticale en fermant en partie les ailes, parfois d'une hauteur de plus de trente mètres. Juste avant de toucher l'eau, il referme complètement ses longues rames. L'eau jaillit comme une fontaine jusqu'à trois mètres, et l'oiseau nageant quelquefois profondément sous l'eau capture un poisson. Il l'avale avant même de surgir de l'onde ou le retient prisonnier dans une petite poche du gosier, s'il le destine à son héritier. Des poches à air, agissant comme amortisseurs et situées dans la poitrine, préviennent les chocs violents dus à un plongeon exécuté de très haut.

Si la disette sévit dans les eaux qui bornent son biome, il gagne le large, parcourant jusqu'à 165 kilomètres (100 milles) pour satisfaire son appétit. Une vue très aiguisée lui permet de distinguer les bancs de poisson à près de 33 mètres du haut des airs, et ce, même lors de mauvais temps. Grâce à lui, les pêcheurs découvrent ainsi plus facilement les endroits où ils peuvent jeter leurs filets.

Notes particulières — Migration — L'adulte pèse de dix à douze livres. Selon quelques chercheurs, il peut vivre jusqu'à cinquante ans. Au début d'octobre, il émigre sur les côtes de l'Atlantique depuis la Virginie jusqu'à la Floride.

LE CORMORAN À AIGRETTES

Nom anglais: Double-crested Cormorant
Nom scientifique: Phalacrocorax auritus *(Lesson)*
Ponte: 2-4 œufs vert bleuâtre badigeonnés de blanc crayeux

De tout temps l'homme a su profiter de l'animal pour l'associer à son travail ou pour agrémenter ses loisirs. Les oiseaux n'ont pas échappé à cette exploitation: le Faucon, au Moyen Âge, pour chasser le petit gibier; le Grand Cormoran, en Chine et au Japon, pour capturer le poisson.

Description — Des deux espèces de Cormorans vivant au Québec, le mieux connu comme le plus commun est le Cormoran à aigrettes. Le plumage, en général noir et lustré, est teinté de verdâtre. Quelques autres particularités le caractérisent fort bien: absence totale de plumes entre l'œil, le bec et la gorge; iris vert et pourtour de l'œil jaune orangé; aigrettes fines presque imperceptibles de l'adulte, au printemps; bec mince terminé en crochet et de couleur brun foncé; rectrices au nombre de quinze; larges palmures noires.

Le plumage du jeune est tout différent: dessus brun foncé, dessous plus pâles rayés de beige (les rayures sont plus foncées dans la région du ventre), grandes et moyennes sus-alaires bordées de noir.

Habitat — Le territoire des Cormorans à aigrettes couvre les étendues d'eaux salées et douces. Toutefois, comme ces oiseaux aux instincts grégaires fort développés vivent en colonie, ils se sont installés, depuis longtemps déjà, à des endroits stratégiques qui rencontrent leurs exigences tant pour leur alimentation que pour leur reproduction. C'est ainsi qu'on les rencontre surtout en Gaspésie où mille couples nichent sur le Rocher Percé. D'autres espèces d'oiseaux, comme le Gode, la Marmette commune, le Guillemot noir, le Pétrel cul-blanc, le Goéland argenté et plusieurs autres partagent ce vaste biome de Percé. D'autres colonies plus modestes existent également sur les rives escarpées de quelques îles, notamment sur celles des îles Pèlerins en aval de Québec (presque en face de Saint-André-de-Kamouraska).

Le cri — C'est un genre de croassement enroué et guttural. Les Cormorans à aigrettes mêlent souvent leurs cris aux braillements des autres oiseaux, ce qui engendre une cacophonie des plus assourdissantes.

Nid — Incubation — Élevage des petits — Il est massif, composé de branchettes et d'herbes marines. La femelle le pose sur une falaise ou sur une des corniches; parfois elle le place dans un arbre, mais dans un cas comme dans l'autre, il est toujours très près de l'eau. Le mâle et la femelle se partagent la corvée de l'incubation d'une durée

moyenne de 27 jours. Les oisillons naissent nus, sont affreusement laids et de couleur noirâtre. Le premier duvet surgit quelques jours après.

Les oisillons sont nourris par régurgitation de poissons mi-digérés; plus tard, ils reçoivent, à tour de rôle, un poisson en entier que le père ou la mère transportent dans une pochette située juste à l'entrée du gosier et qui se nomme « poche gulaire ».

Techniques de chasse — Régime alimentaire — Ce palmipède est totalement piscivore. Le hareng, le chabot et l'anguille font partie de son régime. Il pêche à la manière du Huart. Posé sur l'eau, le corps bien calé, les rectrices retroussées, il rame tout en surveillant ce qui se passe autour de lui. Tout à coup il glisse sous l'eau, nage rapidement vers un banc de poissons, puis bientôt revient à la surface en maintenant solidement une proie de travers dans le bec. Il la lance en l'air et la rattrape en l'avalant tête première. Ce manège n'a duré qu'une quarantaine de secondes. La pêche continue ainsi jusqu'à ce qu'il soit bien repu.

Son repas terminé, il vole vers un rocher où il procède à l'opération séchage. En effet, le plumage du Cormoran, contrairement à celui des autres oiseaux aquatiques, s'imbibe au contact de l'eau, ce qui lui permet de submerger facilement et d'évoluer avec plus de célérité. Mais il lui faut après se départir de l'eau qui imprègne toutes ses plumes. Il étend alors les ailes, les agite rapidement pour les débarrasser des gouttelettes, puis les laisse ouvertes jusqu'à ce que son corps soit sec.

Valeur économique — Il lui arrive de s'alimenter aux dépens du pêcheur en puisant à même ses filets. À l'occasion, il se régalera d'un saumoneau, mais ce sont là des cas bien particuliers, parce que la plupart du temps il pêche lui-même sa pitance.

Migration — Avant de s'engager vers le Sud, quelques individus visitent les rivières importantes et les lacs de grande étendue. Ils les survolent en formation de V comme les oies ou à la file indienne à la façon des canards. Au début d'octobre, ils émigrent sur la côte de l'Atlantique depuis la Caroline du Nord jusqu'au golfe du Mexique.

Photo: Musée national des Sciences naturelles. Musées nationaux du Canada, 79-2979.

ORDRE DES CICONIIFORMES

Le mot « ciconiiforme » a été emprunté à *ciconia,* nom latin de la cigogne, un échassier très commun en Europe. Les oiseaux de cet ordre sont dotés de jambes longues et dénudées, d'une queue brève, d'un cou long, d'un bec droit, élancé chez les Hérons et les Butors, incurvé chez les Ibis, élargi et plat à son extrémité chez les Spatules, court et recourbé chez les Flamants. Ils fréquentent les marais, les étangs et les grèves recouvertes de hautes herbes où ils chassent pour se nourrir. Leurs doigts favorisent les déplacements sur les sols mous et détrempés. Ils perchent aisément.

Les Ciconiiformes englobent, au Canada, quatre familles: les Ardéidés avec quatorze espèces dont cinq vivent au Québec — le Grand Héron, le Héron vert, le Bihoreau à couronne noire, le Petit Butor et le Butor d'Amérique —; les Ciconiidés avec deux espèces; les Threskiornithidés avec cinq espèces dont deux s'aventurent sporadiquement sur le territoire québécois — l'Ibis luisant et l'Ibis blanc —; les Phœnicoptéridés avec le Flamant rose que nous pouvons admirer dans nos jardins zoologiques.

LE GRAND HÉRON

Nom anglais: Great Blue Heron
Nom scientifique: Ardea herodias *Linnaeus*
Longueur: 106,68 cm (42 po)
Ponte: 3-6 œufs bleus ou bleu verdâtre

Le plus grand de nos échassiers arrive du Sud en avril. Il couvre la province et vit où peuvent l'accommoder une rivière, un lac ou un étang. Le voyageur qui longe une rivière le voit fréquemment dans les endroits où abondent les herbes marines, marchant au bord des eaux, le plus souvent figé en une pose de froide statue dans l'attente d'une proie.

Description — Les différentes couleurs du plumage se détaillent ainsi: dos, ailes et rectrices bleu ardoise avec plumes sous-caudales blanches; front, dessus de la tête, menton et joues blancs; pourtour de la couronne et aigrettes noirs; gorge blanche, cou gris pâle strié de noir et de brun; poitrine grise, abdomen noir et blanc rayé de jaune orange, plumes de la cuisse brun rouille; tarse et doigts gris-noir; bec et iris jaunes.

Six caractères différencient le jeune de l'adulte: absence d'aigrettes; front et couronne noirs; dessus brun ardoise; petites sus-alaires brun rougeâtre; dessous cendrés.

Habitat — Nid — Quelques territoires, surtout les forêts humides, attirent davantage ce Héron, en raison de leurs ressources alimentaires et des abris sûrs qu'ils offrent. Ce semble être le cas du refuge d'oiseaux de l'île-aux-Basques située au large de Trois-Pistoles. Les Grands Hérons vivent en colonie et plusieurs couples construisent leur nid dans le même arbre. On en compte parfois jusqu'à une dizaine bien assis sur les grosses branches. Cette habitation solide quoique rudimentaire est composée de branchettes; c'est souvent celle de l'année précédente, car le Grand Héron revient nicher à la même place. L'ensemble de ces nids s'appelle une héronnière. Il arrive même que plusieurs Bihoreaux à couronne noire partagent le même végétal.

Incubation — Nutrition des petits — Elle dure quatre semaines. Les nouveau-nés nourris par régurgitation de poissons ou d'un autre petit animal partiellement digérés par leurs parents reçoivent, lorsqu'ils sont plus âgés, la bête en son entier.

Régime alimentaire — Il varie d'un milieu à l'autre compte tenu du gibier disponible. Le Grand Héron se nourrit indifféremment de grenouilles, de fretin, d'écrevisses, de sangsues, de couleuvres, de souris, de mulots, de libellules et de sauterelles.

Techniques de chasse — Cet oiseau s'y connaît en patience. Parfois les vivres se font rares, ce qui l'oblige à chasser de longues heures d'affilée. Contrairement à d'autres échassiers qui chassent en s'agitant de gauche à droite, lui demeure immobile et attend. Tout animal qui circule près de son poste de guet, susceptible de satisfaire son appétit, est saisi brusquement à l'aide de son long bec et enfilé tête première.

Techniques de vol — Le plus grand de nos échassiers, en dépit de ses membres démesurés, ne manque pas d'élégance. Il faut le voir prendre son vol et ramer majestueusement dans le ciel! En quittant le sol, il se donne un élan, pattes à la verticale, ailes tendues vers le haut, cou allongé. Alors, il pénètre dans le vif de l'air, les longues pattes à l'horizontale sous les plumes caudales, le cou recroquevillé épousant la forme d'un S, les ailes s'agitant en un rythme lent mais régulier.

Valeur économique — Les pêcheurs ne doivent pas s'inquiéter des habitudes alimentaires de cet oiseau, vu que ses captures ne présentent aucun intérêt dans le champ commercial.

Migration — Octobre venu, il s'envole vers le Sud pour se rendre dans ses quartiers d'hiver soit Panama, soit le Venezuela.

LE BIHOREAU À COURONNE NOIRE

Nom anglais: Black-crowned Night Heron
Nom scientifique: Nycticorax nycticorax *(Linnaeus)*
Longueur: 60,96 cm (24 po)
Ponte: 3-6 œufs vert pâle

Photo: Musée national des Sciences naturelles, Musées nationaux du Canada, 79-2976.

Il n'est pas rare d'apercevoir au crépuscule, presque toujours à la même heure, un Bihoreau à couronne noire en vol, faisant route vers un étang de son biotope. Tout en se déplaçant sans hâte, il pousse des « couacs » secs et fréquents d'où découle son surnom de « Couac » ou « Quac ». En raison de ses habitudes nocturnes, quelques ornithologistes l'appellent tout simplement le Héron de nuit.

Description — L'adulte est un oiseau plutôt massif, au bec noir légèrement conique mais plus court que celui du Grand Héron, aux yeux à l'iris rouge dont le pourtour est vert jaunâtre et aux longues pattes jaunes. La couronne, le dos et les épaules sont d'un noir profond; les rémiges et les rectrices sont gris-cendré et les autres parties demeurent toutes blanches. Deux aigrettes effilées et blanches courent de la couronne au centre du dos.

Les couleurs du jeune se rapprochent quelque peu de celles du Butor d'Amérique: plumage en totalité blanc grisâtre strié de brun sur la tête et les dessous; dos marqué de rouille et un peu blanchâtre; rémiges primaires brun sombre; plumes sus-alaires brunes dont les extrémités se détachent en de petits triangles blancs; bec jaune pâle; iris brun; pattes jaune verdâtre.

Habitat — Le printemps est à peine entamé que le Bihoreau à couronne noire regagne les marais. En effet, il apparaît à la mi-mars en même temps que le Goéland argenté. Il recherche alors des endroits stratégiques le long des étangs ou des marécages pourvus abondamment d'étendues d'eau stagnante.

Nid — Élevage des petits — Il construit son nid sur le sol ou dans un arbre, partageant très souvent le même domaine avec quelques-uns de ses congénères ou couvant à une couple de mètres du Grand Héron. Son logis plutôt rustique mais solide consiste en un amoncellement de branchettes.

Les petits sont nourris par régurgitation. Dans leur hâte de courir l'aventure, ils quittent parfois le nid prématurément. Ils s'accrochent tant bien que mal aux branches, mais si, par malheur, ils se retrouvent sur le sol, ils deviennent des proies faciles pour le renard.

Techniques de chasse — La chasse du Bihoreau diffère de celle du Grand Héron. Tandis que celui-ci attend placidement que le gibier approche à la distance de son long cou, celui-là s'agite continuellement, tête baissée et cou en S, prêt à saisir une proie trop hasardeuse: un rongeur, une grenouille ou un petit poisson. Cet échassier ne chasse pas uniquement la nuit, même si ses déplacements crépusculaires le laissent supposer. Il lui arrive aussi de couvrir plusieurs kilomètres, afin d'assurer sa propre subsistance ainsi que celle de sa couvée.

Migration — Il nous quitte en octobre, avant le gel des étangs. À la suite du Grand Héron, il se range dans une troupe de son espèce en route pour quelque marécage du sud des États-Unis, de l'Amérique centrale ou du nord de l'Amérique du Sud.

LE BUTOR D'AMÉRIQUE

Nom anglais: American Bittern
Nom scientifique: Botaurus lentiginosus (Rackett)
Longueur: 71,12 cm (28 po)
Ponte: 3-5 œufs brunâtres

Il est le digne émule du Grand Héron et du Bihoreau à couronne noire comme chasseur de rongeurs, de batraciens, de couleuvres, de fretin et de gros insectes. On le connaît également sous le nom de Butor américain. Son nom spécifique *lentiginosus* qui signifie « couvert de taches de rousseur » le caractérise fort bien.

Description — Lorsqu'il est renfrogné, il épouse une forme ovale prolongée d'un long bec jaune pâle. L'iris est jaune. Un arc brun souligne la base des auriculaires. Les parties supérieures sont presque toutes rayées de brun. La gorge blanche est marquée d'un mince sillon brun qui descend du menton jusqu'à la naissance de la poitrine. La poitrine et le ventre jaunâtres sont rayés de roux. Les pattes sont jaune verdâtre.

Photo: Direction générale du cinéma et de l'audiovisuel, Québec, par J.-L. Frund.

Retour de migration — Le cri — Il revient des pays du Sud en avril. Les cris qu'il émet impressionnent vivement les humains qui vivent dans son entourage: ce sont des bruits gutturaux qui imitent l'enfoncement de pieux dans la vase et qui se répercutent à deux ou trois kilomètres à la ronde. Cette musique de butor débute avec la pariade et se répète souvent jusqu'à l'automne. Elle semble être une expression de joie ou scelle la prise de possession d'un territoire. Pendant leur stade d'adolescence, les jeunes s'initient à l'expression musicale de leurs parents.

Nid — Incubation — Élevage des petits — Après avoir accepté les avances d'un mâle, la femelle cherche un emplacement pour sa couvée. Les roseaux servent de refuge au nid composé de joncs desséchés et disposés sans cérémonie. L'incubation dure 24 jours. Les oisillons sont nourris par régurgitation. Lorsqu'ils peuvent se déplacer avec aisance, ils accompagnent leur mère dans ses chasses.

Ennemis et mode de préservation — Tant que les jeunes ne peuvent assurer leur défense, la mère vit dans l'inquiétude. Ses principaux ennemis, les rapaces, les renards et les visons, tous en quête d'un bon repas, rôdent continuellement. Alertée par un bruit inusité, la femelle quitte sa couvée. Désire-t-elle alors échapper aux regards d'un curieux ou à un ennemi, elle avance dans les roseaux, se met à l'attention, le cou tendu perpendiculairement aux plantes et attend. D'enflé qu'était son corps au repos, il devient svelte. Sa physionomie générale se marie ainsi à son biome. Le danger dissipé, elle revient à son nid en empruntant maints détours. Si un adversaire déjoue ses plans et l'attaque de front, le Butor utilise une arme terrible: son bec acéré. Gare aux yeux de l'agresseur, car cet échassier est vif et capable de livrer un violent combat!

Techniques de chasse — Elles sont d'un style qui le caractérise bien. Il avance dans les eaux peu profondes ou circule parmi les hautes herbes, promène le cou à droite et à gauche, poursuit le gibier qui veut se dérober et, au bon moment, le saisit dans ses fortes mandibules et l'avale tête première.

Migration — Il demeure dans les marais et chasse le long des cours d'eau aussi longtemps qu'il est assuré d'y trouver la nourriture qui fait partie de son menu quotidien. Dès que les étangs menacent de geler et que le gibier se fait rare, il émigre au centre et au sud des États-Unis, également au sud-ouest de la Colombie-Britannique.

Photo: Ministère de l'Énergie et des Ressources. Service de l'éducation en conservation, Québec. par Jean Sylvain.

ORDRE DES ANSÉRIFORMES

Le nom de cet ordre vient du latin *anser* et signifie « oie ». Quelques traits en commun caractérisent ces palmipèdes: bec plus large à l'extrémité et bordé de lamelles délicates qui servent à diverses fonctions selon l'espèce; pied doté de quatre doigts — les trois antérieurs sont séparés par deux palmures et le postérieur qui est plus développé chez le canard de mer ressemble à une minuscule nageoire —; dandinement dû aux pattes qui sont logées très en arrière dans le corps.

La mue annuelle, qui survient après la couvaison, occasionne la chute des rémiges; alors, l'oiseau ne peut voler deux ou trois semaines durant. À cette époque, il vit en réclusion dans un coin discret de son biome.

Une seule famille naît de cet ordre: les Anatidés. Elle se subdivise en six sous-familles: les Cygninés, les Ansérinés, les Anatinés, les Aythyinés, les Oxyurinés et les Merginés.

Valeur économique — Les Ansériformes contribuent de façon positive à l'économie des populations humaines. Autrefois, ils ont procuré aux pionniers des réserves alimentaires très précieuses. Aujourd'hui encore, ils offrent aux chasseurs des moments palpitants et fournissent à leur famille des mets délicieux.

Il est déplorable que l'homme n'ait pas su freiner ses appétits qui ont été la cause première de la diminution alarmante de quelques espèces de canards. Le Canard huppé *Aix sponsa* (Linnaeus), un oiseau de toute beauté, illustre cette rareté, quoiqu'il apparaisse un peu plus nombreux dans nos régions. Quant au Cygne trompette, *Olor buccinator* (Richardson), un gros oiseau tout blanc de 1,65 mètre de longueur (65 po), il appartient à une espèce presque complètement éteinte.

Heureusement que des lois plus sévères émanant du gouvernement fédéral sont venues mettre fin à des chasses intensives non réglementées dont les résultats étaient néfastes à notre avifaune. La protection accordée à l'Oie blanche témoigne du souci du gouvernement central vis-à-vis de la conservation de nos Ansérinés.

SOUS-FAMILLE DES CYGNINÉS

Les palmipèdes de cette sous-famille se font remarquer tout autant par un cou élégant aussi long que le corps, que par des mouvements gracieux quand ils glissent sur l'onde. Le Canada en protège cinq espèces: le Cygne tubercule (Cygne muet), le Cygne sauvage, le Cygne siffleur, le Cygne de Bewick et le Cygne trompette. Le Cygne siffleur et le Cygne trompette ont été signalés quelquefois dans le sud-ouest du Québec, mais leur apparition est tellement sporadique qu'on ne peut les inscrire dans l'avifaune québécoise.

SOUS-FAMILLE DES ANSÉRINÉS

Les Oies et les Bernaches appartiennent à ce groupe. Au début de la colonie, les Bernaches étaient connues sous le nom d'Outardes. « ... outardes et oies sauvages blanches et grises ». (Jacques Cartier, Deuxième voyage, 1535). « ... de gros oiseaux qui sont en ce pays-là appelés outardes ». (Samuel de Champlain, Les Voyages...)

Ces grands oiseaux demeurent le gibier favori du chasseur. Ce sont de puissants voiliers dont les larges et longues ailes permettent des déplacements à la fois longs et rapides. Les lamelles des mandibules servent surtout à brouter les herbes. Cinq espèces vivent à l'est du pays dont quatre au Québec: la Bernache du Canada, la Bernache cravant, l'Oie blanche et l'Oie bleue.

Photo: Musée national des Sciences naturelles. Musées nationaux du Canada. 79-3042.

LA BERNACHE DU CANADA

Nom anglais: Canada Goose
Nom scientifique: Branta canadensis (Linnaeus)
Longueur: 88,9 cm (35 po)
Ponte: 4-6 œufs blancs

Cette grosse oie sauvage est remarquable par sa perspicacité. Elle donne alors du fil à retordre au chasseur, amateur de bonne chère et désireux d'abattre un gibier d'une douzaine de livres. Tout de même, elle succombe à l'attrait des leurres, surtout quand ce sont de véritables oies qui crient en s'agitant à l'extrémité d'une laisse.

Description — La Bernache du Canada appelée aussi Bernache canadienne et Grande Outarde vêt une livrée toute monacale: tête, cou et gorge brun foncé tirant sur le noir; tache blanche qui traverse la gorge en se rétrécissant aux abords de la nuque; dos brun; croupion blanc en forme de V; rémiges et rectrices brun foncé; début de la poitrine noir et autre partie brun clair; ventre gris, bec noir, iris brun et pattes noires.

Habitat — Nid — Incubation — La majorité des Bernaches du Canada nidifient dans les régions marécageuses du Nouveau-Québec; toutefois, un grand nombre couve à Natashquan et sur l'île d'Anticosti.

Le nid est habituellement bâti sur le sol, près de l'eau et de préférence sur un îlot. Exceptionnellement, la femelle utilisera un vieux nid d'oiseau rapace soit sur un arbre, soit sur un rocher. Sur la terre ferme, c'est une simple dépression de terrain que l'oiseau garnit de branchettes et double de duvet.

Tout le temps de l'incubation — rôle dévolu à la femelle —, le mâle monte la garde. Il la protège ainsi que la couvée et, au besoin, éloigne le renard ou l'épervier.

Migration — Régime alimentaire — Bien avant que le froid envahisse leur territoire d'été, les Bernaches se groupent pour entreprendre le périlleux voyage d'automne. La formation en V de ces oies ne manque pas de spectaculaire. L'homme ne se lasse pas d'observer cette longue traînée d'ailes qui ont tôt fait de sillonner un coin de ciel pour s'estomper bientôt dans le lointain.

Lorsqu'elles amerrissent sur le Saint-Laurent, elles choisissent les zones où croît leur plante favorite, la zostère marine. Le soir, elles s'envolent vers les marécages ou les champs cultivés pour parachever le repas du jour. En automne, le grain fait partie de leur régime. Pendant cette ripaille, une sentinelle, cou tendu, voit à la sécurité de ses congénères. Cette espèce d'Oie se nourrit aussi d'herbes des lacs. Dans la toundra, elle affectionne particulièrement les baies sauvages.

Quand les glaces emprisonnent les battures de la mer, elles reprennent la voie des airs pour les côtes de l'Atlantique. Leur retour en mars présage un printemps hâtif.

LA BERNACHE CRAVANT

Nom anglais: Brant
Nom scientifique: Branta bernicla *(Linnaeus)*
Longueur: 60,96 cm (24 po)
Ponte: 4-6 œufs blanc grisâtre

Beaucoup de gens en province, notamment ceux de Charlevoix et de la Côte-Nord, l'appellent Petite Bernache et Petite Outarde. À l'exception de cinq ou six rayures blanches du cou, les couleurs sont identiques à celles de la Bernache du Canada.

Habitat — Au printemps, le gros des troupes de Bernaches cravants se dirige franc nord vers la région arctique de l'est de l'Amérique. Le biome estival de cette oie est surtout circumpolaire, quoique quelques individus adoptent un coin isolé de la Côte-Nord comme lieu de nidification. Napoléon-A. Comeau, dans son livre *La Vie et le Sport sur la Côte-Nord* à la page 358, le rapporte en ces termes: « Couve et est loin d'être rare. Arrive en avril, reste jusqu'à novembre et parfois jusqu'à décembre. » Elles mettent alors le cap sur les côtes de l'Atlantique.

Nid — Élevage des petits — Une dépression de terrain dans un sol marécageux répond aux besoins de la femelle, qui confectionne un nid d'herbes, de mousse, de plumes et de duvet. Peu après l'éclosion de la couvée, la mère invite ses oisillons à la suivre vers le plus proche point d'eau. Quand la petite famille longe les abords de la mer, en quête de nourriture, le mâle ouvre le chemin et la femelle le ferme.

Régime alimentaire — Ce palmipède vit surtout à l'eau salée. À l'époque des migrations, il s'arrête fidèlement sur le Saint-Laurent. Barboteur en eau peu profonde, il se délecte principalement de la zostère marine qui contient de l'iode. Cette plante est appelée aussi « Herbe à bernaches », « Herbe à outardes » ou « Arboutarde ». Le frère Marie-

Photo: Service canadien de la Faune, par Léo-Guy de Repentigny.

Victorin a écrit dans la *Flore Laurentienne,* à la page 55: « Vers l'île Verte, commencent les prairies marines à *Zostera marina* var. *stenophylla,* aujourd'hui détruites par une maladie (probablement à virus), mais qui se reconstitueront probablement. » C'était en 1933. Depuis ces études sur la zostère marine, il a été entrepris d'autres recherches sur cet organisme bactérien. À ce propos, il est rapporté aussi dans la *Flore Laurentienne,* à la page 640: « On croit maintenant qu'il est plutôt causé par un champignon qui vit dans les lacunes aérifères des feuilles. » En dépit de cette épidémie, la disparition de la zostère marine n'a pas été totale, ce qui a permis à la Bernache de survivre.

Migration — Deux fois par année, au printemps et en automne, des voiliers de Bernaches cravants sillonnent le ciel de nos villes et de nos campagnes. De temps à autre de ce long train aérien, parviennent de bruyants « Onque », comme si nos voyageurs demandaient le passage. Guidées par un mâle expérimenté, en un vol majestueux, elles rament rapidement à plusieurs centaines de mètres au-dessus de nos têtes pour disparaître vite à l'horizon. Cet équipage à plumes franchit une trentaine de milles par jour, puis fait une halte pour se nourrir.

L'OIE BLANCHE

Nom anglais: *Snow Goose*
Nom scientifique: Anser hyperborea *(Pallas)*
Longueur: 63,5 cm (25 po)
Ponte: 6-7 œufs blanc crème

Photo: Ministère du Loisir, de la Chasse et de la Pêche, Québec, par Jean-Guy Lavoie.

La réputation dont jouit l'Oie blanche vient en grande partie de la saveur de sa chair. Avant que le Canada et les États-Unis signent, en 1916, un traité relatif aux oiseaux migrateurs, beaucoup parmi eux, dont l'Oie blanche, étaient l'objet de chasses intensives, parfois à l'année longue. En 1908, on comptait environ 3,000 Oies blanches. Aujourd'hui, elles sont 200,000. Cette augmentation est due en grande partie à l'aménagement de refuges d'oiseaux au cap Tourmente, à Montmagny et à plusieurs autres endroits.

Description — L'adulte est tout blanc à l'exception des rémiges primaires qui sont noires à leur extrémité. Le bec est rosé avec tache noire évasée à la mandibule inférieure; l'iris est brun et les membres inférieurs rosés. Le jeune, qui s'habille du plumage de l'adulte après deux ans, blanchit graduellement, passant par une phase gris cendré avec nuances blanches à la gorge, la poitrine, le croupion, les rectrices et quelque peu les rémiges.

La teinte rougeâtre du cou est due à l'oxyde de fer que contient le sol des rives du Saint-Laurent où elle s'arrête pour brouter. Pour couper le rhizome de sa plante favorite, le Scirpe d'Amérique, *Scirpus americanus,* elle fouille dans la vase à plusieurs centimètres de profondeur. C'est alors que disparaissent momentanément le bec et une partie du cou. À la longue, les plumes en contact avec la terre oxydée s'imprègnent de la couleur du milieu.

Retour au printemps et habitat — Dès le début avril, les Oies blanches, parfois accompagnées de quelques Bernaches du Canada, par bandes successives et bruyantes, mais disciplinées, apparaissent dans le firmament de quelques régions du Québec. Les rives du Saint-Laurent près de Montréal accordent refuge à quelques-unes d'entre elles, mais c'est surtout en aval de Québec, particulièrement au cap Tourmente, où séjournent deux mois durant des milliers de ces grands palmipèdes.

À la fin de mai, les Oies blanches regagnent leur habitat d'été: la toundra de l'Arctique, au nord-est. Des colonies se forment depuis le nord de l'île de Baffin jusqu'à l'île de Bathurst à l'ouest, et jusqu'à Alert dans l'île d'Ellesmere au nord. L'île de Bylot, qui épouse la forme d'un rectangle de 124 km sur 112 km, s'élève au large de la côte nord-est de l'île de Baffin et donne refuge à la principale colonie d'Oies blanches. Cette île est considérée comme un refuge fédéral d'oiseaux migrateurs. Le Dr Lemieux, biologiste au service du gouvernement fédéral, s'y rendit en 1957 et fit une étude approfondie des mœurs de l'Oie blanche au temps de la nidification.

Nid — Incubation — Élevage des petits — Ces grands oiseaux vivent habituellement en colonie. Les nids se voisinent à quelque deux mètres environ l'un de l'autre. D'autres sont isolés. Tous sont cependant placés dans une légère dépression du sol, habillés d'herbes sèches et de duvet que la femelle arrache de son corps. La femelle seule incube. Cette corvée toute maternelle dure environ 25 jours.

La femelle est particulièrement attachée à sa couvée et c'est pourquoi elle la quitte rarement. Quand elle va manger en compagnie de son partenaire, elle recouvre les œufs de duvet, tant pour les préserver du froid que pour les soustraire à la vue de quelque prédateur éventuel. À son retour, elle retourne les œufs, s'accroupit avec soin pour les couvrir en totalité et se résigne à les incuber encore une vingtaine d'heures, voire davantage, avant de retourner de nouveau pour se restaurer. Pour sa part, le mâle se poste à un mètre ou deux de sa compagne pour remplir son rôle de gardien et de protecteur.

Quelque vingt-quatre heures après leur éclosion, les oisons se nourrissent de délicates herbes et se rendent, précédés de leur mère, au plan d'eau voisin. Les familles qui s'y rassemblent profitent amplement de la journée de vingt-quatre heures, sans nuit, pour s'empiffrer. Six semaines après leur sortie du nid, les jeunes peuvent voler.

Les ennemis — L'Oie blanche connaît de sérieux ennemis dans son aire nordique: le Labbe, véritable pirate de l'air, qui s'empare des proies des oiseaux pêcheurs, profite de l'éloignement de la femelle pour piller la couvée; pour sa part, l'Isatis, le renard blanc de l'Arctique, s'attaque aux oisons. Le rusé prédateur craint toutefois l'oie adulte qui lui fait face en l'attaquant à coups de bec et d'ailes.

Régime alimentaire — Le scirpe d'Amérique, plante vivace à longs rhizomes traçants constitue la nourriture de base de cet oiseau, lors de ses haltes sur les rives du fleuve

Saint-Laurent. Selon le frère Marie-Victorin, cette espèce végétale est « l'une des plus importantes plantes ripariennes du Saint-Laurent ».

Dans son biome d'hiver, le long des côtes de l'Atlantique du Delaware à la Caroline du Nord, elle se sustente de la racine de la spartine pectinée, *Spartinata pectinata,* appelée aussi « Herbe à liens » et « Chaume ». Cette herbe marine abonde également sur les rives du Saint-Laurent, des lacs Saint-Jean et Saint-Pierre. Autrefois, elle était cueillie par les pionniers qui l'utilisaient pour lier les gerbes et couvrir le toit de leur demeure.

Le cri — Les longues séances de repas en groupe, tôt le matin et en fin d'après-midi, s'accompagnent souvent de cris nasillards très tumultueux provenant d'une note monosyllabique, un « oque » lancé par des milliers de gosiers. Dérangées dans leur ripaille, les Oies s'envolent un peu plus loin dans un froissement d'ailes et surtout avec des cris qui engendrent une clameur d'une sauvage harmonie.

Migration — Séjour près de Québec — À la fin d'août ou au tout début de septembre, alors que les étangs de la toundra commencent à geler, les Oies blanches s'agitent. Bientôt sonnera l'heure de l'odyssée automnale. L'envolée massive s'organise, les équipes se dessinent, puis un membre de cette immense tribu — le chef sûrement — prend le départ suivi de ses troupes. De longs angles blancs se profilent dans le ciel, survolent à coup sûr l'île de Baffin, traversent la partie centrale de la péninsule de l'Ungava et fran-

chissent de vastes territoires pour se retrouver enfin à l'embouchure de la rivière Saguenay. Un repos plutôt bref, et c'est alors la remontée vers les grands points de séjour de Québec. Ces formations turbulentes arrivent par vagues, se précipitent sur les battures en cornant leur présence, impatientes de retrouver de riches pâturages.

Comme les Bernaches, deux fois par année — en avril et en mai, également de la mi-septembre au début de décembre, soit une durée totale de cinq mois — l'Oie blanche s'attarde sur les plages du Saint-Laurent: île d'Orléans, Île-aux-Grues, de Montmagny à Rivière-du-Loup, mais tout particulièrement au cap Tourmente, à une trentaine de milles en aval de Québec sur la rive nord, où près de 80,000 de ces grands palmipèdes viennent brouter les herbes marines.

Notes historiques — La villégiature des Oies blanches au cap Tourmente est connue depuis fort longtemps. Le père Le jeune écrit, en 1634, dans *Les Relations des Jésuites* qu'il a vu, le 20 octobre, plus de 1,000 « Oyes blanches » près de cet endroit. Bien avant Le Jeune, Cartier l'avait mentionné dans son livre de bord.

Départ pour le Sud — La date de rendez-vous de ces blancs voiliers varie très peu d'une année à l'autre. Leur départ, en automne, est toutefois conditionné par la température, car lorsque les battures subissent les effets du gel, les Oies blanches quittent leurs pâturages. En 1976, par exemple, dans la semaine du 8 novembre, le gros de la troupe d'Oies blanches de cap Tourmente s'envolait vers les côtes de l'Atlantique.

LE CANARD MALARD

Nom anglais: Mallard
Nom scientifique: Anas platyrhynchos *Linnaeus*
Longueur: 58,42 cm (23 po)
Ponte: 6-12 œufs blancs ou olive pâle ou chamois

SOUS-FAMILLE DES ANATINÉS

Les canards de cette catégorie vivent à l'aise soit dans une rivière, soit dans un étang. On les appelle communément « barboteurs » en raison de leur habitude de chercher leur nourriture en surface ou sous l'eau, mais à une si mince profondeur que seuls la tête, le cou et le corps antérieur disparaissent. Ils ne plongent qu'en cas de danger grave. Habituellement, ils s'envolent à la verticale directement de l'eau.

Chez les Anatinés, la femelle seule s'occupe de l'incubation et de l'élevage des petits. Les oiseaux de cette sous-famille muent deux fois par année: après la couvaison, ils perdent les rémiges et, alors, mâle et femelle prennent un plumage d'éclipse identique; plus tard, en juillet et en août, les plumes des ailes reparaissent de même que les couleurs du mâle. À tout moment le miroir de l'aile constitue une identification sûre.

Dix-huit espèces couvrent le Canada, dont huit le Québec: le Canard malard, le Canard noir, le Canard pilet, la Sarcelle à ailes vertes, la Sarcelle à ailes bleues, le Canard souchet, le Canard huppé et le Canard siffleur d'Amérique.

Voilà le type d'oiseau cosmopolite qui habite un peu partout: dans toute l'Europe — la Laponie exceptée —, dans la plupart des pays d'Asie ainsi que dans presque toutes les régions de l'Amérique du Nord.

Description — Le mâle possède un plumage aux couleurs vives et diversifiées: tête et cou verdâtres, collier blanc, partie antérieure de la poitrine marron et partie postérieure ainsi que l'abdomen gris argent finement zigzagué de noirâtre, dos brun mêlé de grisâtre et plus profondément bruni sur les épaules, croupion et dessus des rectrices d'un noir lustré, rectrices médianes bouclées à leur extrémité, rectrices externes blanches; miroir de l'aile composé de violet, de pourpre, de verdâtre et bordé de deux lignes, une noire et une blanche; petites sus-alaires grisâtres. Le bec est jaune verdâtre; l'iris est brun; les pattes sont rouge orange. En été, au temps de la mue, le mâle prend les couleurs de la femelle.

Le plumage de la femelle est beaucoup plus modeste: corps bigarré de brun noirâtre et de fauve, mais aux dessous plus clairs que les dessus; tête et cou chamois rayés de brunâtre. Le bec est noirâtre teinté d'orange; les pattes sont jaune pâle. Le jeune ressemble à sa mère.

Photo: Ministère de l'Énergie et des Ressources, Service de l'éducation en conservation, Québec, par Jean Sylvain.

Photo: Musée national des Sciences naturelles, Musées nationaux du Canada, 75-4947.

♂ ♀

Notes historiques — Le nom de « Malard », selon Eric W. Bastin, vient d'une source germanique très ancienne. C'est la corruption du nom propre « Madelhart », titre d'une fable sur le canard.

Ce palmipède demeure à l'origine des races de canards domestiques créées par l'homme à travers les siècles. Deux races sont surtout élevées au Canada: le Pékin dont la ponte annuelle se chiffre de 100 à 150 œufs et le Rouen, une race noire d'origine française. D'autres races, comme le Coureur indien et le Campbell-khadi, pondent jusqu'à 300 œufs en un an. Le Canard malard est connu également chez nous sous les noms de Canard ordinaire et Canard de France. En Europe, on l'appelle Canard Col-Vert.

Pariade — Elle débute très tôt au printemps. La femelle, courtisée parfois par deux mâles, fixe son choix après maintes démonstrations amoureuses des rivaux: agitation de la tête tout en nageant, soulèvement du corps pour exhiber leur belle poitrine brune, vol serré près de la femelle qui quitte furtivement l'élément liquide. Ce n'est qu'une fois revenue à l'eau que la femelle accepte un mâle. Ensuite, avec l'élu, elle s'envole à la recherche d'un territoire où elle élèvera sa couvée.

Nid — Incubation — La femelle le situe quelquefois, compte tenu du terrain, à une grande distance d'un étang ou d'une rivière. Il est composé d'herbes, de joncs, de feuilles, de duvet et camouflé dans de hautes herbes. Pendant la ponte, le mâle se tient près de sa compagne pour la protéger. Le dixième jour de l'incubation, il quitte le territoire pour vagabonder en compagnie d'autres mâles sur de plus vastes nappes d'eau. C'est le temps où débute pour lui la mue annuelle.

L'incubation dure environ 28 jours. Quand la femelle quitte le nid, afin de se nourrir, elle recouvre les œufs de duvet dans le but de les soustraire à la vue de mangeurs d'œufs comme la corneille, le geai et le renard; également pour les préserver du froid.

Élevage des petits — Alimentation — Le cri — Quelques heures après leur éclosion et une fois leurs plumes séchées, la femelle guide ses canetons vers le plus proche plan d'eau. Ensemble ils suivent les bords tout en cherchant leur nourriture. Le Malard est un omnivore qui se nourrit de tout aliment susceptible d'apaiser sa fringale: herbes tendres, plantes aquatiques riveraines, glands, riz sauvage, vers de terre, sauterelles, petites grenouilles, lézards, menu fretin, etc. Le cri de ce palmipède est un couac flûté.

Migration — Les individus qui hivernent très au sud s'envolent tôt en septembre. Le gros de la troupe quitte plus tard et se dirige vers le centre et le sud des États-Unis. Ceux qui trouvent des points d'eaux libres de glace et suffisamment étendus hivernent ici. C'est ainsi qu'on l'aperçoit, à l'année longue, un peu partout de la Nouvelle-Écosse au sud de la Colombie-Britannique.

LE CANARD NOIR

Nom anglais: Black Duck
Non scientifique: Anas rubripes Brewster
Longueur: 55,88 cm (22 po)
Ponte: 6-12 œufs chamois verdâtre

Tandis que les provinces des Prairies demeurent le réservoir des Canards malards, celles de l'Atlantique accueillent le Canard noir dans leurs vastes territoires. Le champ de reproduction de ce dernier est immense, car il s'étend à tout sol à proximité de l'eau, celui de la mer comme celui des lacs ou des rivières. Il s'adapte alors à la nourriture de l'un ou l'autre de ces milieux.

Photo: Ministère de l'Énergie et des Ressources, Service de l'éducation en conservation, Québec, par Jean Sylvain.

Description — Vu de loin, ce canard, mâle ou femelle, semble de couleur noire. Vu de près, il apparaît dans sa véritable perspective: plumage brun sombre nuancé de noir mais plus clair dans la région de la tête et du cou; miroir de l'aile mêlé de vert et de bleu encadré de deux lignes noires; dessous des ailes gris argenté; iris brun; bec verdâtre et pattes de couleur olive.

En hiver, le mâle a les pattes rouge orangé et le bec jaune. Les pattes de la femelle sont rouges et le bec est jaune. Au début de l'hiver, le plumage du jeune ressemble à celui de l'adulte.

Habitat — Il niche surtout à l'est du Canada. Dès la fin de mars, les migrateurs qui ont passé l'hiver sur les côtes de l'Atlantique regagnent un lac, une rivière ou quelque île du fleuve Saint-Laurent. L'Île-aux-Pommes vis-à-vis de Saint-Éloi de Kamouraska, comme les îles Mingan (elles sont au nombre de vingt-neuf et se succèdent en descendant jusqu'à Havre-Saint-Pierre) abondent en nids de plusieurs espèces d'oiseaux, dont les Canards noirs qui y vivent en colonie. Les terres basses inondées de la rivière Saint-Jean au Nouveau-Brunswick font aussi partie de leurs aires de nidification. Quelques couples préfèrent un endroit marécageux près d'un lac isolé de peu d'étendue en pleine forêt laurentienne.

Nid — Incubation — Élevage des petits — Le nid est large, fabriqué de brindilles, d'herbes et doublé de plumes et de duvet. À l'instar de la plupart des espèces de canards, la couvaison commence après la ponte complète des œufs. Une fois les canetons nés, après une incubation qui dure environ vingt-huit jours, la mère conduit sa progéniture au plan d'eau voisin. Les jeunes, qui sont d'abord au stade d'une alimentation insectivore, s'acheminent au fur et à mesure de leur croissance vers celui d'omnivore.

Mue annuelle — Les premières rémiges des jeunes commencent à poindre huit semaines après leur naissance. Alors la mère se retire parmi les roseaux dans un coin solitaire de son biotope, afin d'y subir la mue annuelle. Pour sa part, le mâle vivait cette transformation pendant que la femelle présidait à l'élevage de la couvée et, déjà, il s'alimente avec d'autres mâles de son espèce dans un lac de grande étendue. Aussitôt que les jeunes peuvent voler, ils vont rejoindre leurs aînés. Les femelles arriveront plus tard après la repousse des ailes.

Régime alimentaire — Le cri — C'est par groupe de plusieurs dizaines d'individus que les Canards noirs visitent différents endroits pour se nourrir de racines, de pousses aquatiques, de riz sauvage, de glands, de grain, de têtards, de petites grenouilles, de ménés, etc. Tout en barbotant ils lancent de temps à autre leurs cris: chez la femelle, c'est un couac éclatant semblable à celui de la femelle du Malard; celui du mâle est plutôt bas et aigu.

Mœurs en automne — À cette époque, l'amateur de gibier aquatique fourbit ses armes pour la chasse au Canard noir, fort recherché à cause de la saveur agréable de sa chair. Il figure aussi parmi l'un des plus perspicaces des Anatinés. Les canards robots qui se balancent dans une anse le rendent tellement méfiant qu'il se balade au large, plongeant au besoin pour échapper à un danger imminent ou bondissant hors de l'eau à une hauteur de 1,50 mètre pour s'envoler précipitamment.

Il se rapproche de la rive au crépuscule. Le seul espoir du Nemrod, pendant le jour, reste une forte brise qui force le Canard noir à quitter la haute mer pour trouver refuge dans les hautes herbes. Seules les ruses multiples du chasseur racé, qui connaît à fond les mœurs de cet oiseau, réussissent à tromper sa vigilance, ce qui lui permet alors de se vanter d'un bon coup de fusil.

Migration — Les déplacements vers des eaux plus vives commencent lors du gel progressif de leurs territoires d'été. Le plus grand nombre d'entre eux émigrent sur les côtes de l'Atlantique; d'autres s'envolent au sud de Terre-Neuve, tandis que quelques-uns s'accommodent des eaux libres du Saint-Laurent et des rivières tumultueuses.

LA SARCELLE À AILES VERTES

Nom anglais: Green-winged Teal
Nom scientifique: Anas carolinensis *Gmelin*
Longueur: 35,66 cm (14 po)
Ponte: 8-12 œufs chamois

Le plus petit de nos canards se plaît en eau salée comme en eau douce, mais manifeste toutefois un goût prononcé pour un étang ou une rivière. Comme la délicieuse saveur de sa chair fait l'envie de fins palais, il demeure l'une des cibles favorites du chasseur.

Peinture: Canards illimités. par Angus Shortt.

Description — Un croissant vert, qui donne l'impression d'une application ornementale, court de l'œil à la base du cou. Le dos est grisâtre vermiculé de délicats reflets noirâtres. Les ailes offrent un mélange de couleurs variées: brun léger, noir, blanc, jaune avec miroir vert métallique. Une riche teinte marron recouvre le menton, la gorge, le cou et la tête du mâle. La base du cou présente des dentelures grises; le début de la poitrine est d'un brun léger parsemé de rondelles noires; la partie arrière et l'abdomen sont blancs.

Le plumage de la femelle passe du brun pâle au brun foncé. C'est ainsi qu'un brun léger couvre la tête et le cou; il est plus accentué sur la couronne. La poitrine, les flancs et le dos sont mouchetés de fauve; la gorge et le ventre sont blanchâtres. La couleur des ailes est identique à celle du mâle, mais le miroir est d'un vert pâle. L'iris est brun.

Habitat — Nid — Tout endroit répondant à ses exigences d'alimentation lui convient. On la rencontre un peu partout et sûrement aux environs de la Manicouagan, au sud de l'Ungava et dans le voisinage de la baie d'Hudson. Elle bâtit son nid sur le sol dans les herbages touffus. Il est plutôt simple, composé d'herbes desséchées et doublé de plumes et de duvet.

Régime alimentaire — Elle se nourrit à la manière des Anatinés. Son menu est composé de crustacés, de larves de moustiques, d'insectes, de graines de plusieurs herbes aquatiques et de fruits sauvages qui croissent en bordure des étangs. Ce petit barboteur vit souvent dans le voisinage de canards plongeurs. Lorsque ces derniers cueillent leur nourriture en profondeur, ils déplacent des substances nutritives qui font les délices de la Sarcelle.

Techniques de vol — Tout dérangement inusité l'éloigne de son pôle d'alimentation. Elle s'élève alors nerveusement, cou tendu, bat rapidement des ailes et fuit à toute vitesse. C'est tout un spectacle que de suivre des yeux un groupe de ces oiseaux agiles, au vol erratique, qui rase presque l'onde et qui va se jeter dans une anse ou qui file au-dessus des arbres, afin d'aller chercher un endroit paisible dans une étendue d'eau voisine!

Migration — Quand le froid menace de gel les lacs, les rivières et les étangs, la Sarcelle à ailes vertes émigre vers le Sud: de la baie Chesapeake à l'Amérique du Sud. Plusieurs individus de l'espèce ainsi que quelques Sarcelles à ailes bleues hivernent chez nous, à condition de trouver des plans d'eaux libres. Ces deux espèces sont aperçues assez souvent, en hiver, sur le fleuve Saint-Laurent près de Sainte-Anne-de-la-Pocatière.

LA SARCELLE À AILES BLEUES

Nom anglais: Bluewinged Teal
Nom scientifique: Anas discors *(Linnaeus)*
Longueur: 40,64 cm (16 po)

Elle et vit dans le même territoire que sa cousine. Elle aime surtout barboter dans les eaux peu profondes des étangs. Quand elle émigre vers le Sud, elle part beaucoup plus tôt que sa parente, soit au cours du mois de septembre.

Photo: Musée national des Sciences naturelles, Musées nationaux du Canada, 74-2625.

LE CANARD HUPPÉ

Nom anglais: Wood Duck
Nom scientifique: Aix sponsa *(Linnaeus)*
Longueur: 46,25 cm (18,5 po)
Ponte: 8-14 œufs blanc crème

Le plus colorié de nos Anatidés est le Canard huppé. Le nom générique *aix* vient du grec et signifie « sorte de canard »; quant au nom spécifique, *sponsa,* il provient du latin et veut dire « fiancée ». C'est sans doute là un rapprochement métaphorique de son plumage nuptial avec la robe de la jeune fille à l'occasion de son mariage. Deux noms communs anglais, « The Bride » et « Bridal Duck », qui se traduisent respectivement par «La fiancée » et « Le canard nuptial », expliquent fort bien le nom scientifique *sponsa*. On le désigne aussi sous le nom de Canard branchu, ce qui rappelle son habitude de se poser sur une branche.

Description — Le mâle se paie le luxe d'une diversité de couleurs: ensemble de la tête, crête incluse, d'un vert et

Photo: Musée national des Sciences naturelles, Musées nationaux du Canada, 79-3067.

d'un pourpre iridescents; une première ligne blanche au-dessus de l'œil va de la naissance du bec à l'extrémité de la crête; une seconde part à la hauteur de l'œil et descend jusqu'à l'occiput; menton, gorge et partie supérieure du cou blancs et dont la couleur s'étend en y vers les joues et les côtés du cou; parties supérieures vert bronzé; dessus de

la queue noirâtre; épaules et rémiges secondaires internes d'un noir velouté, lustrées de pourpre et de vert; parties supérieures de la poitrine de teinte marron et parsemées de petites taches blanches; côtés gris jaunâtre rayés légèrement de noir; le reste des parties inférieures est blanc. Le bec est tricolore: rouge à la base, blanc au centre, noirâtre sur l'onglet, l'arête et à la mandibule inférieure. L'iris et la paupière sont pourpres; les pieds sont orange jaunâtre.

Chez la femelle, comme chez la plupart des oiseaux femelles, les couleurs sont beaucoup plus sobres: tête et cou d'un brun grisâtre, mais plus foncé sur la couronne; parties supérieures brunes, légèrement lustrées; menton, gorge supérieure et pourtour des yeux blancs; avant-cou et côtés du corps brun jaunâtre rayés de brun foncé; poitrine blanche mouchetée de brun; abdomen blanc. Le bec est grisâtre, tacheté de blanc au centre et de rouge à la base; l'iris est brun foncé; les pieds sont jaune pâle.

Habitat — Nid — Le Canard huppé fréquente les étendues d'eau des régions boisées du sud-ouest du Québec; on le rencontre également sur plusieurs îles du Saint-Laurent. Il niche dans un arbre creux qu'il tapisse de plumes et de duvet, à une hauteur qui peut atteindre seize mètres. Parfois, il utilise une boîte dont l'entrée doit mesurer de 7,5 à 10 cm avec un plancher de 25 cm sur 25 cm. Peu de temps après leur éclosion, les canetons sautent de leur nid et, précédés de leur mère, se dirigent vers le plus proche point d'eau. Plus tard, ils gagneront les marais.

Régime alimentaire — Il consiste en noix, insectes aquatiques et terrestres ainsi que de divers petits animaux aquatiques.

Le cri — Le mâle émet des « ji-i-i-i »; de son côté, la femelle fait entendre des « ou-eek » de détresse à la fois rudes et aigus.

Migration — Dès que les marais commencent à geler, le Canard huppé s'envole vers les États-Unis et il se rend même jusqu'au centre du Mexique.

LE GARROT COMMUN

Nom anglais: Common Goldeneye
Nom scientifique: Bucephala clangula *(Linnaeus)*
Longueur: 42,54 cm (16,75 po)
Ponte: 9-12 œufs vert pâle

Ce plongeur recherche surtout les eaux douces où il se nourrit d'herbes et de racines aquatiques. C'est un palmipède remarquable, roulé plus d'une fois par le sportif armé qui se poste derrière un rocher de la grève. Un bruit inhabituel le fait plonger. Cette fuite tant attendue est exploitée par le Nemrod qui en profite pour se rapprocher du rivage, s'accroupir, impatient de revoir immerger son gibier à plumes. Ce qui survient ensuite se devine aisément.

Description — La tête du mâle, bouffie, noire et imprégnée de reflets verdâtres, ressemble à un pommeau de canne. L'iris est jaune. Une tache ronde et blanche située à la base du bec le caractérise bien. Les dessus sont noirs et les dessous blancs.

♂

SOUS-FAMILLE DES AYTHYINÉS

La racine du nom de cette sous-famille *aythy* vient du grec et signifie « plongeon ». Les individus de ce groupe sont plus massifs que les Anatinés. Ils sont d'excellents plongeurs qui trouvent au fond de l'eau les herbes qui leur servent d'aliments. Quoiqu'ils préfèrent de vastes étendues marines, quelques-uns ne dédaignent pas toutefois les lacs et les étangs, là où vivent les canards barboteurs. Ces derniers tirent des avantages de la présence de canards plongeurs. En effet, ceux-ci mettent en mouvement des herbes profondes qui laissent échapper des substances nutritives qui montent en surface et que s'empressent de manger les barboteurs.

Quinze espèces de cette sous-famille vivent au Québec. Sept préfèrent la vie marine: le Canard kakawi, le Canard arlequin qui niche près d'un cours d'eau rapide, l'Eider à duvet, l'Eider remarquable, la Macreuse à ailes blanches, la Macreuse à front blanc, la Macreuse à bec jaune — ces trois dernières espèces sont reconnaissables à leur bec bosselé, fortement coloré chez le mâle.

Huit espèces choisissent les lacs, les rivières ou les grands étangs: le Morillon à tête rouge, le Morillon à collier, le Morillon à dos blanc, le Grand Morillon et le Petit Morillon — ces deux dernières espèces sont très communes à l'époque des migrations —, le Garrot commun, le Garrot de Barrow et le Petit Garrot.

Photo: Musée national des Sciences naturelles, Musées nationaux du Canada. 79-3154.

La tête de la femelle ainsi que le menton et la gorge sont bruns. Le cou est gris; le dos, brunâtre. La poitrine, les flancs et le ventre sont gris brunâtre. Chez le mâle et la femelle les pattes et les doigts sont de ton orange; les palmures sont noirâtres.

Noms populaires — L'habileté avec laquelle le Garrot commun disparaît sous l'eau lui a valu le nom de plongeur. Plusieurs ornithologues l'appellent aussi Bucéphale d'Amérique, Garrot vulgaire, Garrot à œil d'or, Canard caille et Siffleur. Les gens de Charlevoix et de la Côte-Nord le désignent sous cette avant-dernière appellation. Quant à son nom de « Siffleur », il lui vient du sifflement des ailes lorsqu'il vole.

Habitat — Pariade — Dès que les lacs, les étangs et les rivières reprennent leur vie normale, le Garrot commun s'empresse d'y retourner. Le mâle met tout en œuvre pour s'attirer l'amitié d'une femelle. C'est dans l'eau qu'il fait montre de toute sa finesse: étalement des plumes caudales, repli de la tête et bec érigé perpendiculairement. Après maintes répétitions de cette cour toute simple, préliminaire à l'union du couple, la femelle accepte les hommages de son compagnon.

Nid — Un arbre creux, à une hauteur pouvant atteindre 18,28 mètres (60 pieds) ou une vieille souche que la femelle recouvre d'herbes, de feuilles, de mousse et de duvet abritera la couvée. L'incubation assurée uniquement par la femelle dure de 26 à 30 jours. Peu de temps après leur éclosion, les canetons quittent leur demeure et sautent dans le vide, les ailes à peine formées frémissant dans l'air. Sous la garde maternelle tous se dirigent au plan d'eau voisin.

Élevage des petits — La croissance des jeunes en milieu aquatique ressemble à celle des membres de leur famille. Les parents les protègent et les acheminent petit à petit vers une vie autonome. Lorsque la famille part en excursion, la femelle ouvre la marche, suivie de sa progéniture. Les jeunes et leurs parents ne plongent jamais ensemble pour se nourrir. Il existe chez les oiseaux aquatiques un instinct de méfiance vis-à-vis d'un agresseur éventuel, c'est pourquoi le mâle et la femelle, à tour de rôle, demeurent sur l'eau et surveillent. Un ennemi survient-il, le guetteur s'empresse d'alerter la famille qui refait surface beaucoup plus loin.

Notes particulières — La chair de ce palmipède est délicate surtout celle des jeunes au début de l'automne. Par temps d'orage, cette espèce préfère patauger sur les rives qui ne lui procurent pas toujours la sécurité, car là l'amateur de bonne chère l'y attend.

Migration — Le Garrot commun émigre vers le Sud, à la fin du mois d'octobre ou en novembre, dans les États voisins du golfe du Mexique et en Floride. Quelques individus vivent tout l'hiver sur quelque rivière aux eaux libres: rapides de Lachine, divers secteurs des rivières Saguenay et Richelieu et du fleuve Saint-Laurent.

LE PETIT GARROT

Photo: Musée national des Sciences naturelles, Musées nationaux du Canada, 73-3778.

Nom anglais: Bufflehead
Nom scientifique: Bucephala albeola (Linnaeus)
Longueur: 36,83 cm (14,5 po)
Ponte: 9-14 œufs blanc crème ou chamois

Le plus petit des Aythyinés, l'un des plus beaux de cette sous-famille, surtout le mâle par ses couleurs contrastantes, excelle comme plongeur. Il est le portrait du Garrot commun, mais en format réduit. On l'appelle également le Petit Bucéphale.

Description — La tête du mâle s'enveloppe d'une touffe épaisse aux couleurs voyantes: vert foncé du front se prolongeant en une pointe violacée jusqu'au milieu du cou; ovale blanche partant de l'œil et s'achevant au centre du cou en une bande rectangulaire. Le dos est noir; les épaules et les rémiges secondaires sont blanches; les rémiges primaires, noires et les rectrices, gris cendré. Le menton et la gorge se colorent d'un vert et d'un violet iridescents; la poitrine, les flancs et l'abdomen sont blancs.

Les couleurs de la femelle sont beaucoup plus sobres: tête gris noirâtre avec une tache blanche sur les côtés, dessous brun grisâtre, ailes de même couleur soulignée de blanc, dessous blanchâtres mêlés de cendré. Chez le couple, les pattes sont de couleur chair; l'iris est brun.

Caractères spécifiques — Ce petit canard a fait l'objet de nombreuses observations de la part d'ornithologistes américains qui lui ont alors attribué des noms à la fois bizarres et à caractère maléfique: *Spirit Duck* (Canard fantôme), *Hell Diver* (Plongeur infernal), *Conjuring Duck* (Canard ensorcelé). Cette série de dénominations provient probablement de la vélocité avec laquelle il échappe à ses ennemis, quand il plonge et s'éloigne rapidement sous l'eau. Il trouve le salut dans une fuite sous-marine si vive qu'elle déroute ses ennemis. Il est très rusé, mais toutefois le chasseur a découvert son point faible, car le Petit Garrot se laisse tromper par les leurres — des canards en plastique — et c'est alors qu'il devient un gibier facile à tuer.

Pariade — Nid — Régime alimentaire — Au temps de la pariade, très tôt au printemps, les mâles se querellent pour s'attirer les bonnes grâces d'une femelle. Cette dernière, une fois conquise, choisit l'emplacement de son nid soit un arbre creux, soit un souche pourrie, mais dans les deux cas près de l'eau. Elle recouvre l'abri de la future couvée d'une épaisseur de duvet et de plumes.

Les préférences du Petit Garrot vont à l'eau douce où il se nourrit d'écrevisses, de sangsues, de limaçons et d'herbes. Il capture aussi des sauterelles et des criquets. À l'instar des individus de sa famille, il aime la compagnie. Pendant que le gros de la troupe broute dans les profondeurs, un guetteur nage en surface et, par de brefs couacs, prévient ses congénères d'un danger.

Migration — Habitat d'hiver — En automne, lors des migrations, il s'aventure dans les eaux salées pour se délecter de crevettes, de petits poissons et de moules. Ceux qui empruntent les grandes voies migratoires se retrouvent aux États-Unis mêlés aux Garrots communs. Les individus qui hivernent chez nous se nourrissent dans les rivières aux eaux libres. Il est signalé à cette époque de l'année le long des côtes de Kamouraska, de Charlevoix et en bas de Tadoussac.

L'EIDER À DUVET (Eider commun)

Nom anglais: Common Eider
Nom scientifique: Somateria mollissima (Linnaeus)
Longueur: 58,42 cm (23 po)
Ponte: 5-7 œufs beige verdâtre

Photo: Mario Laverdière.

Dans l'esprit de beaucoup de gens, le nom « Eider » reste étroitement associé au confort appréciable procuré par l'édredon. En effet, c'est de ce gros canard, connu également sous les noms d'Eider d'Amérique et de Moyac — ce dernier vient des Indiens — que provient le chaud duvet utilisé dans la confection de sacs de couchage, de couvertures et de matelas.

Description — C'est en vol surtout que les couleurs contrastantes du mâle peuvent être le plus justement appréciées: couronne d'un noir métallique, joues et nuque vertes, dos et plumes sus-alaires blancs, rémiges primaires et secondaires, croupion et rectrices noirs. Les parties inférieures sont blanches, mêlées de rosé jusqu'au centre de la poitrine, puis elles sont noires jusqu'à l'extrémité des tectrices sous-caudales. L'iris est brun. Le bec enflé se prolonge au-delà du front: jaunâtre avec bout blanc dans le cas du mâle; grisâtre dans celui de la femelle. Les pattes sont jaunâtres. Le plumage de la femelle est différent: parties supérieures rayées de noir et de brun marron; abdomen et côtés chamois. L'Eider à duvet possède une technique de vol particulière: c'est une alternance régulière du vol battu et du vol plané.

Habitat — C'est le type par excellence du canard de mer. Ce plongeur en eau profonde, de la trempe de la Macreuse et du Canard kakawi, s'ébat dans les eaux agitées, roule avec les vagues et résiste aux plus grands froids grâce à son épais duvet. En raison de sa robustesse et de son endurance, on serait porté à croire qu'il se confine uniquement aux territoires arctiques. Il n'en est rien, car on le trouve sur plusieurs îles du fleuve Saint-Laurent de Kamouraska en descendant où il nidifie: îles Razades, Île-aux-Pommes, îles Mingan, île Bicquette, etc.

Nid — Incubation — Cet oiseau vit surtout en colonie. Il installe son nid dans une crevasse ou dans les broussailles, rarement à l'orée d'une forêt. Le logis est constitué d'herbes, de mousse, de lichen et d'une bonne épaisseur de duvet que la femelle arrache de son corps. Le mâle y contribue également, surtout si le duvet est récolté trop souvent. L'incubation assumée par la femelle seule dure près de 30 jours.

Régime alimentaire — Il se nourrit de moules et de crabes. La chair, quoique comestible, ne tente nullement le chasseur qui jette plutôt son dévolu sur le canard de lac.

Ennemis — Le plus grand ennemi de l'Eider à duvet n'est plus le trafiquant d'autrefois qui envahissait son domaine, afin de s'emparer du duvet tout en pillant de nombreux nids et en massacrant les petits, mais le mazout rejeté des navires. En dépit de lois sévères qui exigent des armateurs de ne pas polluer les eaux, il existe encore des navigateurs qui ne se font pas scrupule de faire de la mer un dépotoir. Les conséquences sont alors désastreuses: dépérissement de la flore et du plancton et conséquemment destruction de l'avifaune aquatique et de beaucoup d'animaux marins.

Notes particulières — Dans quelques pays scandinaves, notamment en Norvège, le duvet de l'Eider fait l'objet d'un commerce si florissant que cet oiseau, passé presque à l'état de domestication tellement il est confiant, est protégé par une loi spéciale. À l'époque de la couvaison, plusieurs familles de la Côte-Nord cueillent les délicates plumes dont l'Eider borde son nid. La vente de ce précieux produit rapporte aux familles quelques centaines de dollars annuellement.

Migration — Il émigre sur les côtes de l'Atlantique. Toutefois, un grand nombre d'individus hivernent sur les eaux libres du fleuve Saint-Laurent et du golfe.

LE CANARD KAKAWI

Nom anglais: Oldsquaw
Nom scientifique: Clangula hyemalis *(Linnaeus)*
Longueur: 53,34 cm (21 po)
Ponte: 5-9 œufs de vert pâle à olive chamois léger

C'est un oiseau très bruyant au babil continuel. Il n'a pas manqué d'impressionner nos voisins du Sud qui l'ont baptisé de plusieurs noms, évoquant ainsi sa propension à un verbiage constant. Le nom de *Oldsquaw* les résume tous. Son nom générique *clangula* nous rappelle d'ailleurs qu'il crie.

Le grand naturaliste Buffon l'appelait « Le Canard à longue queue de Terre-Neuve » et Linné, tout simplement « Le Longue-Queue ». Quant aux Indiens, ils trouvèrent dans l'onomatopée « Cacaoui » l'expression de son cri. Cet amérindianisme antérieur à 1760 est devenu un canadianisme.

Description — Le mâle et la femelle diffèrent considérablement de longueur. Le premier mesure 53,34 cm (21 po) et la seconde atteint 40,64 cm (16 po). La marge est due au prolongement des deux rectrices centrales du mâle qui ont 12,7 cm (5 po) de longueur.

Les deux se paient le luxe de deux plumages annuels bien distincts, l'un d'été et l'autre d'hiver. En été, le mâle a une tête brune avec une tache gris argenté sur les côtés et qui recouvre également les lores, le dessus de l'œil et les joues. La partie antérieure du dos, la gorge et la poitrine sont brun chocolat; les épaules brun jaunâtre; les ailes grises et le ventre blanc. Le bec de couleur chair est teinté de noir à la base et à l'extrémité. En hiver, l'ensemble de la tête et du cou s'enveloppe de blanc souligné d'un croissant moitié gris et moitié marron qui s'étend aux lores et aux couvertures auriculaires. Les parties supérieures ainsi que les longues plumes de la queue sont noires; les épaules sont blanches; la partie antérieure de la poitrine est brune; la partie postérieure, le ventre et les flancs sont blancs.

En été, les parties supérieures de la femelle sont brun grisâtre; les parties inférieures, blanches avec des ombres brun cendré à travers la poitrine et les flancs. Les abords de l'œil et les côtés du cou sont blanc grisâtre. En hiver, les parties supérieures sont brun noirâtre, la poitrine grisâtre et le ventre blanc. Chez le couple, l'iris est jaune, orange ou rouge. Les pattes sont gris bleuâtre et les palmures grises.

Notes historiques — Deux écrivains entre autres parlent du Canard kakawi dans leurs écrits. En 1672, Nicolas Denys dans *Description Géographique et Historique des côtes de l'Amérique Septentrionale*, à la page 305, donne, dans le style de l'époque, l'origine du mot « Cacaoui ». « Le cacaouy parce qu'il prononce ce mot pour son ramage. » C'est la même version que celle des Indiens. De son côté, T. Pichon, en 1758 dans *Lettres et Mémoires* à la page 86, énumère quelques oiseaux marins du Canada: « Outardes, crevans, moyaques, becsies, cacaouis, goélans ».

Photo: Maxime Saint-Amour.

Habitat — Nid — Les nombreux marais de la toundra de la région arctique abritent, en été, les amours du Kakawi. La femelle construit son nid sous un buisson ou dans les hautes herbes près de l'eau. C'est ordinairement une composition de mauvaises herbes sèches recouvertes de plumes et de duvet. La femelle seule assume la corvée de l'incubation d'une durée de 24 jours environ.

Régime alimentaire — Ce palmipède se nourrit de crustacés, de mollusques et de moules pêchés parfois à une grande profondeur. Quoiqu'il préfère la mer, mêlé aux Macreuses et naviguant dans les courants agités, il lui arrive occasionnellement de chercher sa pitance dans un grand lac ou une rivière.

Notes particulières — Il ne tente nullement le chasseur, car sa chair est coriace. Ses ennemis, lorsqu'il vit encore dans l'œuf, sont les éperviers et les renards. Devenu adulte, migrateur sur les grandes voies maritimes, il devient parfois l'innocente victime de nappes d'huile qui glissent sournoisement sur les eaux en semant la mort parmi des milliers d'oiseaux aquatiques.

Migration — Ce n'est que très tard, en automne, qu'il envahit les côtes du fleuve Saint-Laurent, du golfe et des deux océans. En 1882, N.-A. Comeau écrivait que le Canard kakawi était « très abondant en hiver » et ajoutait « c'est l'un des plus abondants de nos canards ». On le voit très souvent, de décembre à mai, autant sur la rive sud, de Rivière-Ouelle en descendant que sur la rive nord à partir de La Malbaie jusqu'au golfe. De grandes bandes vivent également au large de Terre-Neuve.

SOUS-FAMILLE DES OXYURINÉS

Une seule espèce de cette sous-famille, le Canard roux, est représentée au Québec. Quatre traits majeurs le distinguent des autres espèces de canards: onglet du bec recourbé vers le bas; rectrices — en tout dix-huit — rigides et pointues relevées en éventail lorsque l'oiseau nage; tectrices caudales brèves et doigt postérieur lobé.

LE CANARD ROUX

Nom anglais: Ruddy Duck
Nom scientifique: Oxyura jamaicencis (Gmelin)
Longueur: 38,1 cm (15 po)
Ponte: 5-10 œufs d'un blanc très pâle

De tous les palmipèdes, aucun n'affiche une attitude aussi drolatique que le Canard roux. Il faut le voir nager, les rectrices déployées en éventail et retroussées à la façon d'un troglodyte. Contrairement aux Anatinés qui s'envolent précipitamment à l'approche du chasseur, lui, il se laisse enfoncer sous l'eau et y nage longtemps, ce qui lui permet d'échapper à son poursuivant, surtout si l'étendue liquide est assez vaste. Dans le cas contraire, il devient souvent une cible facile.

Description — Les couleurs du mâle se marient assez bien à son milieu aquatique composé de joncs et de roseaux: front, couronne, côtés de la tête jusque sous les yeux et nuque noirâtres; menton, côtés de la tête et lores d'un blanc pur; dos marron; abdomen blanc nuancé de brun foncé; bec bleu, paupières bleuâtres; iris brun; pieds gris bleuâtre.

La femelle est beaucoup plus sobre en couleurs: front, tête, région des yeux et nuque bruns; deux rayures noirâtres et très imprécises traversent le long de la tête; dos brun atténué de gris; abdomen délavé de brun; bec brun foncé; iris et pieds de même couleur que le mâle.

Habitat — L'eau douce — lacs, étangs et marécages — constitue l'élément par excellence du Canard roux. Toutefois, lors de la migration automnale, il fréquente les baies d'eau salée. Son territoire de nidification est très vaste, notamment les régions méridionales de l'ouest du pays. Au Québec, il couve au lac Saint-Pierre.

Nid — Incubation — C'est une structure massive faite d'herbes et de roseaux desséchés, placée en bordure d'un lac ou d'un étang. Selon plusieurs observateurs, l'incubation se poursuit entre 20 et 21 jours.

Régime alimentaire — Il se délecte surtout de végétaux aquatiques. Quand la nourriture abonde, il mange à satiété, ce qui a l'heur de combler de joie le fin gourmet en quête d'une chair délicate.

Le cri — En plus de démonstrations fantaisistes, comme ses déplacements sur un étang ou un lac, la tête haute et l'air hautain, et ce à l'époque de la pariade, le mâle lance des « tcheuk-que-tcheuk » aux notes d'abord rapides et saccadées, aiguës, puis relâchées et se terminant en un son plus rude.

Migration — Avant que les lacs et les étangs gèlent, il s'envole vers les États du centre des États-Unis.

SOUS-FAMILLE DES MERGINÉS

Les canards de la sous-famille des Merginés — ce nom vient du latin *mergus* et signifie « plongeon » — figurent, avec les Huarts, parmi les meilleurs plongeurs de notre avifaune; de plus ils sont de grands mangeurs de poisson. Le bec, au sommet étroit, est long, mince, plus large à l'extrémité et légèrement crochu. Chacune des mandibules porte des dentelures qui facilitent la préhension du poisson.

Quatre espèces connues sous les noms de Bec-scie et de Harle habitent les régions du Canada. Le Québec en compte trois: le Bec-scie couronné — le plus élégant des trois à cause d'une crête bicolore magnifique —, le Grand-bec scie et le Bec-scie à poitrine rousse. Ce dernier fréquente surtout les eaux salées.

Photo: Musée national des Sciences naturelles, Musées nationaux du Canada, 74-2708.

LE GRAND BEC-SCIE

Nom anglais: Common Merganser
Nom scientifique: Mergus merganser *(Linnaeus)*
Longueur: 63,5 cm (25 po)
Ponte: 6-10 œufs chamois pâle

Il appartient à cette espèce de canards qui fréquentent les étendues d'eau à superficie réduite, comme les petits lacs et les rivières à débit moyen. Le pêcheur à la ligne l'aperçoit, en été, précédant sa famille de canetons. Une poursuite en chaloupe ne fait qu'accélérer l'allure de la petite troupe qui s'empresse de regagner le rivage pour se glisser dans les herbes. Ce canard est aussi connu sous le nom de Bec-scie commun.

Description — Chez le mâle, la tête, le menton, la gorge ainsi que le début du cou sont verts. Les parties supérieures noires passent au gris sur le croupion et les tectrices sus-caudales. Une bande noire sur les grandes sus-alaires rompt la monotonie de la blancheur des ailes. Les parties inférieures sont d'un blanc pur avec les flancs teintés de rosé. L'iris est rouge orangé; le tarse est orange et les palmures sont plus pâles.

La tête et les côtés du cou de la femelle sont brun rougeâtre. Elle porte un huppe d'un brun plus foncé. Les parties supérieures sont gris cendré; les ailes, en grande partie blanches. Les parties inférieures du menton jusqu'à l'extrémité des rectrices sous-caudales sont blanches. Les couleurs du jeune sont identiques à celles de la femelle.

Habitat — Nid — Le Grand bec-scie occupe toutes les régions du Canada: lacs et rivières. La femelle voit à l'emplacement de son nid en mai ou en juin. Si elle ne trouve pas d'arbre creux — c'est son premier choix —, elle se contente d'une anfractuosité de rocher ou d'une dépression du sol parmi les buissons. Le fond est couvert d'herbes, de mousse, de feuilles et doublé à l'intérieur de duvet que la femelle arrache de son corps.

Incubation — Élevage des petits — La femelle seule incube. Cette tâche dure en moyenne 30 jours. Le mâle, pour sa part, monte la garde. Tous deux ne quittent leur poste que le temps d'aller se nourrir. Aussitôt éclos et une fois leur plumage séché, les canetons accompagnent leurs parents. La petite famille longe les rives.

Notes particulières — L'auteur a vu à maintes reprises, lors d'excursions de pêche, le Grand bec-scie accompagné de sept ou huit petits. La prudente petite mère surveille constamment sa progéniture. Au moindre danger, les jeunes s'empressent de nager parmi les herbes. Ce n'est que lorsque tout son « petit monde » est en sécurité que la mère plonge pour réapparaître plus loin ou qu'elle s'envole précipitamment si le danger est trop grand. Peu après elle revient rassembler ses rejetons.

Le soir, avant la tombée du jour, les jeunes se livrent à des courses à la nage à une dizaine de mètres du rivage. Au moindre bruit, les participants disparaissent derrière un rideau de quenouilles ou à travers les îlots de plantes aquatiques. Ils ne reprennent leurs jeux qu'une fois l'alerte passée.

Régime alimentaire — Valeur économique — Il a été dit précédemment que ce palmipède est un piscivore. Quelques biologistes l'accusent même de détruire le saumon. C'est peut-être vrai. Toutefois, nos lacs et nos rivières ne renferment pas tous du saumon. Il s'agit donc de cas très isolés et il ne faudrait pas alors conclure trop vite pour le condamner.

Migration — En octobre ou en novembre, il s'envole vers le Sud aussi loin que le golfe du Mexique. Quelques individus préfèrent hiverner sur les cours d'eaux libres de glace.

Photo: Léo-Guy de Repentigny.

LES OISEAUX DE PROIE

Ces oiseaux également appelés rapaces détiennent en commun quelques caractères: ils sont carnassiers, ont un bec crochu, quatre doigts — trois antérieurs et un postérieur — munis de serres longues, fortes et recourbées. Le tarse communément désigné sous le nom de patte est puissant, à l'exception toutefois du Vautour qui ne transporte pas sa proie, mais dépèce sur place des animaux déjà morts ou gravement atteints, surtout des cadavres en état de décomposition.

L'acuité visuelle du rapace est remarquable. Cela est dû à la grandeur de globes oculaires insérés dans des orbites très profondes. De plus, la rétine de l'œil, deux fois plus épaisse que celle de l'homme, est composée de millions de minuscules cellules visuelles. Cette perfection de l'œil lui permet de voir sa proie de très haut et de suivre ses moindres mouvements.

Chez les oiseaux rapaces, la femelle est habituellement plus grosse que le mâle. Ils se groupent sous deux ordres: les Falconiformes et les Strigiformes. Le Québec en compte vingt-six espèces dont quinze diurnes et onze nocturnes.

GRAND DUC

ORDRE DES FALCONIFORMES

Chez la plupart des oiseaux diurnes, le tarse est totalement nu. Seuls la Buse pattue et l'Aigle doré sont emplumés jusqu'à la base des doigts. La membrane ou cire qui recouvre la base de la mandibule supérieure est nue à la naissance.

Les Falconiformes se partagent en quatre familles: les Cathartidés, les Accipitridés, les Pandionidés et les Falconidés. Cap-à-l'Aigle, près de La Malbaie dans le comté de Charlevoix, est un endroit très propice pour observer, à la fin septembre et en octobre, le passage migratoire d'une multitude de Falconiformes.

FAMILLE DES CATHARTIDÉS

Le nom de « cathartidés » vient du grec et signifie « qui purifie ». Les Vautours appartiennent à cette famille. La tête et la partie supérieure du cou sont dénudées; le bec long est moins recourbé que celui des autres espèces d'oiseaux de proie; le pied ressemble à celui d'un poulet.

Le rôle que jouent les Vautours, comme charognards, est bénéfique, parce qu'ils contribuent dans une large mesure à combattre la pollution. C'est du haut des airs qu'ils cherchent leur pitance et ils comptent alors sur leur vue perçante pour déceler les animaux morts ou quelque chair en décomposition. Deux espèces visitent le Québec de façon bien sporadique et très accidentelle: le Vautour à tête rouge et le Vautour noir. En raison de ses rares apparitions, les Cathartidés ne peuvent être intégrés à notre avifaune régulière.

FAMILLE DES ACCIPITRIDÉS

Le nom de cette famille vient du mot latin *accipiter* et signifie « épervier », « faucon » et en général « oiseau de proie ». Les Accipitridés comprennent un groupe important d'individus de grande ou de petite taille. Tous se nourrissent d'animaux vivants. Toutefois, il arrive à l'Aigle à tête blanche de s'alimenter occasionnellement de poissons morts ou tout simplement de déchets.

Au Québec, cette famille se répartit en cinq genres: « accipiter » avec l'Autour, l'Épervier brun et l'Épervier de Cooper; « buteo » avec la Buse à queue rousse, la Buse à épaulettes rousses, la Petite Buse et la Buse pattue; « aquila » avec l'Aigle doré; « haliaeetus » avec l'Aigle à tête blanche et « circus » avec le Busard des marais.

LE GENRE ACCIPITER

Les trois espèces qui appartiennent à ce genre figurent parmi les chasseurs très rapides qui traquent leurs proies dans les circonstances les plus difficiles comme dans les situations les plus inattendues. Des ailes courtes et arrondies ainsi qu'une queue longue favorisent un vol endurant et efficace.

Photo: Musée national des Sciences naturelles, Musées nationaux du Canada, 75-5091.

L'AUTOUR

Nom anglais: Goshawk
Nom scientifique: Accipiter gentilis (Linnaeus)
Longueur: 55,88 cm à 60,96 cm (22 à 24 po)
Ponte: 2-5 œufs blanc bleuâtre

Le plus audacieux comme le plus féroce de nos éperviers demeure sans contredit l'Autour. L'éleveur de volailles ne l'intimide pas car, pressé par la faim, il agira même à sa barbe et lui dérobera un poulet. Le fermier restera ébahi devant une telle effronterie, deviendra désormais plus vigilant, mais quelles que soient les mesures prises, hormis celles de loger ses volatiles en toute sécurité en un enclos entièrement couvert, il n'empêchera pas le « Mangeur de poules », ainsi désigné par le cultivateur, de revenir tâter de ce riche terrain de chasse.

Description — L'adulte est un oiseau au plumage ravissant: tête et joues noires; raies sourcilières et front blancs; nuque blanche finement rayée de noir; dos, ailes et rectrices supérieures de la couleur de l'ardoise tirant sur le bleuâtre; rectrices lisérées de blanc et traversées de cinq bandes noirâtres. Les parties inférieures et le dessous des ailes sont gris ardoise rayés de brun. L'iris est rouge; le tarse, jaune serin.

Le jeune présente une tout autre apparence: parties supérieures brun foncé; ailes soulignées de brun léger et de brun foncé; rectrices lisérées de blanc et entrecoupées par cinq bandes brun foncé; parties inférieures rousses rayées de brun; iris jaune; tarse, jaune serin.

Notes historiques — Son cousin européen servit au Moyen Âge les intérêts du seigneur dans la fauconnerie. À cette époque, il était dressé pour chasser le petit gibier. Ici, il exerce ce sport sans contrainte, mais uniquement pour satisfaire son appétit.

Habitat — Nid — Les forêts septentrionales procurent à l'Autour gîte et nourriture. Le nid perché très haut dans un conifère est façonné de branchettes, de feuilles, de tiges de plantes et doublé de ramilles de sapin, de lanières d'écorce et d'herbes. Ce rapace utilise souvent le même nid d'une année à l'autre.

Régime alimentaire — Lièvres, gelinottes, écureuils, rongeurs et parfois canards composent son menu dans son habitat naturel. Confiné aux immenses boisés du nord, il ne cause aucun préjudice. Lorsqu'une pénurie de gibier se fait sentir, il s'aventure plus au sud, se rapproche des poulaillers où il joue le rôle de larron expert. Ce buffet inespéré lui plaît tellement que tous les jours il risque sa peau pour apaiser sa fringale ou alimenter sa gourmandise. Si les abords de la ferme ne l'accommodent plus, il regagne la forêt et traque avec opiniâtreté le petit gibier sauvage dans les sentiers les plus enchevêtrés.

Le cri — C'est une suite de sons rapides, criards, situés entre l'aigu et le grave, et qui montent en crescendo.

Notes particulières — Les imprudences répétées de l'Autour — Autour à tête noire, selon l'ancienne appellation — risquent de lui être préjudiciables. Sa hardiesse non calculée en fait une cible facile pour le gardien qui a étudié les allées et venues de ce ravisseur de gallinacés. Il faudrait tout de même éviter de lui livrer une guerre systématique qui pourrait aboutir, sinon à la disparition de l'espèce, du moins à une rareté regrettable. Ce serait vraiment déplorable si l'une ou l'autre de ces éventualités devait se produire.

L'Autour s'adapte tellement bien à notre climat qu'il ne songe guère à émigrer. Il hiverne habituellement dans sa zone de nidification. Toutefois, si le gibier se fait plus rare, il se déplace plus au sud où il chasse sur les terres des cultivateurs. En hiver, il est commun dans les régions du Saguenay et de Charlevoix.

L'ÉPERVIER BRUN

Nom anglais: Sharp-shinned Hawk
Nom scientifique: Accipiter striatus *Vieillot*
Longueur: 28, 57 cm à 31,75 cm (11,25 po à 12,5 po)
Ponte: 4-5 œufs bleuâtres ou blanc verdâtre ombragés de brun

Cet oiseau de proie, légèrement plus gros que le Faucon crécerelle, est un rapace dans toute l'acception du mot. Il l'est d'autant plus qu'il se nourrit presque exclusivement d'oiseaux. On l'appelle aussi Épervier commun d'Amérique et Émerillon.

Description — Deux couleurs dominent chez le mâle: le bleu et le brun. En effet, la tête, la nuque, le dos, les épaules, les ailes, le croupion et les tectrices sus-caudales sont bleuâtres. Les rémiges primaires forment un mélange de gris ardoise et de brun. Les rectrices bleu ardoise sont lisérées de blanc à leur extrémité. Quatre bandes bleuâtres les traversent. Les plumes des lores, des joues, de la gorge et de la nuque sont blanc neige, lorsque soulevées. Le plumage de la poitrine, des flancs et de la cuisse est haché de blanc et de roux.

Photo: Musée national des Sciences naturelles, Musées nationaux du Canada, 75-5092.

La femelle est brune sur les dessus, blanche mouchetée de roux en dessous. L'iris et le tarse du couple sont jaunes. Chez le jeune, la première année, les parties supérieures sont brunes; les parties inférieures blanches sont fortement rayées de brun.

Habitat — Nid — Incubation — L'Épervier brun habite toutes les régions du Québec. Il construit son nid dans un conifère. C'est une accumulation sans art de branchettes, de feuilles et de lanières d'écorce, le tout bien assis dans une fourche de trois à seize mètres du sol. La femelle et le mâle couvent à tour de rôle pendant 35 jours environ.

Techniques de chasse — Le nom scientifique *accipiter velox* que portait autrefois cet oiseau, traduit par « épervier rapide », marque bien sa vivacité de chasseur. Quelques rapides battements d'ailes suivis d'un vol plané, c'est là son rythme de croisière. Il se tient à l'affût à l'orée de la forêt, le long des haies, près des villes lorsque la verdure abonde. Une proie vue à distance raisonnable fait déjà partie de ses conquêtes, car une fois la course engagée il ne lâche pas en dépit des difficultés rencontrées.

S'il doit franchir un obstacle quelconque, buisson, ramure ou refuge, pourvu qu'il puisse s'y introduire, il fonce jusqu'à ce qu'il atteigne le gibier poursuivi. Il ne saisit presque jamais un oiseau en vol, mais l'oblige à se poser puis l'empoigne dans ses serres.

Régime alimentaire — Tous les oiseaux de la taille de la Mésange au Pic flamboyant font partie de ses menus. La poule échappe à ce sanguinaire, mais de temps à autre il s'attaque à l'un de ses poussins. Un peu de petits rongeurs et de gros insectes complètent ses repas.

Valeur économique — Les recherches entreprises sur les habitudes alimentaires de cet épervier le classent comme mangeur d'oiseaux. Est-ce à dire qu'il mérite par le fait même d'être passé par les armes? Ce serait là une formule trop radicale pour ne pas dire simpliste, quand on ne connaît pas parfaitement le rôle que ce rapace joue dans l'équilibre écologique.

Des biologistes rapportent que, en certains milieux, il donne la chasse au Moineau domestique. C'est digne de mention, vu que la prolifération fantastique de cette espèce nuit considérablement à la propagation des oiseaux chanteurs qui sont par surcroît des insectivores.

Le cri — Les sons qu'il émet ressemblent quelque peu à ceux de l'Autour, mais ils sont beaucoup plus aigus.

Migration — Après une saison de chasse fructueuse, il émigre au sud des États-Unis et en Amérique centrale.

L'ÉPERVIER DE COOPER

Nom anglais: Cooper's Hawk
Nom scientifique: Accipiter cooperii (Bonaparte)
Longueur: 38,75 cm à 45 cm (15,5 po à 18 po)
Ponte: 3-6 œufs bleuâtres ou blanc verdâtre, habituellement tachetés de brun rougeâtre

Les noms français, anglais et scientifique de cet épervier concordent, ce qui se présente assez rarement chez les oiseaux. De la taille de la Corneille d'Amérique, ce pirate emplumé est l'un des plus impitoyables chasseurs de la gent ailée.

Description — Les couleurs du plumage de l'adulte ressemblent à celles de l'Épervier brun, à l'exception de la tête qui est d'un brun plus foncé que les parties supérieures. La queue est arrondie tandis que celle de l'Épervier brun est rectangulaire. Plus de la moitié du tarse est recouvert de plumes; cinq rémiges primaires extérieures sont rétrécies ou émargées. Les couleurs du jeune se comparent à celles du jeune Épervier brun, de la Buse à épaulettes rousses et de la Petite Buse.

Habitat — Nid — Il vit surtout dans les régions boisées, mais plus au sud que l'Épervier brun, toujours à proximité d'une ferme où il est assuré d'y trouver la volaille de son choix. Une fois dans son territoire de chasse, il choisit l'emplacement de son nid, souvent celui qu'une Corneille d'Amérique a abandonné. Quand il le bâtit lui-même, il l'installe habituellement dans un feuillu de 6 à 18 mètres du sol; c'est un amas de branchettes avec fond tapissé d'écorce ou de mousse. D'une année à l'autre, il lui donne plus d'ampleur en y ajoutant d'autres matériaux.

Techniques de chasse — Comme son petit cousin l'Épervier brun, mais davantage encore en raison de sa plus grande puissance, c'est un chasseur de grand talent qui met à profit sa rapidité, sa résistance et sa hardiesse. En fin larron, qui manque rarement son objectif, il ne poursuit jamais un gibier qui dépasse ses capacités physiques. Ses visites quasi quotidiennes aux poulaillers de son territoire démontrent jusqu'à quel point il se soucie peu de la présence du propriétaire. Son action est alors tellement rapide qu'il échappe presque toujours aux coups de feu qui lui étaient destinés.

Régime alimentaire — L'Épervier de Cooper entretient sa réputation de mangeur de petits oiseaux et de poulets. Selon des recherches sérieuses, il se nourrit aussi, mais dans un faible pourcentage, de rongeurs, de batraciens, de lézards et d'insectes.

Valeur économique — Si l'on analyse les méfaits de l'Épervier de Cooper, il semble évident, d'une part, que sa

Peinture: Germaine Gauthier.

condamnation est inévitable. Il semble aussi évident, d'autre part, qu'une déclaration de guerre systématique à son endroit signifierait le massacre des autres oiseaux de proie qui lui ressemblent et que seules des personnes averties peuvent parfaitement différencier. Comme l'Épervier de Cooper ne s'attaque qu'aux poulets, il y aurait lieu pour l'éleveur de leur ménager des abris sécuritaires, lorsqu'il apprend qu'un Accipitridé malfaisant a établi ses quartiers généraux dans le voisinage.

Le cri — C'est un sifflement aigu, rapide et qui rappelle le cri du Pic flamboyant.

Migration — En automne, il quitte son territoire et s'envole vers le nord des États-Unis. Plusieurs individus de l'espèce hivernent jusqu'en Amérique centrale.

LE GENRE BUTEO

Les rapaces du genre BUTEO — mot latin qui veut dire « buse » — dont le plumage offre un coloris des plus agréables, sont bien servis en vol par des ailes larges, arrondies et une queue longue dont les rectrices entièrement déployées ressemblent à un éventail. Plus lourds et beaucoup moins agiles que les Faucons, ils se contentent surtout de petits gibiers à poil. L'homme, dans sa perspective, assimile l'ignorant et le sot à la Buse: c'est là une malveillance, pour ne pas dire une calomnie, qui préjuge du talent et de l'adresse de ces ratiers à plumes.

Quatre espèces vivent au Québec: la Buse à queue rousse, la Buse à épaulettes rousses, la Petite Buse et la Buse pattue.

Techniques de chasse — À l'exception de la Buse pattue qui vole en rase-mottes pour chasser, les buses sont souvent vues planant paresseusement très haut, en traçant d'immenses cercles tout en scrutant le sol, afin de déceler la présence de quelque petit rongeur. Leur proie détectée, elles descendent en rétrécissant graduellement leur champ de course, se posent sur un arbre ou un poteau, puis se précipitent pour capturer leur victime.

Valeur économique — En raison de leur régime alimentaire composé en très grande partie de rongeurs, les Buses s'avèrent de remarquables alliés de l'homme qui doit, en retour, leur assurer une protection bien méritée et essentielle à leur survie. Selon des recherches entreprises aux États-Unis, environ 90 p. cent du menu de la Buse à épaulettes rousses consiste en mammifères nuisibles et en insectes.

PETITE BUSE

Photo: Musée national des Sciences naturelles, Musées nationaux du Canada, 74-2720.

LA BUSE
À QUEUE ROUSSE

Nom anglais: Red-tailed Hawk
Nom scientifique: Buteo jamaicensis (Gmelin)
Longueur: 50,80 cm à 55 cm (20 à 22 po)
Ponte: 2-4 œufs blanchâtres tachetés de brun

Épervier timide et prudent, la Buse à queue rousse trouve sa sécurité dans les régions élevées. De là, elle surveille les allées et venues de petits rôdeurs qui sillonnent les champs. Elle n'a pas son pareil comme ratier, surpassant même le chat qui se met en chasse seulement quand il est rationné par son maître.

Description — Ce rapace diurne possède un plumage aux couleurs variées: parties supérieures brun foncé mêlé de gris, rectrices rousses dont l'extrémité, bordée de blanc, est précédée d'une bande noire; parties inférieures blanches tranchées par une bande brun foncé; tarse jaune recouvert jusqu'à la moitié de plumes blanchâtres; iris brun.

Le jeune se différencie de ses parents aux rectrices grises traversées par dix bandes étroites noirâtres; les parties inférieures blanches sont marquées de rayures noires très serrées; l'iris et le bec sont jaunes.

Habitat — Nid — Incubation — Cette buse couvre une grande partie du territoire du Québec depuis Mingan jusqu'à l'Outaouais. Le nid, fait grossièrement de branchettes et lambrissé de lambeaux d'écorce, est posé dans la fourche d'un grand arbre, soit d'un érable, soit d'un hêtre, soit d'un sapin ou d'une épinette, parfois jusqu'à vingt-cinq mètres du sol. Lorsque le lieu de nidification choisi est dépourvu d'arbres de taille convenable, le rapace rassemble quelques petites branches dans l'anfractuosité d'un rocher et y dépose ses œufs. L'incubation dure en moyenne 28 jours.

Régime alimentaire — Il est varié: un peu de volaille dérobé à la ferme, quelques petits oiseaux, des batraciens et des reptiles, des écureuils en quantité minime, parfois un lièvre, des insectes, mais surtout des rongeurs.

Le cri — Il est strident et se traduit en des « kri-i » qui ressemblent à l'un des cris éraillés empruntés au répertoire du Geai bleu.

Notes particulières — La Buse à queue rousse se paie quelquefois le luxe d'un poulet. C'est ce qui lui vaut, en campagne, d'être reconnue sous l'appellation de « Mangeuse de poulets ». Il ne faudrait pas, en raison de quelques incursions aux abords des poulaillers, décréter sa mort.

Photo: Ministère de l'Énergie et des Ressources, Service de l'éducation en conservation, Québec, par CEGEP de Jonquière.

Ce serait la juger et la condamner avec trop de précipitation, car il ne faudrait pas oublier les centaines de rongeurs qu'elle capture dans les champs des cultivateurs, préservant ainsi les céréales de nombreux dégâts.

Migration — Dès octobre, elle nous quitte pour le sud des États-Unis et se rend jusqu'au Mexique et en Amérique centrale.

LA BUSE
À ÉPAULETTES
ROUSSES

Nom anglais: Red-shouldered Hawk
Nom scientifique: Buteo lineatus (Gmelin)
Longueur: 45,7 cm à 57,5 cm (18,3 po à 23 po)
Ponte: 2-4 œufs d'un blanc terne, mouchetés de brun et allant du pâle au foncé

Les noms français et anglais caractérisent bien ce rapace. Quant au nom spécifique, *lineatus,* qui veut dire « rayé », il met en évidence les parties inférieures tant de l'adulte que du jeune.

Description — Les parties supérieures brunes de l'adulte s'entremêlent de chamois et de blanchâtre; les rectrices noires sont coupées de six bandes blanches, dont l'une borde l'extrémité; les épaules sont fortement marquées de rouge; les parties inférieures sont surtout roussâtres; la poitrine et l'abdomen rayés transversalement de brun rougeâtre et de blanchâtre. Le tarse jaune est moins recouvert de plumes que celui de la Buse à queue rousse. L'iris est brun.

Les couleurs du jeune se détaillent comme suit: parties supérieures brun foncé; rouge des épaules moins accentué que chez l'adulte; queue brune traversée de plusieurs bandes beaucoup plus pâles et dont l'extrémité est blanche; iris jaune.

Habitat — Nid — Incubation — La Buse à épaulettes rousses habite tout l'est du Canada. Au Québec, vivant surtout au sud, elle fréquente la forêt de feuillus des terres basses du Saint-Laurent. Son nid massif, fait de branchettes, est installé dans la fourche d'un orme, d'un bouleau, d'un érable ou d'un hêtre, jamais dans une forêt épaisse, parfois très proche des habitations. L'incubation dure 28 jours.

Régime alimentaire — Il est sensiblement le même que celui de la Buse à queue rousse, mais toutefois la volaille constitue à peine 1 p. cent de son alimentation.

Le cri — C'est un « ki-you » à la fois perçant et plaintif, qui ressemble à l'une des imitations du Geai bleu.

Migration — Vers la fin d'octobre, la Buse à épaulettes rousses, qui a passé l'automne en compagnie de sa progéniture, s'envole vers le sud des États-Unis. Elle revient dans la région de Montréal à la mi-mars; quinze jours plus tard elle survole celle de Québec.

LA PETITE BUSE

Nom anglais: Broad-winged Hawk
Nom scientifique: Buteo platypterus (Vieillot)
Longueur: 40,64 cm (16 po)
Ponte: 2-4 œufs blanchâtres bien marqués de points brun rougeâtre

Ce rapace a hérité d'un nom d'espèce qui caractérise bien le genre Buteo, car ses noms anglais *Broad-winged* et scientifique *platypterus* signifient tous deux « ailes étendues et larges ».

Description — La Petite Buse se reconnaît facilement autant par ses couleurs vives que par sa taille qui est à peu près celle de la Corneille d'Amérique.

Le plumage de l'adulte est dominé par le brun: dessus brun foncé, rectrices supérieures dessinées de larges bandes transversales — trois brunes et deux blanches —, extrémité des plumes caudales lisérée de blanc, dessous brun rougeâtre mêlé de blanc, pattes emplumées un peu moins de la moitié.

Le jeune s'habille de couleurs différentes: dessus bruns tachetés de blanc, dessous blanc jaunâtre marqués de brun roux — toutefois rare ou absent au centre de la poitrine et de l'abdomen —, rectrices supérieures brun grisâtre coupées par cinq ou six légers traits noirâtres et extrémité des rectrices garnie de blanc. L'adulte et le jeune ont des pattes jaunes, des serres noires; l'iris est d'un brun très foncé.

BUSE À ÉPAULETTES ROUSSES

Photo: Musée national des Sciences naturelles, Musées nationaux du Canada, 75-5093.

Habitat — Nid — Incubation — À son arrivée au printemps, elle délimite son territoire dans une forêt vaste. Après la pariade, la femelle choisit l'emplacement du nid. C'est un abri plutôt rustique où s'entassent des bâtonnets et des parcelles d'écorce, lambrissé de mousse, de radicelles et de plumes. Il arrive selon les circonstances que ce Falconiforme utilise un vieux nid de corneille.

Le couple, dont l'union dure toute la vie, élève une couvée par-année. Si la première ponte est détruite, la femelle en reprend une seconde. L'incubation assumée à tour de rôle par chacun des partenaires se prolonge en moyenne 24 jours durant.

Régime alimentaire — La Petite Buse se nourrit de souris, de reptiles, de batraciens, d'insectes, d'écureuils et bien occasionnellement de petits oiseaux.

Migration — Dès la fin de septembre, elle entreprend le voyage annuel vers un pays du Sud: Mexique, Colombie, Venezuela, Brésil, Pérou ou l'Équateur. À la mi-avril, elle revient dans la région de Montréal; un douzaine de jours plus tard, elle exécute ses évolutions aériennes dans celle de Québec.

LA BUSE PATTUE

Nom anglais: Rough-legged Hawk
Nom scientifique: Buteo lagopus (Pontoppidan)
Longueur: 48,75 cm à 57,5 cm (19,5 po à 23 po)
Ponte: 2-5 œufs blanc verdâtre, tachetés de brun foncé

Le sud des régions arctiques et subarctiques du Canada est un territoire de choix pour un grand nombre d'oiseaux, notamment de la Buse pattue. Le nom spécifique de cette espèce, *lagopus,* vient de la langue grecque et signifie « duc » (oiseau). Quoiqu'elle soit la plus grosse du genre « buteo », elle est limitée dans ses possibilités de chasseur, à cause de la faiblesse de ses pieds qui ne peuvent soulever une proie de la taille d'une gelinotte. Elle doit alors se contenter d'un petit gibier à poil, le Lemming, qui abonde dans la toundra.

Description — La Buse pattue se présente sous l'un des deux aspects suivants: brun clair ou brun foncé; sous ce dernier, elle passe par toutes les phases intermédiaires. Voici comment elle se présente dans le plumage brun clair: parties

Photo: Ministère de l'Énergie et des Ressources, Service de l'éducation en conservation, Québec, par Jean Sylvain.

supérieures brunes lavées de jaune ocre et de façon particulière autour de la tête, croupion blanc; parties inférieures jaune ocre tranchées d'une large bande foncée sur l'abdomen, plus quelques rayures sur la poitrine et la gorge; pattes emplumées jusqu'aux doigts et de couleur brun clair. L'iris est brun. Sous le second aspect, le plumage va du brun au noirâtre.

Habitat — Nid — Incubation — Elle nidifie au sud-est du Québec et dans la toundra arctique. Le nid, constitué surtout de branchettes, est assis soit sur un rocher, soit dans la fourche d'un arbre, soit encore sur la corniche d'une falaise. Les petits naissent après 31 jours d'incubation.

Techniques de chasse — Elle vole lentement, à la manière du Busard des marais, tout près du sol, tout en scrutant les moindres parcelles de terrain. Lorsqu'elle aperçoit un rongeur, à l'instar de la Crécerelle d'Amérique et de l'Aigle pêcheur, elle suspend son vol, puis plonge précipitamment sur sa proie. De tous les éperviers diurnes, c'est elle qui chasse le plus longtemps, car elle ne s'arrête qu'au crépuscule.

Régime alimentaire — Dans les régions arctiques, les lemmings procurent une nourriture abondante à cette espèce. Au temps de la migration automnale, elle s'abat sur les souris des champs et les écureuils de terre. C'est également un grand destructeur de sauterelles.

Le cri — Il est à la fois aigu et plaintif.

Migration — Dès que la neige tombe sur son habitat d'été, elle descend plus au sud, traverse les territoires habités du Canada et va chasser dans quelques États américains, dont la Californie.

LE BUSARD DES MARAIS

Nom anglais: Marsh Hawk
Nom scientifique: Circus cyaneus (Linnaeus)
Longueur: 48,26 cm à 50,8 cm (19 à 20 po)
Ponte: 4-7 œufs blanc terne teintés de verdâtre

Tout endroit humide, très vaste, est le terrain de prédilection du Busard des marais: rives du fleuve ou d'une rivière recouvertes de hautes herbes, champs sillonnés de fossés et couverts de mares, prés attenant à un étang. Il est un des oiseaux de proie diurnes à qui on ne reproche pratiquement rien et dont les mœurs ne briment pas les intérêts de l'homme.

Description — Déployées, les ailes pointues du Busard des marais atteignent une envergure de 127 cm (50 po). Le mâle épouse, en général, les couleurs gris argent du Goéland

Photo: Musée national des Sciences naturelles, Musées nationaux du Canada, 75-4962.

argenté. Les plumes qui bordent le dessous des yeux jusqu'à la naissance du cou rappellent vaguement le disque facial du hibou; celles de la poitrine sont mouchetées de roux. Le croupion ainsi que la bordure des rectrices sont blancs.

La femelle et le jeune portent une livrée aux tons rouge chaud. Le croupion blanc tranche bien sur l'ensemble du plumage. En vol, l'oiseau laisse mieux voir l'intérieur des ailes qui sont blanches et teintées de brun clair. Le dessus des rectrices, tant chez le mâle et la femelle que chez le jeune, est coupé de quatre traits noirs; il peut même en avoir jusqu'à six ou sept compte tenu de l'âge. L'iris est jaune.

Pariade — À la fin de mars, alors que s'achève la longue période de l'hiver, le Busard des marais voit à la délimitation de son domaine. Puis c'est le moment pour le mâle de conquérir une compagne. Quand il courtise une femelle, il exécute mille acrobaties dont lui seul a le secret. Gagnée par ces allures chevaleresques, la femelle s'occupe fébrilement à déterminer l'emplacement de son nid.

Nid — Incubation — Elle n'est pas difficile. D'ailleurs, c'est sur le sol, dans l'enchevêtrement des herbages, qu'elle bâtit à l'aide de son compagnon un foyer d'au moins trente centimètres de diamètre composé d'herbes sèches et de branchettes.

Pendant que la femelle incube, et ce de 20 à 31 jours, le galant mâle se charge de la pourvoir en mets de choix.

Élevage des petits — L'alimentation de la couvée est partagée par le couple. Tous deux font preuve d'une agressivité peu commune quand un intrus s'approche des petits. Quand les jeunes sont aptes à voler, ils accompagnent leurs parents dans la poursuite de rongeurs. Des recherches révèlent qu'une famille de Busards des marais, en temps de nidification, peut détruire environ mille souris des champs.

Techniques de chasse — Régime alimentaire — Volant à neuf mètres du sol, parfois plus bas, sans hâte aucune, les yeux fouillant attentivement les moindres replis de terrain, il suit son instinct qui l'incite à se contenter de petites bêtes collées à son territoire: rats, souris, couleuvres, lézards et grenouilles. Une fois la proie localisée, il décélère ses mouvements d'ailes, exécute une rapide culbute à la façon d'un trapéziste, descend rapidement et plonge sur sa victime qu'il dévore immédiatement.

À l'occasion, il poursuivra un petit oiseau, s'emparera d'un poulet, mais cela tout à fait occasionnellement. Il lui arrivera également de manger un canard blessé.

AIGLE PÊCHEUR

Le cri — Quand un intrus traverse son territoire ou s'y attarde, surtout durant les périodes d'incubation ou d'élevage des petits, le Busard des marais — le mâle comme la femelle — fait montre de loquacité intempestive. Deux sortes de cris constituent alors son répertoire d'alarme: cinq à huit notes nasales, parfois moins mais toutes uniformes, se traduisant par des « pi-pi-pi » ou des « coui-coui » assez aigus.

Migration — L'automne venu, les Busards des marais s'attroupent. Ils sont vingt, trente et même davantage qui voyagent ensemble. Ils s'envolent alors aussi loin que Cuba, la Colombie et les Bahamas. Plusieurs individus hivernent en Amérique du Nord depuis le sud du pays jusqu'à la Floride.

FAMILLE DES PANDIONIDÉS

Le mot « pandionidé », emprunté à la langue grecque, se traduit, selon toute apparence, par « pêcheur de toute sorte de poissons ». Son nom spécifique *haliaetus* provient également du grec et signifie « grand aigle de mer ».

Cette famille ne compte qu'un seul représentant en Amérique du Nord: l'Aigle pêcheur. Beaucoup de cours d'eau et de lacs du Québec procurent la nourriture à un couple de ces rapaces. En Europe, cet oiseau est connu sous le nom de Balbuzard fluviatile.

L'AIGLE PÊCHEUR

Nom anglais: Osprey
Nom scientifique: Pandion haliaetus *(Linnaeus)*
Longueur: 58,42 cm à 64,77 cm (23 à 25,5 po)
Ponte: 2-4 œufs jaunâtres ou blanc pâle avec mouchetures rouges ou brunes

Il arrive d'apercevoir quelquefois, survolant une anse du fleuve ou un lac, un oiseau aux larges ailes traçant majestueusement un immense cercle. C'est l'Aigle pêcheur connu aussi sous les noms d'Orfraie et de Balbuzard d'Amérique. Même s'il porte le nom d'Aigle, il ne possède du Roi des oiseaux ni la stature ni la force, étant un peu plus gros que l'Autour ou la Buse pattue.

Photo: Musée national des Sciences naturelles. Musées nationaux du Canada, 71-1853.

Description — Le brun et le blanc caractérisent bien le plumage de l'Aigle pêcheur mâle: calotte brune teintée de blanc, nuque blanche, dos, rémiges et rectrices brun clair, joues blanches coupées d'un cercle brun de chaque côté de l'œil, gorge blanche mêlée de quelques plumes brunes, poitrine et flancs d'un blanc pur, intérieur des ailes brun clair. L'iris est rouge. Les pattes sont bleu grisâtre. Les serres longues et profondément incurvées, de même que les protubérances plantaires épineuses assurent à cet oiseau de proie des instruments à point pour empoigner le poisson. Les couleurs de la femelle, surtout le dos et les ailes, sont plus foncées.

Habitat — Bien connu des pêcheurs et des riverains, l'Aigle pêcheur ne limite pas son territoire uniquement aux grands cours d'eau. Il vit également près d'un lac bordé de rochers ou d'une rivière qui offrent des possibilités de subsistance et de nidification. Plusieurs lacs du parc des Laurentides, entre autres le Grand-Montagnais, le Baignon et le Grand-Pré l'accueillent tous les étés.

Nid — Incubation — Il érige son aire au sommet d'un arbre ou sur un rocher. C'est un amoncellement de branchettes auxquelles il en ajoute de nouvelles chaque année. Ce logis grossier ressemble au fil des ans à une meule de foin. Cette coutume de construire en hauteur lui attire souvent de sérieux ennuis, car cette habitation démesurée est vue de loin. Certaines gens viennent visiter ce curieux phénomène et c'est alors que la venue de vandales — il en existe malheureusement encore qui ignore le rôle de l'oiseau rapace — cause de sérieux préjudices à cette espèce d'oiseau. Quelques étourdis profitent alors de l'occasion pour briser les œufs ou tuer les jeunes.

L'incubation qui dure environ 36 jours est surtout assurée par la femelle; parfois, mais très rarement, le mâle se met de la partie pour mener cette tâche à bonne fin. Il va sans dire que les petits sont nourris exclusivement de poissons.

Techniques de chasse — Le cri — L'Aigle pêcheur survole très haut son territoire de chasse. Il agite ses longues rames très lentement, plane en évoluant en cercle. Il reprend plusieurs fois sa course, puis soudain descend rapidement en spirale. Ses mouvements sont calculés avec précision: cou et tête courbés, ailes arc-boutées comme pour amortir la chute, rectrices toutes déployées formant un éventail, pattes tendues vers l'élément liquide toutes serres décontractées et aussitôt refermés brutalement sur un poisson. Cela s'effectue avec célérité et il se passe trente secondes à peine depuis le début de la descente et sa sortie de l'eau, qu'il touche parfois très peu, avec sa prise. Il s'élève aussitôt et va atterrir sur un rocher pour la déguster, à moins qu'un Aigle à tête blanche qui a suivi son jeu l'oblige en route à lui céder le fruit de ses efforts.

La plupart du temps il travaille en silence, mais quelquefois il lance un cri aigu, un « eek » répété à de courts intervales.

Valeur économique — Les captures de ce mangeur de poisson, dans les cours d'eau où se pratique la pêche commerciale, n'affectent nullement les revenus du pêcheur de métier. Les spectacles présentés par l'Aigle pêcheur valent bien les quelques harengs, carpes et autres poissons de peu de valeur sur le marché qu'il poursuit avec tant de grâce et d'habileté.

Migration — Ses zones de pêche au cours de l'hiver s'étendent du sud des États-Unis aux Grandes Antilles. Plusieurs individus de cette espèce émigrent même dans quelques pays de l'Amérique du Sud: nord de l'Argentine, Paraguay et Pérou.

FAMILLE DES FALCONIDÉS

Quelques traits caractérisent les Faucons: ailes longues et pointues, queue effilée et de longueur moyenne; coche à la mandibule supérieure près de la courbure du bec; en vol, battements rapides des ailes. En raison de leur endurance et de leur esprit combatif, les seigneurs les entraînaient autrefois pour la chasse au petit gibier.

Le Canada en compte six espèces dont quatre vivent au Québec: le Gerfaut, un habitant de la toundra arctique; le Faucon pèlerin, le plus rapide de nos oiseaux et dont la vitesse en descente atteint 300 km à l'heure; le Faucon émerillon, très friand de petits oiseaux; la Crécerelle d'Amérique, dont l'auteur parlera plus longuement, est le plus commun comme le plus utile, parce qu'il est un grand exterminateur de mulots et d'insectes.

LA CRÉCERELLE D'AMÉRIQUE

Nom anglais: Sparrow Hawk
Nom scientifique: Falco sparverius *Linnaeus*
Longueur: 25,4 cm à 27,94 cm (10 à 11 po)
Ponte: 4-5 œufs couleur terre allant du blanc crème au jaune clair, mouchetés ou nuancés de rouge indien et de brun

Le long des routes, en plein paysage bucolique, il arrive d'apercevoir, perchée sur une clôture ou sur un fil, la Crécerelle d'Amérique. Quelques ornithologistes l'appellent Faucon épervier ou Faucon crécerelle d'Amérique. Cependant, elle serait mieux identifiée sous le nom de Faucon des sauterelles, car c'est un ennemi acharné de ces orthoptères. Son cousin d'Europe qui est un peu plus gros est appelé tout simplement Crécerelle.

Description — De la taille de la Pie-grièche boréale — son digne émule dans la poursuite de souris et de gros insectes — ce petit rapace diurne se pare d'une gamme étendue de couleurs chatoyantes. La tête du mâle offre une syn-

thèse de l'ensemble de ses couleurs: couronne légèrement brune cerclée d'une large bande gris ardoise, nuque jaunâtre tachée latéralement de gris cendré, lores et auriculaires blanches, tache noire sous l'œil. La gorge est blanche; la partie antérieure de la poitrine est de ton saumon, de même que le ventre et les flancs, ceux-ci mouchetés de rondelles noires. Le dos brun léger est traversé de bandes noires; les rectrices de même couleur ont une bordure blanche à leur extrémité précédée d'une bande large de couleur ardoise. Les rémiges primaires sont d'un brun très pâle; les rémiges secondaires et les plumes sus-alaires sont bleuâtres, ces dernières tachetées en noir.

Les couleurs de la femelle sont plus sobres: dos, épaules, sus-alaires marron coupés de traits noirs; croupion, tectrices sus-caudales de même ton, mais ces dernières sont garnies de cinq ou six bandes noires. La poitrine et les flancs blanc jaunâtre sont striés de couleur brunâtre. Chez le mâle et la femelle le bec est bleu pâle, l'iris brun foncé et le tarse jaune.

Habitat — Nid — La Crécerelle réside dans la plupart des régions du Québec. Elle fréquente surtout les espaces découverts: champs, prairies, clairières. Elle ne fait valoir aucun goût particulier dans l'emplacement de son nid. Il peut être installé à faible hauteur, voire à un mètre environ du sol. Son choix se porte indifféremment sur une anfractuosité de rocher, une cabane à sa mesure, une cavité dans un poteau ou un trou creusé par le Pic flamboyant.

Photo: Musée national des Sciences naturelles, Musées nationaux du Canada, 79-2933.

Incubation — Élevage des petits — Le cri — Selon A. Sherman l'incubation dure 29 jours. La retraite d'une couvée de ces petits faucons est souvent révélée par les parents eux-mêmes qui viennent nourrir leurs rejetons, pas toujours d'une manière discrète, car les « killi » du mâle se font entendre à l'approche des intrus. Toutefois, une présence humaine n'intimide pas trop le couple qui continue de vaquer à ses occupations.

Techniques de chasse — Régime alimentaire — L'agriculteur a souvent l'occasion de voir la Crécerelle à l'œuvre. Elle survole un champ à base altitude, plane quelques instants, suspend son élan à la vue d'une proie, agite fébrilement les ailes puis plonge vivement pour s'en emparer. Un couple de ces oiseaux, qui établit ses quartiers sur une ferme, procure au propriétaire un appui de première valeur dans la guerre aux souris, aux sauterelles, aux chenilles et autres insectes. En de très rares occasions, seule la nécessité l'incitera à se payer un repas de petits oiseaux ou d'un poussin.

Notes particulières — C'est le plus sociable de son ordre. D'ailleurs il ne possède pas l'agressivité habituelle des rapaces, ce qui l'autorise à jouir de la quiétude de la campagne tout proche des humains. Pris jeune il s'apprivoise facilement et s'attache à son maître.

Migration — Au début d'octobre, il émigre au nord des États-Unis. Quelques individus hivernent au sud-ouest de la province.

ORDRE DES STRIGIFORMES

Quelques traits spécifiques caractérisent les Strigiformes: tête grosse et arrondie, yeux situés en avant dans des disques appelés faciaux, bec court, large et fortement crochu, tarse emplumé jusqu'aux doigts chez la plupart des espèces, serres acérées, doigts au nombre de quatre: trois antérieurs et un postérieur — le doigt externe est généralement mobile —, duvet épais, vol doux et silencieux, agents de dératisation qui font d'eux de précieux auxiliaires pour les agriculteurs.

Les yeux des oiseaux de cet ordre, adaptés aux chasses nocturnes, s'ajustent également à la vision diurne. D'ailleurs, quelques-uns de ces hiboux, tels le Harfang des neiges, la Chouette épervière et le Hibou des marais, ce dernier connu aussi sous le nom de Hibou à oreilles courtes, traquent le gibier pendant le jour et au crépuscule. Comme leurs yeux sont placés de face, ils doivent tourner la tête pour voir de côté; ils le font si rapidement, d'un côté ou de l'autre, que l'observateur est sous l'impression que ces oiseaux opèrent parfois une rotation du cou de 360 degrés.

Environ trois cents espèces et sous-espèces de hiboux vivent sur notre planète; l'Amérique en abrite une centaine; le Canada en compte quinze dont onze au Québec.

L'ordre des Strigiformes a donné naissance à deux familles: les Tytonidés et les Strigidés.

Photo: Direction générale du cinéma et de l'audiovisuel, Québec, par J.-L. Frund.

FAMILLE DES TYTONIDÉS

EFFRAIE

Nom anglais: Barn Owl
Nom scientifique: Tyto albas *(Scopoli)*
Longueur: 44,45 cm à 53,34 cm (17 à 21 po)

L'EFFRAIE en est le seul représentant en Amérique du Nord.

Description — Son nom d'espèce *alba* vient du latin et signifie « blanc ». Un facies cordiforme d'un blanc sale, à part une tache rousse sous les yeux, lui a valu cette appellation. Les yeux d'un noir profond sont beaucoup plus petits que ceux des Strigidés. En général le plumage présente un ensemble agréable: dessus chamois dilué de gris cendré avec points noirâtres, dessous de couleur ocre parfois blanchâtre piqués de mouchetures noirâtres. Le tarse est dénudé.

Habitat — Nid — L'Effraie est vue quelquefois au Québec: de façon assez constante dans la Vallée du Richelieu; elle est signalée à La Malbaie en 1942. Elle fréquente les granges d'où son nom anglais de « Barn Owl », hante les maisons abandonnées et loge dans tout lieu en ruine susceptible de le pourvoir abondamment en souris. La femelle installe son nid soit dans une vieille grange, soit dans une tour de clocher, soit dans un arbre creux. Elle occupe le même logis d'une année à l'autre. Les œufs au nombre de 5 à 7 sont d'un blanc sombre. L'incubation dure de 30 à 40 jours. Les jeunes sont nourris par les deux parents et absorbent une grande quantité de petits rongeurs.

Notes particulières — L'Effraie est l'enfant terrible de nombreux contes, semant la terreur, car les sons étranges qu'elle émet, tout autant que ses cris semblables à des plaintes humaines sèment l'effroi parmi les gens qui vivent dans son entourage.

FAMILLE DES STRIGIDÉS

Le mot « Strigidé » vient du latin *striga,* un oiseau de nuit, une sorte de vampire qui, d'après la croyance de certains peuples orientaux, erre la nuit pour faire du mal aux hommes, sucer leur sang et se nourrir de leur chair. Tout cela tient évidemment de la fable et de la superstition.

Les yeux des Strigidés sont grands: noirs chez la Chouette rayée connue également sous le nom de Chouette du Canada; parfois rouges chez le Grand Duc, mais le plus souvent jaunes comme les autres espèces.

La tête est surmontée de deux aigrettes, toutefois moins distinctes chez le Harfang des neiges, les Chouettes et les Nyctales.

Dix espèces habitent le Québec: le Petit Duc, le Grand Duc, le Harfang des neiges, la Chouette épervière, la Chouette rayée, la Chouette cendrée, le Hibou à aigrettes longues — Long-eared Owl, *Asio otus* (Linnaeus —, le Hibou des marais — Short-eared Owl, *Asio flammeus* (Pontoppidan) — la Nyctale boréale et la Petite Nyctale.

Ces oiseaux résident en permanence dans les régions boisées. Les déplacements en hiver des espèces confinées à la forêt boréale proviennent uniquement d'une pénurie de gibier.

LE PETIT DUC

Nom anglais: Screech Owl
Nom scientifique: Otus asio (Linnaeus)
Longueur: 25,4 cm (10 po)
Ponte: 4-5 œufs blancs

Les deux parties du nom scientifique *Otus asio* ont été empruntés à Pline le Naturaliste dans son ouvrage *L'Histoire naturelle.* Le genre *otus* veut dire « chouette ou oiseau de nuit » et l'espèce *asio* signifie « duc » (oiseau).

À l'instar du Grand Duc, il ne chasse que la nuit. Le Petit Duc n'a aucun lien de parenté avec le Roi des Hiboux, si ce n'est d'être comme lui « un oiseau de nuit ». Toutefois, en raison de son aspect physique, les ornithologues l'ont assimilé en quelque sorte au *Bubo virginianus.* Il est également très bien connu sous le nom de Hibou maculé.

Description — Il est de la taille de la Nyctale boréale avec laquelle il ne peut être confondu. Deux phases dichromatiques, le gris et le rouge, sont l'apanage du Petit Duc: le mâle et la femelle, le jeune et l'adulte. L'ensemble de la poitrine et de l'abdomen met en évidence une grande quantité de petites croix de deux couleurs sous l'une ou l'autre phase.

Habitat — Nid — Régime alimentaire — Ce hibou réside en permanence au sud-ouest du Québec. Il aime fréquenter les bosquets, les érablières, les forêts claires et de façon toute spéciale les vergers. On l'entend également très souvent, la nuit, dans la Vallée du Richelieu.

L'emplacement du nid est choisi avec soin par la femelle, car le couple continuera de l'habiter une fois la couvée élevée et l'utilisera même au cours de l'hiver. Ce peut être une cavité dans un arbre, un trou abandonné par le Pic doré (le Pic flamboyant) ou encore un nichoir bâti par l'homme.

Le nichoir doit être construit selon des règles précises: diamètre de l'entrée (7,62 cm ou 3 po), largeur de la cabane (19 cm ou 7,5 po), hauteur de l'intérieur (48,26 cm ou 19 po), situation du sol (5,8 mètres ou 19 pieds).

Photo: Musée national des Sciences naturelles. Musées nationaux du Canada, 79-3005.

La femelle recouvre l'intérieur d'une mince couche de branchettes, d'herbes, de feuilles et de plumes. La tâche de l'incubation d'une durée de 26 jours lui incombe presque en totalité. Les petits sont alimentés de souris, de batraciens et de gros insectes.

Notes particulières — La nuit, le Petit Duc fait entendre des sifflements prolongés, doux et chevrotants. Ces notes sont tellement harmonieuses qu'on dit souvent qu'il chante.

Le mâle et la femelle s'unissent pour la vie, du moins plusieurs années durant, selon des observateurs sérieux. Ce n'est pas ce qui se produit habituellement dans le monde des oiseaux, quelques exceptions mises à part.

LE GRAND DUC

Nom anglais: Great Horned Owl
Nom scientifique: Bubo virginianus *(Gmelin)*
Longueur: 55,88 cm à 60,96 cm (22 à 24 po)
Ponte: 2-3 œufs blancs

Le genre *bubo* auquel appartient ce grand hibou veut dire « Chat-huant ou grand-duc ». C'est à bon droit qu'il est considéré comme le Roi nocturne de la forêt, car ce « mauvais génie des bois » ainsi qualifié par Taverner, terrorise la gent trotte-menu ainsi que la gent ailée.

Description — Sa livrée en général va du brun clair au brun très foncé. La tête, le dos et les ailes sont bruns nuancés de noir. Les plumes brunes transversales de la poitrine tranchent bien sur un fond de plumes blanches. Chez certains individus, elles sont fortement imprégnées de blanc grisâtre. La gorge, les côtés du bec, les pattes emplumées jusqu'aux serres sont blancs. Les disques faciaux brun roux sont encerclés de noir. Les aigrettes brunes atteignent 5,08 cm (2 po) de hauteur. De plus, le Grand Duc est doté d'un bec noir tranchant, d'ailes puissantes d'une envergure de 1,52 mètre (5 pieds) et de griffes acérées noires.

Habitat — Nid — Incubation — Le nid n'a rien de bien original. Dans la plupart des cas, ce hibou en retape un abandonné soit par une Corneille, soit par un Épervier ou il exploite une cavité naturelle d'un arbre. Il y ajoute quelques branchettes, des racines et des plumes. Le mâle et la femelle se partagent la tâche de l'incubation d'une durée de 30 jours. Le plumage des nouveau-nés est blanc.

Élevage des petits — Mœurs spécifiques — Les deux parents nourrissent leurs rejetons. Il va sans dire qu'ils les gavent de rongeurs, d'autres petits mammifères et d'oiseaux. Deux observateurs américains, le Dr Louis Bennet Bishop et M. Herbert K. Job, rapportent que le Grand Duc détruit son nid quand les jeunes sont jugés capables de se blottir près du tronc de l'arbre. De cette manière, il protège mieux sa progéniture en éliminant un amas de branchettes qui était trop bien à la vue de prédateurs; de plus, les petits dont le plumage se confond avec le milieu sont plus en sécurité.

Techniques de chasse — Régime alimentaire — Au crépuscule, le Grand Duc entre en action. Il s'envole silencieusement à la recherche d'une proie. Les rongeurs n'ont pas la vie facile, lorsqu'il patrouille leur territoire. Il pousse ses incursions jusque sur les rivages des étangs et des cours d'eau. Aperçoit-il un canard immobile, il s'élance sur sa victime qui n'a pas le temps de réaliser ce qui lui arrive.

Les poursuites de petits animaux à fourrure ne sont pas menées avec moins de férocité et d'énergie. Il traque le lièvre agile dans les taillis. La moufette elle-même ne l'intimide pas. Ses plumes s'imprègnent d'une mauvaise odeur, mais notre chasseur nocturne qui pense d'abord à satisfaire son appétit ne s'inquiète pas outre mesure de ce contretemps.

Tenaillé par la faim, il s'aventure près des poulaillers et, alors, gare à la poule ou à la dinde qui passent la nuit à la belle étoile! Le chat, habituellement agressif et rusé, ne peut se vanter d'échapper à ce Nemrod émérite, car plusieurs ont déjà payé de leur vie leurs folles amours chantées fiévreusement au clair de lune.

Notes particulières — Autrefois les Indiens le vénéraient et imitaient son hululement en signe de ralliement: une succession de quatre « hou » profonds, les deux premiers longs, les deux autres plus courts.

La Corneille et les Corbeaux sont des ennemis jurés. Le Grand Duc est parfois vu en vol suivi de plusieurs Corvidés qui le harcèlent et lui donnent des coups de bec. La horde noire ne le quitte que lorsqu'il abandonne leur territoire.

Ne se contentant pas de s'attaquer à de plus faibles que lui, il tente aussi d'effrayer l'homme. À ce propos, un officier

Photo: Ministère du Loisir, de la Chasse et de la Pêche, par Jacques Prescott.

de la Sûreté du Québec avait été appelé, il y a plusieurs années, à un campement de travailleurs en forêt, afin d'éclaircir une question assez étrange. En revenant au camp, le soir, souvent l'un des hommes se faisait dérober prestement sa coiffure. L'officier ne prit pas de temps à découvrir le drôle qui se permettait de tels jeux. Il s'agissait d'un Grand Duc qui, malheureusement y laissa sa peau.

Valeur économique — En dépit de nombreuses incartades, il demeure un auxiliaire très appréciable de la dératisation. Comme sa zone de chasse se limite particulièrement à la forêt, ce n'est qu'accidentellement qu'il erre, la nuit, aux abords des fermes. Il faudrait être très prudent avant de lui déclarer la guerre de façon rigoureuse. La disparition de plusieurs espèces d'oiseaux ainsi que la rareté de quelques autres doivent nous inciter à réfléchir sur la conservation de notre avifaune.

LE HARFANG DES NEIGES

Nom anglais: Snowy Owl
Nom scientifique: Nyctea scandiaca *(Linnaeus)*
Longueur: 55,88 cm à 68,58 cm (22 à 27 po)
Ponte: 3-10 œufs blancs

L'habitat naturel du Harfang des neiges ou Hibou blanc est l'hémisphère boréal, surtout les parties les plus septentrionales. Les Suédois l'ont appelé « Harfang » parce qu'il se nourrit de lièvres. Pour les Cris, c'est le « Wapow-Keetho »; quant aux Esquimaux, ils le nomment « Oopignak ». Son nom d'espèce *scandiaca* rappelle la Scandinavie, un immense territoire de l'Europe septentrionale.

Description — Le blanc du plumage est nuancé selon les individus — le sexe, l'âge et le temps de l'année où ils sont aperçus — et va du blanc presque pur au blanc souligné de brun léger ou de brun foncé. Des spécimens étudiés en 1941-1942 dans Charlevoix étaient d'un blanc sale fortement marqué de brun.

Nid — Régime alimentaire — C'est dans la zone arctique que le Harfang nidifie. Le nid placé sur un talus dans une légère dépression est composé d'herbes desséchées et de plumes. Au dire de Witherby la femelle couve pendant 32 ou 33 jours.

À l'instar de la Chouette épervière et du Hibou à oreilles courtes il chasse le jour. Il se nourrit de souris, de rats, de lièvres, de lagopèdes et de petits oiseaux. Dans les plaines de l'Ouest, il manifeste un goût prononcé pour la poule des prairies. C'est aussi un excellent pêcheur. Voici ce qu'en dit Audubon: « Il s'incline sur un rocher près de la mer, la tête tournée vers l'eau; il fait le mort et attend patiemment l'occasion de happer une victime, qu'il ne manque jamais; dès qu'un poisson monte à la surface, rapide comme l'éclair, la griffe du harfang le saisit. »

Migrations cycliques — Au cours des années qui précèdent les mouvements migratoires des lemmings — souris de l'Arctique —, les Harfangs des neiges ainsi que d'autres espèces d'oiseaux, pour qui ces rongeurs constituent de précieuses réserves alimentaires, abondent dans les vastes solitudes du Grand-Nord.

La disparition ou la rareté de ce petit gibier restent catastrophiques pour les Hiboux blancs qui, à ce moment, émigrent en masse vers tous les coins du Canada et au nord des États-Unis. D'importantes invasions de ces oiseaux ont été enregistrées en 1921-1922, 1926-1927, 1930-1931, 1934-

1935, 1937-1938, 1941-1942, 1945-1946, et elles se sont continuées. La dernière survint en 1974-1975.

D'un naturel peu farouche, ils se rapprochent alors des habitations, des quais et des dépotoirs en quête d'une proie éventuelle. Ils viennent même en plein centre ville se poser sur les poteaux sans que le bruit des voitures ne semble les importuner.

Hors ces cycles de migration qui surviennent tous les quatre ou cinq ans, le Harfang des neiges fait également partie de notre avifaune d'hiver, mais en nombre beaucoup plus restreint.

LA CHOUETTE ÉPERVIÈRE

Nom anglais: Hawk-owl
Nom scientifique: Surnia ulula *(Linnaeus)*
Longueur: 38,1 cm (15 po)
Ponte: 3-7 œufs blancs

À l'exemple du Harfang des neiges, plusieurs espèces de rapaces dont la Chouette épervière visitent sporadiquement quelques régions du Québec. Toutefois, tous les hivers, quelques individus *Surnia ulula* s'aventurent très au sud de leur cercle d'habitat naturel. La première partie de son appellation scientifique *surnia* vient de « surnie » qui est un oiseau rapace propre à la région arctique; la deuxième partie *ulula* découle du latin et se traduit par « chat-huant ».

Description — La Chouette épervière ne peut être confondue avec une autre espèce de hibou. Le brun et le blanc la caractérisent très bien: partie de la couronne et front mouchetés de brun et de blanc; disques faciaux blanc grisâtre; taches brunes entre les yeux et le front; dos et ailes bruns tachetés de blanc; queue longue aux rectrices légèrement arrondies et dont la partie supérieure est traversée de plusieurs bandes; parties inférieures marquées de bandes brunes.

Habitat — Nid — Elle délimite son biome dans un secteur des vastes régions boréales. Le nid est soit un trou creusé par un Pic, soit une souche en état de décomposition, soit encore un vieux nid de Corneille ou d'Épervier. Quelle que soit l'habitation choisie, elle a soin de la tapisser de mousse et de plumes.

Techniques de vol et de chasse — Le cri — Ses noms français et anglais « Chouette épervière » et « Hawk-

Photo: Jean Giroux.

owl » mettent en lumière ses habitudes de chasseur: vol rapide qui rappelle celui d'un Faucon et suivi d'un vol plané; séances de guet au sommet d'un arbre ou sur un chicot. Si un ennemi l'effraie, elle plonge et, juste avant de toucher le sol, elle s'élève pour aller se poster à un autre endroit stratégique. Ces mouvements de va-et-vient sont toujours exécutés avec la célérité du Faucon et la douceur des ailes du Hibou.

La Chouette épervière chasse pendant le jour. Lorsqu'elle poursuit un gibier, elle lance des cris aigus: c'est une suite de sons que notre oreille pourrait traduire par des « ip, ip ».

Régime alimentaire — Les souris, les écureuils et les petits oiseaux font partie de son menu quotidien. Cette chouette, à cause de sa taille, ne s'attaque ni au lièvre ni au lagopède.

LA CHOUETTE RAYÉE

Nom anglais: Barred Owl
Nom scientifique: Strix varia *Barton*
Longueur: 45,72 cm à 58,42 cm (18 à 23 po)
Ponte: 3 œufs blancs

Les noms français, anglais et scientifique de cette chouette rappellent les caractéristiques de son plumage: rayures brunes de la poitrine, des flancs et de l'abdomen; bandes de la même couleur sur les autres parties du corps. Les yeux comme ceux de l'Effraie sont noirs.

Habitat — Nid — La Chouette rayée habite les régions boisées où abondent conifères et feuillus, depuis le sud du Québec jusqu'à la baie de James. Elle nidifie aussi sur l'île d'Anticosti. La grandeur de la forêt importe peu, mais elle doit toutefois offrir une superficie assez vaste pour entretenir une population de petits rongeurs; de plus, elle doit être arrosée par un cours d'eau. Les petits, au nombre de deux ou trois, naissent dans un vieux nid de Corneille ou d'Épervier. Cette chouette hiverne dans la zone où elle élève sa couvée.

Régime alimentaire — Ennemie des rongeurs à qui elle livre une lutte sans merci, elle est une alliée de grande valeur que le forestier et l'agriculteur doivent protéger. Elle se délecte aussi de grenouilles, d'araignées, de gros insectes et d'écrevisses.

Photo: Guy Drapeau.

Le cri — Son cri, que l'auteur a entendu la nuit, à maintes reprises, dans les bois de Nantes (comté de Frontenac) surprend de prime abord. C'est un ensemble de huit notes: les cinq premières bien rythmées et de gravité moyenne sont lancées en un léger crescendo et sont suivies de trois autres plus rapides et un peu plus élevées. En y mettant des sons, on peut imaginer ceci: hou hou hou hou hou hou-houhou.

Notes particulières — La Chouette rayée, un hibou bien acclimaté à nos forêts, se rapproche parfois d'un camp, hulule comme si elle voulait gagner l'amitié de l'homme. Elle répond même à une imitation de son cri, s'il se rapproche quelque peu de la réalité.

LA CHOUETTE CENDRÉE

Nom anglais: Great Gray Owl
Nom scientifique: Strix nebulosa *Forster*
Longueur: 63,5 cm à 83,82 cm (25 à 33 po)
Ponte: 2-4 œufs blancs

Photo: Musée national des Sciences naturelles, Musées nationaux du Canada, 75-5060.

C'est le géant de la famille des Strigidés, non par la férocité — ce privilège appartient au Grand Duc —, mais par la longueur et l'étendue des ailes dont l'envergure atteint 152,4 cm (60 po). Cet oiseau une fois dépouillé de son épais plumage présente un corps à peine plus gros que celui d'une Gelinotte.

Description — Les noms français, anglais et latin de la Chouette cendrée décrivent bien le plumage gris cendré. Les dessus et les dessous sont nuancés çà et là de brun. Les disques faciaux sont de toute beauté: deux ovales de plumes ténues semblables à une soie délicate enrichie de filigranes où percent deux yeux et un bec jaunes. Une tache noire sous le bec ressort à travers les plumes blanc grisâtre de la gorge. Neuf bandes d'un brun léger entrecoupent les rectrices.

Habitat — Nid — Les forêts boréales ainsi que les muskegs boisés appartiennent à son royaume de chasse. C'est là également où elle élève ses petits. Un nid de Corneille ou d'Épervier qu'elle a eu soin de lambrisser de mousse et de plume sert d'abri à la nichée.

Régime alimentaire — Migration — La Chouette cendrée n'est pas exclusivement un chasseur nocturne. Il lui arrive, le jour, de survoler un champ en quête d'une proie. Dans la grande forêt nordique, elle se nourrit de lièvres, de souris, d'écureuils et de lagopèdes-tétraonidés connus sous le nom de Perdrix blanches —. Sans être de nature un oiseau migrateur, elle est obligée parfois par la force des choses — par exemple une pénurie de gibier dans son secteur habituel — d'aller chercher sa subsistance plus au sud. C'est ainsi que presque tous les hivers quelques individus de l'espèce sont signalés dans les régions de Charlevoix et du Saguenay. En janvier 1979, quelques individus ont été aperçus à Cap-Tourmente et dans les bois voisinant la ville de Québec.

LES NYCTALES

Ce sont des miniatures de chouettes dont la taille ne dépasse pas dix pouces, à l'iris jaune et au tarse emplumé jusqu'aux serres. Deux espèces vivent au Québec: la Nyctale boréale et la Petite Nyctale.

Le nom de « Nyctale » dérive du latin et signifie « qui ne voit que dans la nuit ». Toutes deux appartiennent au genre *aegolius* qu'on traduit en français par « oiseau de nuit ». Dans quelques régions de la provice, notamment dans Charlevoix, on les appelle « Cavêches ».

Habitat — Nid — Elles vivent dans des forêts de conifères et de feuillus. La Petite Nyctale a été vue à plusieurs reprises dans les boisés du comté de Lotbinière. En hiver, on les rencontre assez fréquemment dans les régions de Charlevoix, du Saguenay, même souvent plus au sud.

Elles fixent leur nid dans une cavité naturelle d'arbre ou dans un trou de Pic. La Nyctale boréale incube de deux à sept œufs blancs pendant 27 jours selon A. Norberg. De son côté, la Petite Nyctale couve de trois à six œufs pendant 26 jours. Cette tâche est assumée habituellement par la femelle seule.

Techniques de vol — Régime alimentaire — Il ressemble à celui de la Bécasse d'Amérique, mais sans l'éclat bruyant des ailes. Ces deux espèces de Nyctales chassent les souris et les gros insectes pendant la nuit.

Notes particulières — Avant l'aube, elles se perchent près d'un tronc d'arbre. En dépit de leurs couleurs brunes qui se confondent avec l'écorce, elles sont souvent décou-

vertes et se laissent prendre sans opposer de résistance. Il ne faudrait pas que l'homme abuse de leur confiance pour les molester, car en plus de leur charme elles rendent de grands services comme dévoreuses de petits rongeurs et d'insectes. Il arrive au Grand Duc de lui faire la guerre.

Caractères spécifiques — En plus de traits communs aux deux espèces, elles possèdent quelques caractères bien distincts se rapportant à la taille, aux couleurs et au cri de chacune.

Photo: Musée national des Sciences naturelles, Musées nationaux du Canada, 79-3012.

LA NYCTALE BORÉALE

Nom anglais: Boreal Owl
Nom scientifique: Aegolius funereus *(Linnaeus)*

Le nom d'espèce *funereus* qui veut dire « funèbre, sombre ou triste » semble ne pas lui convenir du tout. Toutefois, il lui a peut-être été alloué parce que cette chouette est totalement aveugle pendant le jour.

Description — Elle mesure de 22,86 à 25,4 cm (9 à 10 po). Les disques faciaux de la Nyctale boréale sont finement dentelés de gris et encerclés d'une étroite bande brune et blanche. Le front brun léger est dessiné de points blancs. La poitrine est un mélange confus de traits bruns et blancs verticaux. Le dos et les ailes sont également bruns, mouchetés de rondelles argentées.

Photo: Musée national des Sciences naturelles, Musées nationaux du Canada, 75-5053.

Le cri — C'est un « brrou » qui ressemble au bruit de l'eau ruisselant des gouttières. Ces notes brèves et monotones paraissent venir de loin, mais c'est là une illusion. Cette ventriloquie lui permet sans doute de tromper la vigilance de la souris, afin de lui sauter dessus plus facilement. Les Montagnais désignent son cri par « phillip-pile-tshch » ce qui veut dire « eau qui ruisselle du hibou ».

LA PETITE NYCTALE

Nom anglais: Saw-whet Owl
Nom scientifique: Aegolius acadicus *(Gmelin)*

Description — C'est un vrai bébé chouette de la taille de la Grive solitaire, mais de plus forte corpulence à cause de l'épaisseur du duvet. Elle mesure de 17,78 à 20,32 cm (7 à 8 po). Les disques faciaux sont brun clair. Le front brun est fini de rayures blanches. Comme la Nyctale boréale, la poitrine forme un ensemble de traits bruns et blancs verticaux. Le dos et les ailes bruns sont mouchetés de rondelles argentées.

Le cri — Les sons émis par cette Nyctale ressemblent aux grincements de scie qu'on aiguise. Son nom anglais « Saw-whet Owl » traduit bien son cri.

Photo: Ministère du Loisir, de la Chasse et de la Pêche, Québec, par Jean-Guy Lavoie.

à la naissance du bec; ailes courtes et arrondies; pieds forts et compacts, composés de quatre doigts très bien constitués pour gratter le sol — trois antérieurs et un postérieur —.

Les Galliformes comprennent deux familles: les Phasianidés et les Tétraonidés. Six espèces de Phasianidés vivent au Canada dont une seule au Québec: le Faisan à collier. Neuf espèces de Tétraonidés couvrent le Canada dont cinq le Québec: le Tétras des savanes, la Gelinotte huppée, le Lagopède des saules, le Lagopède des rochers et la Gelinotte à queue fine. Très souvent l'un ou l'autre des Tétraonidés est appelé « perdrix ». C'est là une fausse appellation, car ces Galliformes ne ressemblent pas du tout à la perdrix européenne.

Régime alimentaire — Ces oiseaux surtout granivores et frugivores deviennent insectivores à l'occasion. En automne, les petits fruits sauvages les attirent de façon toute spéciale. Ils s'abattent aussi dans les champs, afin d'y manger le grain tombé des épis.

Migration — Comme leurs ailes ne leur permettent pas d'entreprendre de longs voyages, ils demeurent dans leur territoire d'origine. Toutefois, ils se déplacent vers des secteurs plus au sud, si la nécessité l'exige. C'est le cas du Lagopède des saules.

ORDRE DES GALLIFORMES

Les oiseaux de cet ordre sont également connus sous le nom de Gallinacés — la racine du mot, *gallina,* vient du latin et signifie « poule ». Ils sont fort répandus sur tous les continents. Ils possèdent quelques caractères en commun: bec court très arqué et corné au culmen; narines situées juste

Photo: Musée national des Sciences naturelles, Musées nationaux du Canada, 74-2635.

LE LAGOPÈDE DES SAULES

Nom anglais: Willow Ptarmigan
Nom scientifique: Lagopus lagopus *(Linnaeus)*
Longueur: 43,18 cm (17 po)

Ce Galliforme a un plumage teinté de brun, d'ocre et de rouille pendant l'été et il blanchit en grande partie à l'arrivée de l'hiver; à cette époque il est connu sous le nom de Perdrix blanche.

Il se gave de bourgeons de saule, le *Salix arctica* Pallas. En période de disette, il délaisse la toundra arctique pour des forêts plus au sud. Les résidents de la Côte-Nord, depuis Sept-Îles jusqu'à Blanc-Sablon, ont souvent le plaisir de le déguster. Les Lagopèdes des saules étaient très nombreux à la fin du siècle dernier. Voici ce que N.-A. Comeau écrit à leur sujet, à la page 273 de son livre *La Vie et le Sport sur la Côte Nord;* « Le 14 novembre 1885, j'en ai vu une troupe de plusieurs mille à la baie Trinité, à six milles à l'est de la Pointe-des-Monts. C'était une masse compacte et continue d'oiseaux sur une longueur de plus d'un mille et une largeur de soixante à cent verges. »

LE FAISAN À COLLIER

Nom anglais: Ring-necked Pheasant
Nom scientifique: Phasianus colchicus *Linnaeus*
Longueur: le mâle: 91,44 cm (36 po): la femelle: 50,8 cm (20 po)
Ponte: 8-15 œufs brun olivâtre

C'est un oiseau originaire d'Asie qui a été introduit en Amérique du Nord à la fin du XIXe siècle. Son nom scientifique veut dire « faisan de Colchide ». Colchide est un royaume de l'Asie antérieure situé à l'est de la mer Noire.

Description — Le mâle a la tête verte; une tache rouge souligne le bas de l'œil. Le dos ainsi que les parties inférieures à partir de la poitrine sont fortement bronzés. Les plumes rectrices rayées de brun et de noir, effilées, mesurant 40,64 cm de longueur (16 po). Un collier blanc délimite la gorge de la poitrine. La femelle est plutôt brunâtre. Les rectrices également effilées sont moins longues que celles du mâle.

Habitat — Les grandes concentrations de ce Phasianidé se situent surtout en Alberta et en Saskatchewan. L'île Pelée du lac Érié en protège un fort contingent. Au Québec, il vit particulièrement dans la région de Montréal, dans les forêts de l'Estrie, aux abords de Hull; quelques individus habitent dans le voisinage de Québec.

Il fréquente le bord des marais, l'orée herbeuse de la forêt et les champs de céréales. Il se nourrit d'insectes, de petits fruits sauvages, de graines de mauvaises herbes et de céréales.

Photo: Direction générale du cinéma et de l'audiovisuel, par J.-L. Frund.

Notes particulières — Quelques agriculteurs en engraissent de grandes quantités et les vendent en automne à des sportifs qui organisent des compétitions dans leur territoire de chasse. C'est ainsi que, depuis plusieurs années, Rimouski est devenu en octobre le rendez-vous des amateurs de la chasse au Faisan à collier.

Très souvent l'hiver est une saison critique pour le Faisan, non pas tellement à cause du froid, mais surtout en raison d'un manque de nourriture.

LE TÉTRAS DES SAVANES

Nom anglais: Spruce Grouse
Nom scientifique: Canachites canadensis *(Linnaeus)*
Longueur: 35,56 cm (14 po)
Ponte: 8-14 œufs brun rougeâtre tachetés de brun foncé

Il existe des contrastes frappants entre la Gelinotte huppée et le Tétras des savanes. Autant la première qui vit dans les limites de la civilisaton fuit à l'approche de l'homme, autant le second qui a choisi comme habitat les forêts coniférienns

éloignées reste calme, médusé même lorsqu'un humain arpente son domaine. Le Tétras épie alors ses mouvements et s'intéresse à ses moindres manœuvres. Son nom générique vient du grec et signifie « qui va en faisant du bruit ».

Description — C'est un joli gallinacé aux yeux bruns dont le dessus est marqué de rouge. La tête, le dos et le croupion sont vermiculés de gris et de noir. La queue noire, arrondie et composée de seize plumes se termine en une bande brune. Les rémiges sont brun noirâtre. Un collier de plumes minuscules, pointues et blanches, s'accroche à une gorge noire comme le jais. La partie supérieure de la poitrine est toute noire; la partie inférieure ainsi que l'abdomen, également noirs, sont traversés de bandes blanches; des stries blanches longent les flancs gris. Des plumes grises recouvrent entièrement le tarse.

Les parties supérieures de la femelle sont brun foncé mêlé de fauve; les dessous sont hachés de brun et de blanc. Les rectrices sont rousses, bordées à l'extrémité d'une bande brun orangé.

Pariade — Nid — Au temps de l'accouplement, le mâle cherche à conquérir une compagne. Il marche en étalant les plumes caudales, vole à quelques mètres du sol en agitant rapidement les ailes. Ce jeu des rémiges produit des roule-ments semblables à ceux d'un tambour. Après avoir fixé son choix sur un des mâles en lice, la femelle s'affaire à préparer son nid.

Il repose habituellement sous les branches basses d'un conifère et est soigneusement camouflé sur un tapis d'aiguilles séchées. L'incubation assumée par la femelle seule dure environ 24 jours.

Régime alimentaire — Cet oiseau de la forêt nordique appelé aussi Tétras du Canada et Perdrix des savanes se nourrit abondamment de bourgeons d'épinette et de cèdre, ce qui donne un goût âcre à sa chair. Toutefois il est comestible. Pendant la saison estivale, il se délecte de petits fruits et d'insectes.

Notes particulières — On rencontre souvent ce Galliforme dans les vastes forêts: parc des Laurentides, parc de la Vérendrye, parc de la Mauricie et dans plusieurs vastes boisés au nord de la province. Son vol est lourd et bruyant.

Le renard roux, le lynx et tous les grands Éperviers lui font la chasse. Comme il peut être approché facilement, il sert en cas de besoin de nourriture au voyageur perdu en forêt.

LA GELINOTTE HUPPÉE

Nom anglais: Ruffed Grouse
Nom scientifique: Bonasa umbellus (Linnaeus)
Longueur: 40 cm (15,75 po)
Ponte: 10-12 œufs blancs ou crème

D'aucuns la nomment Gelinotte à fraise à cause de la collerette de plumes qu'elle met en évidence de temps à autre, surtout lors de la pariade. Le nom d'espèce *umbellus* qui signifie « ombrelle » rappelle cet ornement des grandes circonstances. Quant au chasseur, il la désigne sous le nom de Perdrix de bois franc.

Description — Au premier coup d'œil, elle laisse une impression de brun roux. Toutefois, le détail de sa livrée fait entrevoir une harmonie de teintes variées: tête, huppe, iris et bec bruns; lores de couleur crème; plumes de la fraise violacées; dos et épaules roux aux rebords noir brunâtre; croupion et tectrices sus-caudales brun fauve mêlé de gris avec des taches blanc jaunâtre. Les plumes de la queue — au nombre de dix-huit — de ton brun chaud ou gris cendré, selon que l'oiseau appartient à l'une ou l'autre des deux phases de coloration, sont coupées de six ou sept bandes

étroites brun noirâtre. L'avant-dernière large de 1,27 cm (0,5 pouce) est noire; la dernière est bordée de blanc. Les rémiges se nuancent de blanc et de gris. La gorge est jaune pâle; la poitrine et les flancs blanchâtres sont entrecoupés de bandes brunâtres.

Habitat — Les grands domaines forestiers comme les boisés du cultivateur lui servent de biotope. Très tôt le matin, également vers seize heures elle déambule dans un chemin de voiture ou dans un sentier. Elle s'affaire à manger des cailloux qui faciliteront sa digestion. Le reste du jour, elle se tient dans les sous-bois.

Durant l'hiver, elle vit dans les cédraies et fréquente les endroits où les fruits abondent. Elle se déplace aisément dans la neige, en raison d'une frange de forts éperons plats en corne qui se développent latéralement le long des doigts et qui ressemblent vaguement à une ramille de sapin.

Pariade — La Gelinotte huppée célèbre l'arrivée du printemps selon des rites particuliers. Les mâles surtout font les frais de la fête par des tambourinages qui se répercutent, lorsque l'atmosphère est propice, à plus de 1,6 km (1 mille) à la ronde. Ils agitent d'abord lentement les ailes puis en accélèrent le mouvement pendant cinq ou six secondes, ce qui engendre alors un bruissement confus. Durant toute la saison et jusqu'à l'automne, la forêt retentira souvent de ces « concerts d'ailes » de Gelinottes.

La mi-avril marque le début de la pariade, moment où les mâles rivalisent d'ardeur pour conquérir une femelle. C'est alors qu'ils manifestent leurs talents et qu'ils exhibent leurs charmes: ailes rabattues en signe de respect ou de soumission, fraise relevée, queue en éventail, cette mise en

Photo: Ministère du Loisir, de la Chasse et de la Pêche, Québec, par P. Bernier.

scène accompagnée de pas de danse autour de la femelle courtisée. Cette cérémonie se répète plusieurs fois jusqu'à l'instant où la femelle jette son dévolu sur le père de sa future couvée.

Nid — Incubation — Élevage des petits — Le nid est simple: une légère dépression à la base d'un arbre ou d'une souche que la femelle entoure de paille, d'herbes desséchées et de plumes. Elle couve pendant 24 jours environ. Peu de temps après leur éclosion, les poussins qui ressemblent beaucoup à ceux de la poule suivent leur mère. Tout en les nourrissant d'insectes et de fruits sauvages, elle les initie à découvrir eux-mêmes leur pitance.

Si un poursuivant les presse de trop près, elle pousse des cris d'alarme et, alors, ses rejetons se dispersent qui dans un trou, qui dans une vieille souche ou sous un tas de feuilles. L'auteur, qui en a vu à maintes reprises, s'est déjà lancé à la capture de petits. Il en attrapa un avec difficulté, tandis que son compagnon en saisissait deux. Les autres n'étaient sans doute pas loin, mais dissimulés avec soin. Pendant ce temps, la mère ne cessait ses appels de détresse. Une fois relâchés, nos trois poussins au teint fauve s'engagèrent rapidement dans les hautes herbes. La petite troupe se reforma et continua sa marche sous la conduite maternelle.

Régime alimentaire — La Gelinotte trouve dans son habitat une nourriture abondante étant donné la variété de son menu qui est composé de bourgeons de peuplier, de bouleau et de saule; de petits fruits sauvages — salsepareille, atocas, tiarelle, quatre-temps, fraise, framboise, sorbe, etc —; également d'une quantité considérable d'insectes dont les sauterelles. Étant un Gallinacé, elle picore le grain en bordure des champs cultivés.

Ennemis — En plus de l'homme, le Renard roux, le Grand Duc et l'Autour la chassent à outrance. Il lui arrive parfois de se prendre dans un collet destiné au lièvre.

Notes particulières — C'est un oiseau qui ne se laisse pas approcher facilement. Au moindre bruit, il s'élève brusquement en agitant si bruyamment ses courtes ailes qu'on dirait une explosion sous un tas de feuilles mortes. Il se dissimule sur une haute branche de conifère ou parmi les hautes herbes brunies, et de façon si ingénieuse qu'il est parfois difficile de l'apercevoir.

Il lui arrive, en automne, de pénétrer dans une maison sans emprunter la porte, mais tout simplement en traversant un ou deux carreaux. La cuisinière n'a qu'à le cueillir et à le mettre au feu. Vu sa chair délicate, la Gelinotte huppée fait partie de plusieurs recettes dont les fermières connaissent les secrets multiples.

Sa rareté dans quelques zones forestières provient surtout de l'incurie des braconniers qui ne savent pas s'astreindre aux lois régissant les périodes de chasse. Dans plusieurs autres endroits mieux surveillés — refuges d'oiseaux, parcs provinciaux — elle prolifère et vit en sécurité.

ORDRE DES CHARADRIIFORMES

Les oiseaux de cet ordre ne semblent posséder qu'un seul caractère en commun, soit celui de fréquenter assidûment les rivages de la mer, des rivières, des lacs ou des étangs.

Le Canada protège 150 espèces d'oiseaux de cet ordre qui se répartissent en dix familles. Le Québec en compte 50 groupées en cinq familles: les Charadriidés (4 espèces); les Scolopacidés (27 espèces); les Stercorariidés (3 espèces) — les Labbes appartiennent à cette famille; ce sont de véritables corsaires ailés qui s'emparent du butin recueilli par les Goélands et les Sternes —; les Laridés (10 espèces); et les Alcidés (6 espèces): le Gode, le Guillemot noir, le Mergule nain (les chasseurs de Charlevoix et de la Côte-Nord le surnomment « Petit Bonhomme »), le Macareux moine (Macareux arctique), la Marmette commune et la Marmette de Brunnich. Les Alcidés sont tous de remarquables plongeurs qui vivent en eaux salées. Le Gode, le Guillemot noir, le Macareux moine et la Marmette commune nidifient dans les limites de Percé.

Le présent ouvrage décrit neuf espèces des mieux connues et distribuées dans les familles des Charadriidés, des Scolopacidés et des Laridés.

LE PLUVIER KILDIR

FAMILLE DES CHARADRIIDÉS

Ce nom vient du grec *charadrios* et désigne le « pluvier ». Les Charadriidés fréquentent habituellement les rivages; toutefois, au printemps et en été, les Pluviers kildirs se retrouvent nombreux dans des champs assez éloignés des cours d'eau et où ils élèvent leurs petits.

Les Pluviers sont des oiseaux à cou court, au bec assez long (1,9 cm ou ¾ de po), mou à la base et dur au bout. Tous n'ont que trois doigts à l'exception du Pluvier à ventre noir.

Le Pluvier à collier, le Pluvier kildir, le Pluvier doré d'Amérique et le Pluvier argenté (Pluvier à ventre noir) font partie de cette famille.

Nom anglais: Killdeer
Nom scientifique: Charadrius vociferus *Linnaeus*
Longueur: 25,4 cm (10 po)
Ponte: 4 œufs chamois avec taches brunes

À leur retour de migration, les oiseaux annoncent, chacun dans son langage, la prise de possession d'un territoire. Certains l'expriment par des chants délicieux, d'autres le disent par des cris qui, parfois, les caractérisent tellement bien que leur nom même en découle. Le Pluvier kildir, aux mélancoliques « kildi » répétés maintes fois pendant qu'il survole son biotope, bénéficie de ce privilège.

Description — Ce petit échassier, mâle et femelle, se fait remarquer par des dessous blancs enjolivés de deux colliers noirs: l'un sous la gorge qui encercle tout le cou, l'autre peu

Photo: Musée national des Sciences naturelles. Musées nationaux du Canada. 75-5006

après la poitrine et qui s'arrête à la naissance des épaules. Le blanc du front s'étend jusqu'à l'œil et, au-dessus, une bande noire le sépare de la couronne. Une forte ligne blanche court au-dessus de l'œil. Les côtés de la tête, de l'œil au cou, sont noir brunâtre. La couronne, le dos, les épaules, les rémiges secondaires et les sus-alaires sont brun olive. Les rémiges primaires sont coupées de blanc. Le croupion et les tectrices sus-caudales commencent en brun orange et s'achèvent en marron. Les sous-caudales sont blanches. Les rectrices vont du brun olive au noir et se terminent à l'extrémité d'une bande rouille. L'iris est brun et les paupières orange ou rouges. Chez le jeune, le noir de l'adulte fait place au gris. Les dessus sont brun rouille.

Habitat — Il arrive du Sud vers la fin de mars et signale sa présence en vol par des cris qui ne laissent aucun doute sur son identification. On serait porté à croire que le Kildir ne fréquente que les abords de l'élément liquide. Il n'en est rien, car tout vaste champ cultivé ou herbeux l'attire, parce qu'il est assuré d'y trouver une abondante provision d'insectes. On le trouve dans tous les coins de la province, voire jusqu'à la baie de James.

Nid — Incubation — Élevage des petits — Dès la fin d'avril ou au début de mai, la femelle situe l'emplacement de son nid. Elle profite d'une légère dépression du sol et l'habille de quelques brindilles de paille ou d'herbes sèches. L'incubation dure en moyenne 25 jours et est assumée à tour de rôle par les deux partenaires.

Quand un intrus s'approche trop près de la couvée, le Pluvier la quitte furtivement en courant dans le champ, simule le truc des ailes cassées, crie à tue-tête pour effrayer l'étranger ou détourner son attention, l'attire dans sa direction et, au moment propice, s'envole. Il revient à ses œufs en faisant mille détours.

Peu de temps après leur éclosion, les petits suivent leurs parents. Quand ils sont poursuivis ils accélèrent leur course, zigzaguent de gauche à droite pour embarrasser l'agresseur tout en cherchant un trou qui les abritera temporairement. Tout le temps que dure ce manège, les parents lancent des cris de détresse, tentent de distraire l'ennemi en l'attirant de leur côté. La comédie que joue le Pluvier réussit très souvent et permet ainsi à ses rejetons de se cacher en lieu sûr jusqu'à ce que tout danger soit disparu.

Migration — Il émigre aux États-Unis et dans quelques pays de l'Amérique du Sud. Quelques individus passent l'hiver dans nos régions. Il a été signalé à plusieurs reprises au mois de janvier à Sainte-Anne-de-la-Pocatière.

FAMILLE DES SCOLOPACIDÉS

Les oiseaux de cette famille font partie du groupe SCOLOPAX, mot grec qui veut dire « bécasse ». Leur bec est fin, long,

PETIT CHEVALIER

plutôt mou mais très flexible. Celui du Courlis épouse une forme convexe; celui de la Barge, une forme concave. Les pattes effilées, plus longues que chez les Passeriformes, facilitent la course et permettent de chercher la nourriture en eau peu profonde. Le pied est composé de quatre doigts: trois antérieurs longs; un postérieur plutôt rudimentaire. Chez le Bécasseau semi-palmé, deux membranes partielles réunissent les doigts antérieurs. Le Bécasseau sanderling n'a que trois doigts; le postérieur est absent.

Les Scolopacidés sont des oiseaux de rivage, de marais et de tourbières. Ils ne présentent aucune difficulté d'identification comme famille, mais quelques-uns, surtout les Bécasseaux, sont parfois difficiles à reconnaître en chacune de leur espèce.

Cinquante-neuf espèces vivent au Canada dont vingt-sept au Québec. La Bécasse d'Amérique, la Bécassine des Marais et la Maubèche branle-queue sont communes dans plusieurs régions.

LA BÉCASSE D'AMÉRIQUE

Nom anglais: American Woodcock
Nom scientifique: Philohela minor *(Gmelin)*
Longueur: 25,4 cm (10 po)
Ponte: 3-4 œufs blanc grisâtre tachetés de brun rougeâtre

Cette espèce, autrefois très nombreuse dans nos régions, a connu un rude déclin en raison de chasses intensives dont elle a été l'objet de la part de gens qui la préféraient plutôt en tourtière que dans un sous-bois touffu et humide. En anglais, elle porte plus de quinze noms, chacun décrivant un trait particulier de sa personnalité: *Night Partridge* (Perdrix de nuit), *Whistler* (Siffleur), *Big-Eyes* (Gros yeux), etc. Son nom scientifique *Philohela minor* laisse sous-entendre qu'elle aime très peu le soleil.

Description — La Bécasse d'Amérique est un oiseau ventru au bec brunâtre, souple et mince d'une longueur de 6,35 cm (2,5 po), aux yeux brun foncé encerclés de blanc et logés très haut dans la tête. Son aspect rondelet est tel que le cou se mêle à tout l'ensemble du corps.

Trois carrés noirs couvrent le dessus de la tête de la couronne à la nuque et sont divisés par des bandes grises. Le front est grisâtre. Un léger trait noir glisse à l'arrière du

centre de l'œil. Les plumes du dos forment un ensemble de couleurs: noir, brun, gris et roussâtre. Les ailes sont brunâtres. La queue est courte, brune et pointillée de noir. Les dessous sont d'un brun orange pâle avec quelques taches noires accrochées aux flancs. Les pattes de couleur chair sont terminées par des doigts très longs.

Habitat — Il couvre la plupart des régions du Québec: de la Gatineau au lac Saint-Jean, la Gaspésie et les grands parcs provinciaux. Les abords marécageux des lacs et des rivières ombragés de bosquets d'aunes et d'arbrisseaux lui servent de couverts.

Tôt au printemps, après que les marécages se sont dégagés de leur couche de neige, parfois même avant, la Bécasse

Photo: Musée national des Sciences naturelles, Musées nationaux du Canada, 75-5010.

pénètre dans un royaume de mystères. Elle recherche alors un secteur discret, favorable à sa mentalité de solitaire, au sol mou et renfermant des vers de terre. Pendant le jour, elle se tapit sur le sol dans une immobilité de sphinx. Ses couleurs feuilles mortes la confondent avec le milieu et la protègent ainsi de cruels ennemis que sont le chasseur, le renard et le chat. À la tombée du jour, elle quitte sa retraite. Son vol est lourd, parfois silencieux comme celui d'une Nyctale; en d'autres temps il est bruyant comme les ailes d'une Gelinotte.

Pariade — Quand un mâle fait la cour à une femelle, il s'élève en spirale à une hauteur de dix-huit mètres environ (60 pieds) tout en lançant des cris nasillards — des « pi-i-it » semblables à ceux de l'Engoulevent commun, dessine un cercle immense puis redescend au sol où il déambule cérémonieusement comme un dindon, les ailes pendantes, tout en continuant d'exprimer sa joie par de petits cris. Le même rite se déroule à l'aube et dure tout le temps de l'incubation.

Nid — Incubation — Élevage des petits — La femelle construit son nid à proximité de l'eau. Elle choisit une légère dépression de terrain qu'elle recouvre de feuilles séchées. Elle seule incube pendant une vingtaine de jours. Quand elle est dérangée, elle s'envole avec fracas dans un sifflement d'ailes et va se poser par terre à quelques mètres de distance. Le danger dissipé, elle revient à ses occupations. Les petites Bécasses suivent leur mère peu de temps après leur éclosion. Tout en les surveillant, elle leur apprend à chercher leur nourriture constituée de lombrics, de sauterelles et autres insectes.

Migration — L'automne est à peine engagé que cet oiseau des marais s'envole vers les États-Unis et hiverne depuis le sud du Missouri, la vallée de l'Ohio jusqu'au sud de la Floride.

LA BÉCASSINE DES MARAIS

Nom anglais: Common Snipe
Nom scientifique: Capella gallinago *(Linnaeus)*
Longueur: 29,25 cm (11,7 po)
Ponte: 4 œufs gris olive fortement tachetés de brun foncé

Les terrains à la fois herbeux et marécageux présentent des attraits certains pour plusieurs espèces d'oiseaux, dont la Bécassine des marais. Dès la mi-avril, elle regagne le territoire de ses amours. Pour les amateurs, qui étudient les oiseaux depuis plus de dix ans, elle demeure toujours la Bécassine de Wilson ou la Bécassine ordinaire.

Description — Deux bandes brunes, séparées par une troisième plus étroite et de couleur chamois, partent de la naissance du front et se prolongent jusqu'à la nuque; une quatrième, d'un brun léger, débute près des narines et longe le dessus de l'œil. Le pourtour blanc de l'œil est interrompu par un trait brun en avant et en arrière. Les parties supérieures ainsi que la gorge, l'abdomen, les côtés et les flancs offrent un ensemble de rayures brunes, chamois et noires. Le ventre est blanc; les rectrices, courtes comme chez tous les oiseaux de cette famille, sont noires à la base; puis c'est une bande transversale rougeâtre, ensuite un trait noir et enfin une bordure blanche. Les rémiges sont d'un brun léger et les couvertures des ailes brunâtres. L'iris est brun. Le bec mesure 6,5 cm de longueur.

Habitat — Ce Scolopacidé fréquente tout terrain marécageux: prairies, terres en friche, tourbières et rivages boueux. Son territoire couvre plusieurs régions du Québec, de l'Outaouais au Labrador. Il niche également aux Îles-de-la-Madeleine. En automne, il se mêle à d'autres individus de sa famille et patrouille le long des rives du Saint-Laurent.

Pariade — Elle débute en juin. Le mâle s'élance dans les airs et, à une cinquantaine de mètres du sol, il trace de grands cercles en faisant entendre de sourds vrombissements produits par les rémiges et les rectrices. Après quelques évolutions de haute voltige, il redescend tout en glapissant et en caquetant. La femelle conquise, le couple s'envole à la recherche de l'emplacement du nid.

Nid — Incubation — Il consiste en un amoncellement d'herbes sèches que la femelle camoufle dans une légère dépression au milieu d'herbages touffus. Femelle et mâle se relayent à la corvée de l'incubation qui dure en moyenne 20 jours.

Photo: Léo-Guy de Repentigny.

Régime alimentaire — Valeur économique — En plus de se nourrir d'écrevisses, la Bécassine des marais donne la chasse aux criquets, aux sauterelles et à plusieurs espèces de gros insectes aquatiques carnivores dont les dytiques. Ces derniers dévorent les petits insectes qui alimentent les alevins. Cet oiseau, en plus d'animer les marécages, se classe parmi l'un des meilleurs auxiliaires de l'agriculteur et du pêcheur sportif.

Le vol — De rapides battements d'ailes et un vol zigzagué caractérisent bien cette Bécassine. Elle s'éloigne rapidement à l'approche d'un ennemi possible et se laisse choir plus loin sur le sol ou va se percher soit sur un piquet de clôture ou sur le faîte d'une habitation.

Le cri — Lorsqu'elle s'élève précipitamment, elle émet de rauques « squé-âpe »; elle réserve ses « coques » rapides et nasillards, qui ressemblent à un roulement, lors des périodes de guet.

Notes particulières — À maintes reprises, l'auteur observa une Bécassine des marais qui avait bâti son nid sur un terrain humide jouxtant une grange vétuste. Ce bâtiment devenait pour elle un port d'attache sûr, car elle se réfugiait souvent sur l'arête du toit, et tout en surveillant les intrus qui s'étaient aventurés sur son domaine, elle débitait avec ardeur son cri d'alarme.

Migration — Au début de novembre, elle s'envole vers les Antilles ou quelque pays au nord de l'Amérique du Sud.

LA MAUBÈCHE BRANLE-QUEUE

Nom anglais: Spotted Sandpiper
Nom scientifique: Actitis macularia *(Linnaeus)*
Longueur: 17,78 cm (7 po)
Ponte: 4 œufs grisâtres ou crème avec mouchetures brunes

De tous nos petits échassiers de rivage, le plus commun comme le mieux connu est la Maubèche branle-queue. En quelque lieu que nous la rencontrions, elle nous accueille par des hochements de toute sa personne, une politesse d'oiseau qui lui vaut le surnom de Tape-cul. Elle est également appelée Maubèche tachetée et Guignette grivelée. Ce dernier nom est emprunté de son sosie, un petit échassier européen de la famille des Scolopacidés.

Elle appartient au genre *actitis,* un mot d'origine grecque qui veut dire « rivage » et elle est de l'espèce *macularia,* un mot de provenance latine qui signifie « tacheté ».

Description — La tête délicate gris olive est sertie d'yeux bruns surmontés d'une raie sourcilière blanche. Le dos et les ailes également gris olive s'harmonisent bien aux herbes desséchées et aux roches de la grève. Des bandes blanches traversent les ailes. Les dessous blancs sont mouchetés de rondelles noires. Le bec est long, grisâtre en grande partie et noirâtre à l'extrémité. Les pattes sont fines et de couleur chair.

Photo: Direction générale du cinéma et de l'audiovisuel, Québec, J.-L. Frund.

Retour de migration — Dès la fin d'avril ou au début de mai, elle arrive du sud des États-Unis et de l'Amérique du Sud. Certaines pourraient se vanter d'avoir parcouru les rivages de l'Amazone, le plus grand fleuve du monde.

Pendant les labours du printemps, en compagnie du Pluvier kildir, elle suit les sillons fraîchements tracés afin d'y capturer des vers blancs, des fourmis et d'autres insectes.

Habitat — Nid — Incubation — La Maubèche branle-queue vit dans tous les coins de la province. Son territoire s'étend autant aux rivages qu'aux terres cultivées. En mai, la femelle se met en quête d'un endroit favorable à l'établissement de son nid. Après quelques reconnaissances aériennes, la demeure est fixée soit sur le bord de l'eau, soit dans un verger, soit dans un pré.

L'habitation n'est pas du tout compliquée: une légère dépression arrondie sur le sol que l'oiseau recouvre de paille et d'herbes sèches. Elle est juste assez grande pour contenir quatre œufs grisâtres ou crème, au gros bout moucheté de brun et mesurant 3,17 cm de long. À tour de rôle le mâle et la femelle couvent, et ce pendant 21 jours en moyenne.

À l'approche d'un rôdeur, la Maubèche quitte furtivement sa couvée et, tête basse, court très vite à travers les herbes. Cette fuite précipitée s'accompagne de balancements cadencés de tout le corps. Pressée par un poursuivant, elle s'élève en lançant à tout venant des « pi-oui » aigus. Après une courte envolée à faible altitude, elle se laisse tomber un court vol à faible altitude, elle se laisse tomber brusquement sur le sol. Croyant alors qu'aucun indiscret ne surveille son nid, elle y revient avec précaution.

Quand les œufs approchent au « point zéro » d'éclosion, l'oiseau devient moins craintif. En ces circonstances, on peut l'approcher à une distance d'un mètre ou deux. Un beau matin, le nid est vide. Quatre petites boules grises aux yeux vifs s'ébattent maintenant sur la grève ou dans le champ de leur naissance.

Régime alimentaire — Sans surveillance apparente, ils s'exercent à gagner leur pitance de sauterelles, d'insectes de sable, de fourmis, etc. C'est une chasse sans merci à l'insecte malfaisant. Le biome de la Maubèche est visité par n'importe quel oiseau sans que celui-ci encoure la colère du premier occupant.

Techniques de vol — Le cri — Ce sont des coups d'ailes précipités suivis d'un court vol plané. Tout déplacement est accompagné de « pi-oui » perçants.

Notes particulières — L'auteur eut de nombreuses occasions d'observer ces intéressants échassiers. Pendant une promenade champêtre, il aperçut plusieurs jeunes Maubèches branle-queue qui couraient dans une fraisière. Il s'élança à la poursuite de l'une d'elles. La poursuivie courait, voletait, jouait à cache-cache derrière les pieds de fraisiers. De tous les côtés fusaient des « pit, pit, pit » très aigus. Il réussit à en capturer une. La mère qui se tenait aux aguets lançait des cris de détresse. Elle vint implorer sa pitié, marcha tête basse en simulant le vieux truc « des ailes cassées ». Les observations terminées, il rendit la liberté à la prisonnière. Il est à noter que lorsque les jeunes Maubèches commencent à voler, leur dos gris se change en un ton olivâtre.

Migration — À la fin de septembre le grand voyage nocturne pour le Sud commence. Un de ces matins, nous nous réveillons surpris de ne plus voir la Maubèche branle-queue, cet oiseau des sables qui salue toujours le premier.

LE GRAND CHEVALIER À PATTES JAUNES

Nom anglais: Greater Yellowlegs
Nom scientifique: Totanus melanoleucus (Gmelin)
Longueur: 35,56 cm (14 po)
Ponte: 4 œufs chamois tachetés de brun

C'est le plus haut sur pattes des Scolopacidés, très facile à distinguer dans un groupe de Maubèches et de Bécasseaux.

Il n'a de noblesse que le nom, car n'étant pas d'un naturel belliqueux mais plutôt méfiant, il fuit au moindre bruit.

Description — La tête mince prolongée d'un bec très long et grêle est posée sur un cou délicat. Celle de l'adulte est blanche et dessinée de pointes de flèches brun sombre. Des rayures brunâtres masquent le blanc des lores et des côtés du cou. Le pourtour des yeux est blanc. Le dos est brun noirâtre; le croupion ainsi que les rectrices sont blanches — ces dernières marquées de brun léger —; les rémiges sont brunes. Les parties inférieures blanches sont sillonnées de brun pâle jusqu'à l'abdomen. L'iris est brun; le tarse jaune.

Les dessus du jeune sont plus pâles et les rayures des dessous se limitent au cou et à la partie supérieure de la poitrine.

Photo: Musée national des Sciences naturelles. Musées nationaux du Canada, 74-2620.

Retour de migration — Caractères spécifiques — Au printemps, il s'attarde dans les régions de l'Est le long des marais, des étangs et des grands cours d'eaux aux plages vaseuses. Son identification est facilitée par son port altier, des dodelinements répétés et des « koui, koui » perçants lorsqu'il prend son essor ou en plein vol.

Habitat — Nid — Élevage des petits — À l'instar de quelques espèces de sa famille, le Grand Chevalier nidifie dans la toundra et dans plusieurs autres endroits marécageux du centre de la province, notamment au lac Mistassini, dans le secteur de Schefferville et sur l'île d'Anticosti.

Le nid ne présente rien d'artistique: c'est une simple cavité du sol que la femelle enrichit parfois de feuilles et d'herbes. Quand les petits quittent le nid, le mâle aide la femelle dans l'élevage de la jeune progéniture. Tous ensemble ils partent à la chasse d'insectes aquatiques et de vairons.

Notes particulières — Les Chevaliers à pattes jaunes — le Grand et le Petit — dont la chair est exquise, ont été autrefois l'objet de chasses intensives. Actuellement, il est défendu de les tuer en vertu d'une loi protégeant quelques espèces d'oiseaux migrateurs. En automne, lorsqu'ils reviennent de leur territoire de nidifications, ils s'arrêtent trois ou quatre semaines, parfois davantage, sur les rives des cours d'eaux, des lacs et des étangs. Quelques individus de ces deux espèces hivernent le long du fleuve Saint-Laurent.

Migration — La plupart, toutefois, préfèrent les plages chaudes du Sud sur les côtes de l'Atlantique, de la Caroline du Sud à l'Amérique du Sud, des Antilles et du golfe du Mexique.

LE PETIT CHEVALIER À PATTES JAUNES

Photo: Jean Giroux.

Nom anglais: Lesser Yellowlegs
Nom scientifique: Totanus flavipes *(Gmelin)*
Longueur: 27,3 cm (10,75 po)

Grandeur mise à part, il possède tous les traits du grand Chevalier.

Il est assez facile alors de les distinguer l'un de l'autre. Le cri demeure cependant un point important de différenciation: le Petit Chevalier émet deux sons très rapprochés « qui-ou, qui-ou » d'où lui vient le surnom de « Small Cucu » que lui donnent des ornithologues américains.

LES BÉCASSEAUX

Les déplacements migratoires ramènent les Bécasseaux sur les rives du Saint-Laurent et autres grands cours d'eau à deux époques de l'année: en mai au retour de leur quartier d'hiver et à partir de juillet, surtout en août jusqu'à novembre avant le grand voyage vers un pays plus chaud. Mais c'est surtout en automne que le nombre de Bécasseaux est impressionnant. Il faut les voir sur la grève, les uns près des autres et fouillant dans la vase ou marchant dans les mares pour capturer des insectes aquatiques ou de petits crustacés.

À la moindre alerte, ces fragiles coureurs s'élèvent en un léger tourbillon d'ailes, volent en rangs serrés comme pour mieux se protéger, rasent presque l'onde et vont s'abattre

MINUSCULE

SEMI PALMÉ   ROUX

plus loin. Le danger disparu, ils reviennent de la même façon à l'endroit quitté, surtout s'il est prometteur au point de vue alimentaire.

Parmi les treize Bécasseaux signalés au Québec, trois espèces nous visitent très irrégulièrement: le Bécasseau à échasses, le Bécasseau du Nord-Ouest et le Bécasseau roussâtre.

Des dix espèces qui s'arrêtent assidûment sur les rives de nos rivières sept couvent hors des frontières canadiennes soit au nord-ouest de l'Alaska, au nord-est de la Sibérie, au sud de l'Arctique, au Groenland et dans plusieurs autres régions nordiques.

Trois espèces seulement nidifient en-deçà de la toundra: le Bécasseau minuscule, le Bécasseau semi-palmé et le Bécasseau roux.

Quelques ornithologues, entre autres Taverner, appellent « Maubèches » tous les oiseaux de cette catégorie. En anglais, ils portent le nom de *Sandpipers*.

LE BÉCASSEAU MINUSCULE

Nom anglais: Least Sandpiper
Nom scientifique: Erolia minutilla (Vieillot)
Longueur: 15,24 cm (6 po)
Ponte: 3-4 œufs crème tachetés de brun

Le plus petit de nos Bécasseaux, dont la taille atteint à peine celle du Moineau domestique, niche dans le territoire québécois. Quoique ressemblant fort au Bécasseau semi-palmé, il s'en distingue cependant à ses pattes vert jaunâtre ainsi qu'au dégagement complet des doigts qui ne sont pas reliés de la moindre parcelle de palmure.

Description — En été, les dessus de l'adulte sont brun noirâtre rayés de marron. La raie sourcilière ainsi que le pourtour de l'œil sont blancs. L'iris est brun. Les rémiges et les sus-alaires ont des nuances brunâtres traversées d'une bande blanche. Les rectrices centrales sont noirâtres, bordées de marron et les rectrices latérales grises. Des mouchetures brunes recouvrent la poitrine lavée de chamois; l'abdomen est blanc. En automne, le plumage prend des couleurs plus pâles.

Retour de migration — Habitat — À son arrivée au printemps, le Bécasseau minuscule s'attarde quelque peu sur les rives des cours d'eau, puis s'oriente vers un marais où il élit domicile. Son territoire de nidification s'étend dans la partie nord de la province, de l'est à l'ouest y compris Schefferville, Blanc-Sablon, les îles d'Anticosti et de la Madeleine.

Nid — Incubation — La femelle installe son nid dans une légère dépression de terrain près de l'eau et le double de matières végétales desséchées. Mâle et femelle se relèguent pendant la période d'incubation qui, selon quelques observateurs, dure en moyenne 20 jours.

Élevage des petits — Quelques heures après l'éclosion, les oisillons accompagnent leurs parents et, sous leur protection, s'exercent à chercher leur pitance. Les menus se composent surtout de larves d'insectes, de vers aquatiques, de petits crustacés, de sauterelles et de tout autre insecte capturé au hasard.

Migration — À la fin d'octobre ou au début de novembre, le Bécasseau s'envole vers un pays du Sud: États-Unis, Antilles ou Amérique du Sud. Quelques rares individus sont vus en hiver sur les rives du Saint-Laurent, notamment à Sainte-Anne-de-la-Pocatière.

Photo: Jean Giroux.

LE BÉCASSEAU ROUX

Nom anglais: Short-billed Dowitcher
Nom scientifique: Limnodromus griseus (Gmelin)
Longueur: 26,6 cm (10,5 po)
Ponte: 4 œufs chamois olivâtre tachetés de brun

Il appartient aux petits échassiers à long bec. C'est probablement avec la Bécassine ordinaire (Bécassine de Wilson) qu'il peut être surtout confondu, mais toutefois son ventre roux ne peut laisser subsister aucun doute quant à son identité. Il n'existe également aucun rapprochement sensible avec la Bécasse d'Amérique au corps dodu, ni avec le Grand Chevalier à pattes jaunes, au bec très long, mais dont la couleur éclatante des pattes constitue déjà un excellent moyen de différenciation.

Description — Quelques traits principaux caractérisent l'adulte au printemps et en été: bec verdâtre deux fois plus long que la tête, iris brun, raie sourcilière et pourtour des yeux blancs, tête et dos rayés de brun, croupion et rectrices blancs marqués de points noirs, dessous rouge brunâtre et pattes vertes. En hiver, les parties supérieures sont grises et les inférieures blanches.

Habitat — Nid — Au printemps, après quelques jours de villégiature sur les plages boueuses du Saint-Laurent, il prend son essor pour le nord du Québec, son domaine de nidification. Il se plaît dans les marécages et les tourbières à végétation réduite. C'est là où la femelle bâtit son nid: un léger affaissement de terrain qu'elle enrichit d'herbes et de lichens.

Incubation — Élevage des petits — Après 21 jours

Photo: Roger Larose.

d'incubation, les oisillons font leur apparition. Comme les autres Bécasseaux, ils ne demeurent pas longtemps au nid: juste le temps de bien assécher leur fin duvet. Puis ils courent avec leurs parents dans les muskegs et le long des marais tout en s'initiant aux secrets de la chasse.

Régime alimentaire — Tous se nourrissent d'insectes aquatiques, de vers marins et de sauterelles, ce qui en fait une espèce des plus utiles.

Le cri — Alertés par un bruit insolite ou par quelque ennemi, ces oiseaux lancent leurs cris d'alarme: une série de sifflements ressemblant à des « fiou, fiou-fiou » rapides et dits sur un ton bas. Cette agitation permet aux jeunes de se camoufler, tandis que les parents s'envolent. Ils reviennent à leur progéniture une fois le danger passé.

Migration — Dès que les jeunes peuvent voler avec aisance, ils se regroupent et reviennent au sud-est. Ils vagabondent alors sur les longues rives des cours d'eau en attendant que sonne le départ pour les États-Unis, les Antilles ou quelque plage de l'Amérique du Sud.

LE BÉCASSEAU SEMI-PALMÉ

Nom anglais: Semipalmated Sandpiper
Nom scientifique: Ereunetes pusillus (Linnaeus)

Longueur: 16 cm (6,3 po)
Ponte: 4 œufs grisâtres à chamois olivâtre mouchetés de brun

Avec quelques autres individus de la famille des Scolopacidés dont les Chevaliers à pattes jaunes — le Grand et le Petit — les Bécasseaux à poitrine cendrée, à croupion blanc et minuscule, il fait partie des hivernants qui cherchent leur pâturage sur quelque rive d'une rivière aux eaux libres. À la

Photo: Roger Larose.

fin d'avril, les Bécasseaux semi-palmés qui ont émigré au Sud sont de retour.

Description — Ce petit échassier présente de forts points de ressemblance avec le Bécasseau minuscule. Il en diffère par le plumage plus grisâtre, la couleur noire du bec et des pattes. De plus les trois doigts antérieurs sont soudés par des palmures à surface réduite.

Habitat — Au Québec, son habitat d'été se situe plus au nord que celui du Bécasseau minuscule. On le rencontre à Port Harrison, à l'est de la Baie d'Hudson, autour de la Baie d'Ungava, le long de la côte jusqu'à l'île Comb au nord-ouest. Ses préférences vont aux terres sablonneuses dans le voisinage d'une rivière ou d'un étang.

Nid — Incubation — C'est là où la femelle organise son nid. À l'exemple des autres Scolopacidés, elle se contente d'un trou naturel du sol qu'elle double d'une couche d'herbes sèches. L'incubation d'une durée de 19 jours est le lot du couple.

Élevage des petits — Le séchage des plumes complété, après l'éclosion, les oisillons accompagnent leurs parents afin de chercher leur nourriture. Le régime alimentaire se compose de crustacés, de vers et d'insectes qui vivent dans les vasières ou dans le sable humide.

Migration — Le retour, en automne, aux rivages de vastes cours d'eau situés plus au sud-est amène le Bécasseau semi-palmé à se mêler aux autres petits coureurs riverains: Pluviers, Tourne-pierre, Maubèches, etc. En octobre, la plupart des individus de cette espèce émigrent au Sud, de la Caroline du Sud aux Antilles, voire au nord du Chili ou au sud du Brésil.

GOÉLAND ARGENTÉ

Photo: Ministère de l'Énergie et des Ressources. Service de l'éducation en conservation. Québec. par Jean Sylvain.

FAMILLE DES LARIDÉS

Ce nom vient du grec *laros* et signifie « mouette ». Les Goélands, les Mouettes et les Sternes se groupent sous cette famille. Ce sont des oiseaux à grandes ailes; l'extrémité de la mandibule supérieure est arquée tandis que celle de la mandibule inférieure a la forme d'un angle aigu; les trois doigts antérieurs sont réunis par deux membranes et le postérieur est un peu surélevé.

Tous sont de bons nageurs; tous également volent avec beaucoup d'aisance, mais toutefois la technique de vol de la Sterne est supérieure tant par une plus grande légèreté dans l'action des ailes que par des évolutions aériennes rapides et constantes.

Quelques autres caractères distinguent le Goéland et la Mouette de la Sterne. Ceux-là ont un bec fort et robuste, une queue à bout carré; en vol, ils tiennent leur bec dans une position horizontale et prennent leur nourriture, même des déchets, à la surface de l'eau. Celle-ci a un bec plus léger et plus effilé, une queue fourchue; en vol, le bec est placé à la verticale; elle plonge et va même sous l'eau pour y pêcher le fretin vivant.

Le Canada compte 44 espèces de Laridés dont 19 appartiennent au genre Larus; le Québec en abrite 15 espèces dont 8 du même genre. Le Goéland argenté est le plus commun; le Goéland à manteau noir le plus gros. Il arrive de voir quelques individus de cette dernière espèce parmi des groupes imposants de Goélands argentés.

LE GOÉLAND À MANTEAU NOIR

Nom anglais: *Great Black-backed Gull*
Nom scientifique: Larus marinus *(Linnaeus)*
Longueur: 70 cm à 77,5 cm (28 à 31 po)
Ponte: 2-3 œufs gris olive pâle, tachetés de brun foncé et de noir

La grande taille ainsi que le plumage distinguent bien le Goéland à manteau noir des autres Laridés. Les ornithologues américains le gratifient de plusieurs noms dont l'un, « Coffin-carrier » ou « Porte-cercueil », caricature fort bien son enveloppe dorsale. En Europe, il s'appelle Goéland marin, une traduction littérale de *Larus marinus*.

Photo: Ministère du Loisir, de la Chasse et de la Pêche, par Jacques Prescott.

Description — Les parties supérieures ainsi que les ailes de l'adulte sont noires, à l'exception d'un peu de blanc au bout des rémiges primaires et secondaires; le reste du corps est blanc. Le bec jaune dessine une tache rouge à l'extrémité de la mandibule inférieure; l'iris est jaune. Les couleurs du jeune sont plus sobres: dessus blanchâtres mêlés de brun pâle; queue noir brunâtre blanchissant à la base; front et couronne, en général, blanchâtre. Il en est de même des parties inférieures, mais toutefois l'abdomen est marqué de brun pâle. Ce n'est qu'à la fin de la quatrième année que le jeune atteint le stade parfait de l'adulte.

Habitat — Nid — Cette espèce est rare entre Montréal et Québec. À Percé même où nidifient beaucoup d'oiseaux marins, le nombre de Goélands à manteau noir est très limité. Sa présence est surtout remarquée à l'île d'Anticosti, aux Îles-de-la-Madeleine, dans les parages de Pointe-des-Monts (Côte-Nord) et dans quelques îles du Saint-Laurent.

Une simple dépression du sol, parfois garnie d'herbes et d'algues, mais le plus souvent nue, constitue le nid de ce grand goéland. Le couple assume à tour de rôle l'incubation qui dure en moyenne 27 jours. Le Goéland argenté élève souvent ses petits dans le même secteur.

Régime alimentaire — À l'instar des individus du genre *Larus* c'est un charognard qui débarrasse les grèves et les eaux des poissons morts et autres déchets. Il est également friand de mollusques et d'oursins.

Le cri — Son répertoire vocal comprend plusieurs cris. Le plus usuel se compose de bruyants et mélancoliques « ha, ha, ha » qui semblent défier toute la faune de son entourage.

Notes particulières — Contrairement au Goéland argenté, il ne fréquente pas les lacs à l'intérieur des terres. Il se tient surtout sur les rives des grands cours d'eau. En Europe, il abonde sur les côtes de la Méditerranée.

Ce goéland exploite sa grande force pour terroriser d'autres oiseaux marins de nature paisible; de plus, il dévore les œufs de plusieurs espèces et il s'attaque même à leur progéniture. Yeatman rapporte dans son livre *Histoire des oiseaux d'Europe* que « c'est un prédateur redoutable qui en une saison à Shone prélève 4000 Puffins et 1000 Macareux ». Selon John Maclair Boraston, un ornithologue anglais, il peut atteindre l'âge respectable de cent ans.

Migration — Plusieurs individus hivernent sur la côte est du détroit de Belle-Isle à Terre-Neuve; la plupart émigrent aux États-Unis jusqu'en Caroline du Sud.

LE GOÉLAND ARGENTÉ

Nom anglais: *Herring Gull*
Nom scientifique: Larus argentatus *Pontoppidan*
Longueur: 60,96 cm (24 po)
Ponte: 3 œufs gris bleuâtre tachetés de brun

Ils sont splendides les Goélands argentés, lorsque alignés sur les galets ou dans un champ, la tête dans la même direction, ou lorsque survolant les eaux ils mettent en évidence l'ensemble de leur plumage! Qu'ils voguent en suivant la cadence des vagues ou qu'ils planent au-dessus de nos têtes en décrivant silencieusement d'immenses cercles, ils restent majestueux, même si par besoin ils remplissent la modeste, mais combien indispensable fonction de boueur!

Description — C'est pendant le vol que les couleurs du Goéland argenté ressortent le mieux: il est tout blanc sauf le gris du dos et des ailes. Ces dernières, noires à l'extrémité, laissent percer quelques mouchetures blanches. Le bec est jaune; une parcelle de la mandibule inférieure, juste avant l'extrémité est rouge. L'iris est brun; les pattes de couleur chair. Le jeune, tout moucheté de brun, atteint le stade adulte après trois ans.

Habitat — À la mi-mars, les Goélands argentés arrivent du Sud et se dispersent de par la province. On les rencontre en abondance sur les côtes du Saint-Laurent, le long des grands cours d'eau et dans plusieurs îles qui demeurent leur biotope idéal. Quelques îles du Saint-Laurent, dont les deux îles Razades, l'île Percé et l'île Bonaventure figurent parmi leurs rendez-vous de choix. Loin de se confiner aux berges rocailleuses d'un fleuve ou d'un océan, quelques individus se plaisent aussi sur un lac perdu, parfois à plus de 75 km de l'eau salée.

Nid — Incubation — Élevage des petits — Ces palmipèdes vivent en colonie. La femelle dispose son nid composé d'herbes aquatiques sur le sol, de deux à dix-huit mètres de celui de la voisine, compte tenu de la nature du terrain. Le mâle et la femelle incubent à tour de rôle, et ce de 24 à 26 jours.

Les nouveau-nés sont nourris par régurgitation. Selon Tinbergen, « la vue de la tache rouge qui se trouve non loin de l'extrémité de la mandibule inférieure de l'oiseau adulte déclenche un geste: le petit oiseau frappe cette marque avec son bec et ceci incite l'adulte à régurgiter la nourriture qu'il a apportée ».

Parfois les jeunes quittent le nid après quelques jours et vont se réfugier parmi les rochers. Les parents les y retrouvent afin de les alimenter. Plus tard, ils reçoivent une nourriture plus solide que les adultes déposent par terre. Quand ils commencent à trottiner çà et là, il leur arrive de réclamer la pitance d'un étranger soit d'un individu de leur espèce, soit d'un Goéland à manteau noir. Au lieu d'un morceau nutritif, ce dernier leur assène un coup de bec sur le crâne et, en plusieurs circonstances il est mortel. Aussitôt que les jeunes peuvent se sustenter de façon autonome, ils quittent leur habitat et entreprennent de longues randonnées.

Régime alimentaire — Mœurs particulières — Ce palmipède est un mangeur de poissons morts, de cadavres divers et de déchets alimentaires variés. C'est aussi un fin gourmet, car il se délecte de mollusques et d'oursins de mer qu'il laisse choir sur un rocher du haut des airs. Si cette technique ne réussit pas du premier coup, il répète l'opération jusqu'à ce qu'il obtienne un plein succès.

Le bateau qui quitte le port est suivi d'une bande de ces oiseaux qui surveillent attentivement les gestes des passagers et des membres d'équipage. Quand quelque chose tombe à l'eau, ces blancs voiliers se précipitent pour s'en emparer. Au moment où le cuisinier jette par-dessus bord les déchets de table, on assiste à une curée mouvementée. Les éboueurs ailés s'élancent pour cueillir cette manne tant attendue, en émettant des cris à la fois braillards et plaintifs.

La mer ne constitue pas la seule source d'alimentation du Goéland argenté. Il est également dans son programme de parcourir les champs fraîchement labourés, afin d'y dévorer les vers blancs et de chasser les sauterelles, de fouiller dans les détritus des dépotoirs, de descendre jusque sur les terrains des centres commerciaux dans l'espoir d'y trouver une bonne bouchée. Sachant par instinct que l'homme ne lui fera aucun mal, il pousse la hardiesse jusqu'à se poser sur les lampadaires au cœur d'une ville, comme s'il voulait présider à la circulation des voitures. Bref, il est partout où il peut escamoter quelque nourriture. Il parcourt jusqu'à 42 km (25 milles) par jour, quand il s'agit de sa survie ou de celle de sa progéniture.

Techniques de vol — Il ne possède de la Sterne ni la souplesse ni l'élégance ni la légèreté. Il sait toutefois mettre à profit les courants aériens, avance sans hâte, imprègne à ses ailes des mouvements quasi imperceptibles qui lui permettent d'économiser ses forces.

Valeur économique — Comme participant assidu à l'assainissement de notre milieu, il a le privilège d'être protégé par une loi fédérale. Cela favorise la multiplication de l'espèce ainsi que l'expansion de son territoire à l'intérieur des terres.

Notes particulières — Au mois de juin 1931, le Dr Harrison-L. Lewis, officier en chef au gouvernement fédéral, recensa sur les deux îles Razades 613 nids de Goélands argentés ainsi que 679 nids de Canards eiders communs.

Migration — Les Goélands argentés s'envolent vers les côtes de l'Atlantique en novembre. Plusieurs individus demeurent ici pendant l'hiver et font la navette entre les dépotoirs et les rives des grands cours d'eau au courant rapide.

GOÉLAND À MANTEAU NOIR

ORDRE DES CAPRIMULGIFORMES

Ce mot vient du latin *caprimulgus* et signifie « qui trait les chèvres ». L'Engoulevent appartient à cet ordre, parce que très longtemps on a cru que cet oiseau crépusculaire, aperçu survolant les troupeaux, se nourrissait de leur lait. Cette croyance populaire est même rapportée, au premier siècle de notre ère, par Pline le Naturaliste qui parle de cette « sorte de chouette qui tette les chèvres ».

Une seule famille en découle: les Caprimulgidés.

ENGOULEVENT MANGE-MARINGOUINS

Peinture: Germaine Gauthier.   MARTINET RAMONEUR

77

FAMILLE DES CAPRIMULGIDÉS

Quelques traits communs unissent les Caprimulgidés: tête aplatie, bec court dont l'ouverture évasée se prolonge jusque sous les yeux et rappelle une gueule de grenouille, yeux très volumineux, ailes longues et pointues, pieds brefs et faibles, ongle médian dentelé comme un peigne.

Le Canada compte quatre espèces d'Engoulevents. Le Québec en retient deux: l'Engoulevent bois-pourri ainsi appelé à cause de l'imitation de son cri et l'Engoulevent mange-maringouins.

L'ENGOULEVENT MANGE-MARINGOUINS

Nom anglais: Common Nighthawk
Nom scientifique: Chordeiles minor *(Forster)*
Longueur: 25,4 cm (10 po)
Ponte: 2 œufs blanc grisâtre, tachetés de gris, de noir et de pourpre pâle

Il entre en scène au crépuscule, alors que la plupart des oiseaux cessent leurs activités. Pendant le jour, il s'écrase sur une branche ou il s'accroupit dans un coin sur le toit d'un édifice ou sur un rocher plat pour y dormir. Sa coloration qui se marie habituellement au milieu ambiant le protège d'éventuels ennemis.

Description — Les parties supérieures du mâle sont striées de gris, de chamois et de noir suie. Cette dernière teinte recouvre la couronne bordée sur les côtés de chamois. Le blanc du menton s'étend à la gorge et vers les côtés tout en dessinant une tache en V; la gorge inférieure est brune, nuancée de noir et de chamois; la poitrine et les flancs sont rayés de brun et de gris. Les rémiges primaires tendent plutôt vers le noir; elles sont traversées d'une bande blanche très visible quand l'oiseau vole. La queue noir grisâtre et légèrement fourchue laisse percer une étroite bande blanche. Le bec est noir; l'iris brun noirâtre. La femelle affiche des couleurs similaires sans la bande blanche de la queue.

Retour de migration — Pariade — À la mi-mai, l'Engoulevent mange-maringouins apparaît partout au Québec dans le ciel des villes et des campagnes. Peu de temps après se déroule la spectaculaire cérémonie de la pariade. Les vastes espaces aériens servent alors de théâtre au couple désireux de sceller sa destinée. Avant l'acceptation définitive de la femelle, le mâle cherche à l'épater par des exercices de haute voltige dans des descentes vertigineuses accompagnées de cris et de vibrations sonores.

Nid — Incubation — Élevage des petits — La femelle ne construit pas de nid, mais choisit un emplacement garni de gravier ou de cailloux: bord d'une rivière, toit d'un édifice ou rocher élevé. La femelle couve pendant 19 jours. Quand les jeunes quittent leur lieu de naissance, quarante ou cinquante jours après leur éclosion, ils connaissent déjà très bien le métier des ailes. Ils sont nourris en vol de la même façon que les Hirondelles, soit de bec à bec.

Photo: Musée national des Sciences naturelles, Musées nationaux du Canada, 75-5097.

Techniques de vol — Régime alimentaire — L'Engoulevent appartient à une catégorie d'oiseaux rapides, une espèce d'Hirondelle de la nuit qui imprègne à ses ailes des mouvements nerveux, tantôt à droite et tantôt à gauche, afin de suivre les déplacements des maringouins, des fourmis ailées et des papillons nocturnes pour les engouffrer dans son large bec.

Lorsqu'il exécute ses sarabandes aériennes ou lorsqu'il plonge tel un bolide, à la suite d'une colonne d'insectes, l'air qui circule rapidement dans les plumes terminales des ailes produit d'étranges vrombissements.

Le cri — Tout en poursuivant son vol erratique de longues heures d'affilée, il émet des sons nasillards et traînants, des « pi-i-i-it » percutants qui attirent les regards de l'homme.

Notes particulières — Son régime alimentaire lui vaut de porter le nom de « Mangeur de maringouins ». Au lac Saint-Jean, les gens l'appellent « Chie-maringouins ». Pour plusieurs il est l'Engoulevent d'Amérique ou commun. Son nom anglais *Nighthawk* qu'on peut traduire par « Faucon de nuit » constitue une méprise grave, car c'est un paisible insectivore. Son seul tort est d'effrayer les personnes superstitieuses qui voient en lui l'annonce d'un malheureux présage.

Migration — Comme sa survie dépend uniquement des insectes, il ne peut se permettre de prolonger trop longtemps son séjour sous notre climat. Aussitôt que la température baisse, les sujets qui sont engagés au nord rejoignent leurs congénères du Sud. Quand septembre annonce le départ général, ces Hirondelles de la nuit quittent nos régions pour quelque pays de l'Amérique du Sud.

Au Canada, cette famille compte quatre espèces de Martinets dont une seule au Québec: le Martinet ramoneur.

LE MARTINET RAMONEUR

Nom anglais: Chimney Swift
Nom scientifique: Chaetura pelagica *(Linnaeus)*
Longueur: 13,71 cm (5,4 po)
Ponte: 3-6 œufs blancs

ORDRE DES APODIFORMES

Les oiseaux de cette grande division détiennent deux caractères communs: ailes longues et étroites, pieds minuscules. La ténuité des pieds leur vaut une classification quelque peu exagérée, car le mot « apodiforme » découle du mot « apode » (du grec *a* privatif et *pous, podos,* pied) et signifie « qui est dépourvu de pieds ».

Deux familles se groupent autour de cet ordre: les Apodidés (les Martinets) et les Trochilidés (les Colibris).

FAMILLE DES APODIDÉS

C'est surtout l'extrémité des rectrices qui caractérise ces oiseaux. En effet, elles sont plutôt courtes comparées à celles de l'Hirondelle et elles se prolongent en une excroissance fine et pointue. Elles sont un merveilleux point d'appui pour cet oiseau qui a l'habitude, dans notre civilisation, de s'agripper à la paroi intérieure des cheminées.

Peinture: Germaine Gauthier.

À l'instar de plusieurs espèces d'oiseaux, le Martinet ramoneur tire profit des installations de l'homme. Avant de construire son nid dans une cheminée, il élisait domicile dans un tronc d'arbre ou dans une caverne. Le nouveau logis qu'il s'est donné lui a valu plusieurs noms: Martinet des cheminées, Hirondelle des cheminées et Ramoneur.

Description — Il s'apparente à l'Hirondelle et à l'Engoulevent par son bec court, largement fendu et qui fait office de filet tout le temps qu'il sillonne les airs à la poursuite d'insectes. De longues ailes brun suie, que supporte un petit corps fusiforme en général de la même couleur, lui permettent de demeurer longtemps en vol, et ce sans fatigue apparente. Les rectrices sont au nombre de dix. L'iris est brun.

Retour de migration — Habitat — Il revient du Sud à la fin d'avril ou au début de mai. Son territoire de nidification s'étend depuis l'Outaouais jusqu'à la limite des terres cultivées et il vit autant dans les villes que dans les campagnes. La pariade traditionnelle terminée, la femelle construit son nid.

Nid — Incubation — C'est une demi-soucoupe composée de branchettes retenues ensemble par une glu sécrétée par les glandes salivaires de l'oiseau. Il est accroché soit aux parois d'une cheminée, soit aux murs d'une caverne ou soit à l'intérieur d'une cavité d'arbre, tout dépendant du biome choisi: villes et campagnes ou immenses forêts. À tour de rôle la femelle et le mâle incubent: cette tâche dure environ 19 jours.

Élevage des petits — Régime alimentaire — Les parents font la navette entre ciel et nid pour nourrir leur couvée. Les jeunes quittent leur noir logis lorsqu'ils sont assurés de voler avec assurance. Des familles entières sillonnent alors le firmament. Les petits reçoivent la becquée en vol et, suivant l'exemple de leurs parents, apprennent très vite à tirer parti de nombreux insectes qui s'engagent dans leur course.

Tous demeurent dans l'espace de longues heures durant, mêlés aux Hirondelles, puis le soir venu se rapprochent des cheminées, battent des ailes comme pour se maintenir en position stable, les relèvent et se laissent tomber par petits groupes dans leur antre de beton.

Techniques de vol — Le cri — Les battements nerveux et rapides des ailes nous laissent l'impression que l'oiseau est toujours en déséquilibre. Toutefois, cela ne l'empêche pas de tenir les airs deux heures sans arrêt. Ces évolutions aériennes s'accompagnent de « critt, critt » aigus.

Migration — En attendant le jour de migration, les Martinets s'engouffrent tous les soirs dans une cheminée pour y dormir. En septembre, en bandes serrées, ils s'envolent vers le Brésil.

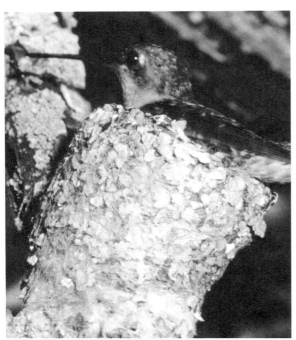

COLIBRI À GORGE RUBIS

FAMILLE DES TROCHILIDÉS

Le nom de famille « trochilidés », à laquelle appartiennent les Colibris, vient du grec *trokhilos,* un nom d'oiseau; c'est un dérivé de *trokhos* qui signifie une « roue ». C'est probablement là un point de similitude avec le bruit des ailes et dont il sera question un peu plus loin.

Le Colibri est l'unique oiseau qui, comme les insectes, extrait le nectar des fleurs. L'éclat iridescent de son corps minuscule en fait un réel bijou volant et le bruissement des ailes l'assimile en quelque sorte aux odonates.

Plus on descend vers le sud des États-Unis, l'Amérique centrale et l'Amérique du Sud, plus les espèces de Colibris se multiplient et s'habillent de couleurs ravissantes. Ces oiseaux-insectes vivent uniquement en Amérique qui en compte environ six cents espèces, dont la taille des plus petits est de 63 mm (2,48 po) et celle des plus grands de 220 mm (8,66 po).

Le Canada en dénombre quatre espèces; le Québec une seule: le Colibri à gorge rubis.

LE COLIBRI À GORGE RUBIS

Nom anglais: Ruby-throated Hummingbird
Nom scientifique: Archilochus colubris *(Linnaeus)*
Longueur: 7,62 cm (3 po)
Ponte: 2 œufs blancs

La grâce des mouvements et l'éclat du plumage caractérisent le Colibri à gorge rubis. Ce frêle voilier, mieux connu au Canada sous le nom d'Oiseau-Mouche, est appelé par les Indiens de l'Amérique du Sud « Rayon » ou « Cheveux du soleil ». Les Espagnols le nomment Tomineo, en raison de sa légèreté, référant ainsi à une tomine qui équivaut à douze grains. En effet, le poids du plus petit de nos oiseaux n'excède pas 2,83 grammes, soit un dizième d'once ou 43,75 grains (mesure avoirdupois).

Description — Le coloris de cet oiseau est des plus agréables: dessus du mâle vert bronzé métallique; ailes gris brunâtre, menton, joues, dessous de l'œil et côtés de la tête noirs; arrière de l'œil légèrement tacheté de blanc; gorge rouge vermeil qui se transforme en teintes dorées ou verdâtres sous les rayons du soleil; poitrine blanc brunâtre qui passe au gris brunâtre sur le ventre; flancs plus foncés.

Les couleurs de la femelle sont moins chatoyantes: dessus verdâtres; ailes violacées; gorge blanche marquée de points noirs; poitrine blanche qui s'achève en brun clair. Comme chez le mâle, une tache blanche pointe l'arrière de l'œil. Trois rectrices latérales sont blanches à l'extrémité. Le couple possède quelques points en commun: bec d'un noir terne de 1,90 cm de longueur; langue flexible, effilée, fendue à l'extrémité et composée de deux tubes parallèles; iris brun foncé et pattes noires.

Retour de migration — Habitat — À la mi-mai, les fleurs accueillent le Colibri, mais particulièrement les bleues, les rouges et les orange. C'est pourquoi, il se sent surtout attiré par les pétunias, les lis, les roses trémières, les chèvrefeuilles, les fleurs d'arbres fruitiers et quelques autres. Il accorde aussi ses faveurs aux petites bouteilles peintes de couleurs flamboyantes, remplies d'eau sucrée et suspendues dans un coin du jardin.

On le voit dans la plupart des régions du Québec, mais cependant il est plus rare en bas de Sept-Îles.

Photo: Musée national des Sciences naturelles, Musées nationaux du Canada, 79-3035.

Nid — Incubation — Il pose son nid sur une branche à une hauteur variant de 1,82 à 9,14 mètres du sol (6 à 30 pieds). C'est un logis infime composé de duvet végétal entrecroisé de fils d'araignée, lambrissé de lichens et dont l'intérieur mesure 1,9 cm de diamètre. Les deux œufs blancs, de la grosseur d'un pois, sont couvés par la femelle pendant 16 jours.

Élevage des petits — Les aliments des oisillons consistent en une bouillie d'insectes à moitié digérées et régurgitée dans les fragiles becs en aiguille. Seize jours après leur éclosion, les jeunes quittent le toit familial et accompagnent leur mère dans ses rendez-vous avec les fleurs.

Techniques d'alimentation — Régime — Le Colibri aborde une fleur selon la position de celle-ci: par-dessous, par-dessus ou de côté. Il se maintient en vol au-dessus de la corolle tout en y plongeant son bec; la langue en siphonne alors le nectar et pique les menus insectes. Chaque visite dure quelques secondes, puis il file comme un trait vers d'autres sources d'approvisionnement. Toutefois, il demeure plus longtemps en place, s'il a la bonne fortune de voisiner des Pics maculés qui, à leur manière, entaillent plusieurs espèces d'arbres. (Réf.; Le Pic maculé, Notes particulières, p. 159).

Techniques de vol — Les ailes frémissant au rythme de 75 battements à la seconde (Hal H. Harrisson, dans un article intitulé « An Invitation to the Hummingbirds », paru dans un numéro de *Canadian Nature,* en 1956, parle de 200) produisent des « rour » bien détachés, semblables à des souffles ou au mouvement d'un rouet. Ils sont bien audibles lorsqu'on est près de lui.

Aucune machine bâtie par l'homme ne peut se comparer à ce minuscule autogire capable de se propulser en tout sens: à gauche et à droite, en avant et en arrière, à l'horizontale comme à la verticale avec une aisance et une légèreté extraordinaires.

Quand il n'est pas en quête de nourriture, il se perche sur un fil ou sur une branche. Il se sent toutefois dans son élément en plein vol.

Son énergie est telle, qu'en temps de migration il franchit sans arrêt le golfe du Mexique, soit une distance de 833 km (500 milles).

Migration — Dès que s'étiolent les fleurs, il va rejoindre ses nombreux congénères dans un pays de soleil soit le Mexique, soit l'Amérique centrale.

Photo: Direction générale du cinéma et de l'audiovisuel, Québec, par J.-L. Frund.

LE MARTIN-PÊCHEUR D'AMÉRIQUE

ORDRE DES CORACIIFORMES

Le mot « coraciiforme » vient du grec et signifie « grappin ou harpon ». Une seule famille est née de cet ordre: les Alcédinidés.

FAMILLE DES ALCÉDINIDÉS

Au Canada, le Martin-pêcheur représente la seule espèce groupée sous cette famille. C'est un pêcheur solitaire qui choisit avec soin les endroits stratégiques des rives d'un cours d'eau où il peut surveiller avec soin les va-et-vient des petits poissons.

Un bec long et fort constitue son principal instrument de chasse. Il ne harponne pas le poisson, mais le happe dans ses mandibules qui jouent le rôle de grappin.

Nom anglais: Belted Kingfisher
Nom scientifique: Megaceryle alcyon *(Linnaeus)*
Longueur: 33,02 cm (13 po)
Ponte: 5-6 œufs blancs

Une grande quantité d'oiseaux dépend, en partie ou en totalité, de la faune aquatique pour assurer sa subsistance. Quelques espèces comme le Fou de Bassan et le Cormoran chassent le poisson dans les eaux profondes; certains échassiers attendent le gibier tout près du rivage; l'Aigle pêcheur saisit sa proie presque toujours à fleur d'eau; le Huart pratique la chasse sous-marine. Pour sa part, le Martin-pêcheur qui est un fervent adepte de la pêche utilise la technique du guet.

Description — C'est un oiseau à grosse tête sur cou épais, au bec massif, long et droit, aux pattes courtes et faibles. Le mâle affiche des couleurs attrayantes: ensemble de la tête gris bleuâtre; deux taches blanches, dont l'une très petite, percent le bleu du plumage entre l'œil et le bec; iris brun; dos, partie supérieure des rectrices, rémiges secondaires et sus-alaires bleuâtres; rectrices semées de points blancs; rémiges primaires noires mouchetées de blanc; menton, gorge, cou, poitrine et abdomen blancs; flancs gris bleuâtre; bande pectorale bleue. Le tarse et le pied sont gris ardoise. Le doigt externe et le doigt médian sont joints sur plus de la moitié de leur longueur.

Les couleurs de la femelle ressemblent à celles du mâle à l'exception de la bande pectorale et des flancs qui sont brun rougeâtre.

Retour de migration — Habitat — Le Martin-pêcheur arrive à la mi-avril. Il fait aussitôt sentir sa présence sur quelques rives d'une rivière, d'un ruisseau ou d'un lac. Une fois son biome choisi, il en fixe les limites en se réservant plusieurs postes de surveillance et il ne tolère nullement qu'un autre membre de sa confrérie vienne piéger sur son territoire. En attendant le retour des femelles, il visite son nid de l'année précédente, afin de vérifier s'il est récupérable.

Nid — Incubation — Dès que les femelles reviennent du Sud, les mâles entrent en compétition en vue d'une conquête. Chacun des couples, une fois formé, va s'ébattre dans sa zone de ravitaillement et entreprend, si nécessité il y a, la construction d'un nouveau logis.

À tour de rôle, mâle et femelle se relèguent dans le forage d'un tunnel dans le sable ou le gravier d'une falaise. Le corridor, long de 1,21 à 4,57 mètres, aboutit à une chambre plus vaste, pour que la femelle puisse couver à l'aise et y nourrir ses petits. L'incubation dure environ 24 jours.

Élevage des petits — Le fretin est l'aliment de base des oisillons. En cas de disette, les parents y joignent d'autres petits animaux aquatiques et de gros insectes. Quand les jeunes sont prêts à quitter l'antre infecté de l'odeur de poisson, ils avancent dans le sombre corridor puis, encouragés par la mère, essaient leurs ailes.

Régime alimentaire — Cet oiseau pêcheur entretient un menu varié: fretin, grenouilles, écrevisses, insectes aquatiques comme les dytiques, sauterelles et criquets happés en vol.

Techniques de chasse — Perché sur un arbre ou un poteau à proximité de l'eau, les plumes de la tête en bataille, les yeux rivés sur l'élément liquide, il surveille attentivement le menu fretin, la grenouille ou l'écrevisse qui s'aventurent dans son aire de guet. Quand une proie est jugée accessible, il quitte brusquement son perchoir en lançant des cris aigus qui se déroulent comme la ligne d'un moulinet de pêche. Les ailes collées le long des flancs afin de diminuer la pression de l'air et ainsi accélérer la descente, il plonge la tête en avant puis ressort de l'eau tenant en son bec le gibier con-voité. Il revient à son observatoire où il assomme sa prise, si elle est de bonne taille, avant de l'avaler tête première.

Lorsqu'il chasse sur les rives du fleuve, son mode d'action diffère. À marée basse, des étangs temporaires se forment, près desquels ne s'élève aucun poste de guet. Le Martin-pêcheur se maintient alors en place à quelques mètres dans les airs en agitant rapidement les ailes. Aussitôt qu'il voit un gibier de son menu, il plonge pour s'en emparer.

Notes particulières — Le nom anglais *Kingfisher* — Roi des pêcheurs — le consacre en quelque sorte comme le maître des eaux. Il le prouve, d'ailleurs, car c'est un pêcheur d'une habileté peu commune. La deuxième partie de son nom scientifique *alcyon* l'assimile à l'oiseau fabuleux qui, selon les anciens Grecs, posait son nid sur une mer calme. Légende que tout cela, mais ce qui n'appartient nullement à la mythologie, c'est la façon dont cet oiseau capture un poisson.

Migration — Le Martin-pêcheur, que l'on voit un peu partout en été dans toutes les régions du Canada, nous quitte à la fin de septembre ou au tout début d'octobre. Il émigre au sud des États-Unis. Quelques individus volent jusqu'aux Antilles et au nord-ouest de l'Amérique du Sud.

Photo: Musée national des Sciences naturelles, Musées nationaux du Canada, 75-5135.
PIC FLAMBOYANT

ORDRE DES PICIFORMES

Les oiseaux de cet ordre possèdent au moins un caractère commun: leurs doigts sont utilisés pour grimper. Parfois, ils sont au nombre de trois: deux antérieurs et un postérieur. Le plus souvent il y en a quatre: deux antérieurs et deux postérieurs.

Quelques espèces propres à l'Amérique tropicale appartiennent au même ordre: le Toucan au bec volumineux et grotesque, le Jacamar au bec long et pointu ainsi que le Bucco appelé aussi Barbu.

Plus de quatre cents espèces de Piciformes vivent sur notre planète, dont soixante-quatre en Amérique du Nord. Seule la famille des Picidés est représentée au Canada.

Le Canada compte treize espèces de Picidés dont huit vivent dans les forêts québécoises: le Pic flamboyant, le Grand Pic, le Pic à tête rouge, le Pic maculé, le Pic chevelu, le Pic mineur, le Pic à dos noir et le Pic à dos rayé.

LE PIC FLAMBOYANT

Nom anglais: Yellow-shafted Flicker
Nom scientifique: Colaptes auratus *(Linnaeus)*
Longueur: 30,48 cm (12 po)
Ponte: 5-9 œufs blancs

FAMILLE DES PICIDÉS

Le bec de ce grimpeur, taillé comme un coin, facilite la perforation du bois. La langue, telle une lance extensible pourvue d'une pointe aiguë et composée de poils ténus, aide à retenir la proie.

Le Pic ne semble pas souffrir de maux de tête. Cela est probablement dû, selon des biologistes, aux deux nerfs minces qui pressent les parois du crâne, à moins que les os hyoïdes qui s'enroulent par-dessus la base de la tête, le long de la couronne, jouent un rôle de tampon.

Son vol est ondulé: un coup d'ailes amène un repos suivi d'une légère descente; puis c'est un autre coup d'ailes accompagné d'une ascension semblable à celle d'un caillou plat lancé sur la surface d'une eau calme.

La base d'un nid de Pic ressemble à une demi-sphère. Les Pics flamboyant (Pic doré) et maculé émigrent tandis que les autres vivent dans nos forêts à l'année longue.

Les longicornes, les dendroctones et beaucoup d'autres insectes, qui à l'état larvaire sont des xylophages insatiables, ont dans le Pic un adversaire très acharné.

Il y a un quart de siècle, beaucoup de gens ignoraient l'utilité du Pic et le pourchassaient comme un destructeur des arbres. Grâce au travail concerté des ingénieurs forestiers, des biologistes, des agronomes et de tous les adeptes des clubs sensibilisés à la préservation de notre faune, la réputation du Pic a été réhabilitée. Quant aux Pics maculé et à tête rouge, tous deux accusés de méfaits flagrants, ils méritent d'être acquittés, en raison des nombreux insectes qui font tout de même partie de leur régime alimentaire.

Comme l'a écrit Jules Michelet, un écrivain français, « L'État lui devrait (au Pic) sinon les appointements, du moins le titre honorifique de conservateurs des forêts. » C'est également pour cette raison qu'une loi fédérale le protège en tout temps de l'année.

Vers avril, les bois retentissent des « fli-qui-ou » stridents du Pic flamboyant. Un peu plus gros que le Merle d'Amérique, ce Pic, porteur d'or sous les ailes, fait figure de prince dans le royaume des Picidés.

À son arrivée, il est craintif et fuit à l'approche de tout humain. Il s'apprivoise de jour en jour, et c'est pendant qu'il escalade solennellement un arbre qu'il se laisse croquer par l'œil d'un observateur.

Il porte divers noms: Poule des bois, Pivart, Pivert, Pic doré et Pic aux ailes dorées. En anglais, il est connu sous une quinzaine de noms différents, chacun d'eux rappelant un aspect de sa personnalité.

Description — La tête est gris cendré. Une bande rouge couvre la nuque. Le dos brunâtre est rayé transversalement de fins traits noirs; le croupion blanc donne l'effet d'un coup de pinceau donné négligemment. L'intérieur des ailes est doré. Les rectrices présentent plusieurs couleurs: les centrales noires, les latérales brun pâle, les sous-caudales dorées et noires à leur extrémité. La gorge coloriée d'un brun rouille se termine en un arc noir. La poitrine brun sombre est mouchetée de rondelles noires. Seul le mâle fait état de jolies moustaches noires qui lui donnent des airs d'acteur de grande comédie. L'iris est brun et le bec gris acier.

Pariade — Le cérémonial qui précède l'accouplement revêt un caractère à la fois solennel et charmant. Le mâle surveille une femelle de loin: il se dissimule alors derrière une branche pour l'observer et s'en approche avec beaucoup d'hésitation. Quand il est près d'elle, il fait étalage de tous ses charmes, depuis de légers cris très émouvants qui semblent implorer son indulgence jusqu'à des courbettes maintes fois répétées. La femelle ne se laisse pas conquérir facilement, car plusieurs jours de suite le mâle refait les mêmes gestes et répète les mêmes supplications. Un mâle s'affiche-t-il trop entreprenant, elle profite de sa supériorité pour l'éconduire. Toutefois, cet esprit d'indépendance ne doit pas durer indéfiniment, et c'est alors qu'un beau jour elle jette son dévolu sur l'un de ses admirateurs. Celui-ci s'élance donc dans un dernier sprint où saluts et cris viennent à bout des dernières résistances de celle qu'il désire. Aussitôt après, l'heureux couple s'envole à la recherche d'un nid.

Habitat — Nid — Le Pic flamboyant habite la plupart des régions du Québec. La hauteur de l'emplacement du nid va de un à vingt mètres. Souvent un vieux nid de l'année précédente ou une cavité creusée par les vers sert de domicile. Une boîte profonde d'une ouverture de 6,35 cm (2,5 po) suspendue soit dans un verger, soit près de la maison où croissent quelques arbres, fait ses délices. Toutefois, la plupart du temps il creuse sa propre demeure.

Incubation — Élevage des petits — Peu après, de cinq à neuf œufs blancs de 2,54 cm (1 po) de longueur sont couvés à tour de rôle par le mâle et la femelle, et ce pendant 12 jours. Les petits naissent nus. Leurs repas se composent d'une bouillie d'insectes, surtout de fourmis, servie par régurgitation.

En l'absence des parents, les jeunes font entendre un bourdonnement continuel qui ressemble à celui d'abeilles. Les oisillons se développent rapidement, car bientôt apparaissent un léger duvet, puis les plumes. Une douzaine de jours environ après leur éclosion, ils quittent le nid pour escalader tranquillement l'arbre familial.

Pendant que ces jeunes exécutent leur première ascension, ils lancent des « piou » de détresse ou de joie. Plus loin, la mère répond aux appels de ses rejetons.

Régime alimentaire — De tous nos pics, il est le seul à chercher sa nourriture sur le sol. Il chasse alors les fourmis et d'autres espèces d'insectes sur les gazons et dans les champs. Il est un mangeur de fruits du sumac « grimpant » herbe « à la puce » et en sème la graine engraissée de ses déjections.

Notes particulières — Il arrive parfois que le Pic flamboyant doive livrer une lutte acharnée pour conserver le nid qu'il vient de creuser. L'Étourneau sansonnet, à l'affût, en a suivi toutes les phases. Il profite de l'éloignement des propriétaires pour s'en emparer. À son retour, le couple de pics tente de chasser l'intrus, mais ne réussit pas toujours. Il se résigne alors à fonder un autre foyer.

Cet oiseau possède une réputation de bâtisseur, car le Moucherolle huppé, le Petit Duc et le Faucon crécerelle adoptent souvent l'une de ses anciennes demeures.

Taverner rapporte que la reproduction du Pic flamboyant est tout à fait exceptionnelle: plus de trente œufs ont été enlevés d'un nid en une seule saison, mais la femelle en pondit d'autres jusqu'à ce que le quota normal soit atteint.

Migration — Nous n'avons pas le plaisir de jouir de sa compagnie l'année durant. Dès septembre, en un vol ondulé, il quitte nos forêts pour celles du sud des États-Unis.

LE GRAND PIC

Nom anglais: Pileated Woodpecker
Nom scientifique: Dryocopus pileatus *(Linnaeus)*
Longueur: 43,18 cm (17 po)
Ponte: 3-6 œufs blancs

Le nom spécifique *pileatus* ainsi que le nom anglais *pileated* font tous deux allusion à la coiffe ou huppe du Grand Pic. Il n'y a pas si longtemps d'ailleurs, il était surtout connu comme le Pic à huppe écarlate.

Photo: Musée national des Sciences naturelles, Musées nationaux du Canada, 75-5154.

Description — Il est de la taille de la Corneille d'Amérique et se vêt d'une livrée en grande partie d'un noir mat. Chez le mâle, une huppe d'un rouge vif recouvre la tête et descend sur le front; cette même couleur lèche la base de la mandibule inférieure. Un peu de blanc rompt la monotonie du noir de ce Picidé: gorge, raie sourcilière, base de l'œil, cou, partie centrale des rémiges primaires et de quelques rémiges secondaires, intérieur des ailes aux deux tiers. Le bec de couleur ardoise mesure cinq cm de longueur; l'iris est jaune. Chez la femelle, la partie centrale seulement de la tête est rouge; le front ainsi que la partie antérieure de la couronne sont brun pâle.

Habitat — Il vit dans les grandes régions boisées du sud du Québec jusqu'au lac Saint-Jean et en Gaspésie. On le rencontre assez souvent dans les forêts de Charlevoix et du Saguenay. L'auteur l'a observé à plusieurs reprises dans un boisé d'étendue moyenne à Nantes dans le comté de Frontenac. En hiver, il se rapproche des humains, en bordure des villes et des villages où croissent des arbres parvenus à maturité.

Nid — Incubation — À la fin de mai ou au tout début de juin, le Grand Pic, que les gens de la Côte-Nord nomment « Poule des bois », songe à fonder un foyer. Il perce son nid dans un arbre mort, parfois même dans un arbre sain qui offre quelque faiblesse, à une hauteur variant de six à vingt et un mètres. La profondeur du trou atteint souvent un mètre. Les deux partenaires prennent part à cette corvée qui se prolonge quelquefois un mois durant. L'incubation est assumée à tour de rôle par la femelle et le mâle et dure 18 jours.

Le cri — Le Grand-Pic lance rapidement sur un ton uniforme et élevé des « coq-coq » qui peuvent être entendus à une grande distance.

Notes particulières — Comme le Pic flamboyant, il creuse un nid qui est souvent utilisé les années suivantes par quelques espèces d'oiseaux, notamment le Petit Duc, le Canard huppé, le Faucon crécerelle, etc. On ne peut dire que c'est un oiseau commun. En général, il vit loin de la civilisation.

LE PIC À TÊTE ROUGE

Nom anglais: Red-headed Woodpecker
Nom scientifique: Melanerpes erythrocephalus *(Linnaeus)*
Longueur: 24,63 cm (9,7 po)
Ponte: 4-6 œufs blancs

Nos Picidés s'habillent de couleurs variées. Toutefois, c'est le Pic à tête rouge qui présente le plus d'originalité. L'observateur qui a le bonheur de le voir ne peut l'oublier en raison de son plumage tricolore: rouge, blanc et noir. Le nom spécifique qu'il porte *erythrocephalus,* et qui signifie « tête rouge », rappelle l'un des traits les plus caractéristiques de son individualité.

Description — Le mâle vêt une livrée très belle: tête, gorge et cou rouges; dos, épaules, rémiges primaires et rectrices noirs; poitrine, ventre, rémiges secondaires et croupion blancs; iris brun foncé.

La femelle ne présente qu'une seule différence: les rémiges secondaires blanches sont rayées de noir. Les couleurs du jeune contrastent avec celles de l'adulte: tête, gorge et cou

Photo: Musée national des Sciences naturelles, Musées nationaux du Canada, 75-5153.

brun pâle marqués de petites taches d'un brun plus foncé; rémiges secondaires blanches traversées par une bande blanche.

Habitat — Nid — Cet oiseau fréquente avec assiduité les vergers, les forêts claires, les bosquets et les grands arbres dispersés sur les terres défrichées. La tête des troncs dénudés lui procure des postes de choix pour chasser les insectes. Il nidifie au sud du Québec, particulièrement dans plusieurs secteurs de la Vallée du Richelieu.

Il creuse son nid dans un arbre mort, un poteau télégraphique, un pieu de clôture ou même quelquefois dans un arbre en grande partie feuillu. L'incubation est assumée à tour de rôle par le couple et dure environ 14 jours.

Régime alimentaire — Le Pic à tête rouge s'attaque moins aux xylophages que les autres espèces de Picidés. Il a développé des habitudes de gobe-mouches qui ont fait de lui un consommateur de sauterelles, de hannetons, de scarabées et de charançons. Il est aussi un frugivore qui se délecte de petits fruits, de faînes et divers produits du verger. Les pomiculteurs se plaignent souvent de sa hardiesse et de sa gourmandise.

Le cri — Le biotope de ce Picidé fait écho à ses cris à la fois nombreux et bruyants. Les « coui-o coui-o cou-ir » résonnent dans les bosquets et les brûlis. De plus, il lance une variété étonnante de gazouillements, de caquetages et de sons rauques.

Notes particulières — Les tollés qu'il soulève, en raison de ses incursions dans les vergers, ne justifient pas sa mise au ban, car il est tout de même un habile destructeur d'insectes nuisibles. Cela compense largement les incartades dont on l'accuse.

LE PIC MACULÉ

Nom anglais: Yellow-bellied Sapsucker
Nom scientifique: Sphyrapicus varius *(Linnaeus)*
Longueur: 21,59 cm (8,5 po)
Ponte: 4-7 œufs blancs

Voilà le « mouton noir » de la famille des Picidés. Son nom spécifique *varius* qui signifie « tacheté, maculé » met en évidence les quelques flèches noirâtres qui enjolivent ses flancs. Son nom anglais *Sapsucker* souligne vraiment sa réputation de suceur de sève. Quant à son nom générique *sphyrapicus,* il provient — du moins la racine *sphyra* — du grec et rappelle son habitude de perforer de nombreux trous, également distancés et en ligne horizontale, autour de plusieurs espèces d'arbres, notamment des érables, des arbres fruitiers et des bouleaux. La langue, dont l'extrémité est terminée en brosse lui permet alors de siphonner la sève.

Description — Le mâle se distingue aisément des autres Pics au rouge du front, de la partie antérieure de la couronne et de la gorge. Un plastron noir bleuté traverse la poitrine et va s'accrocher à la base de la mandibule inférieure; la plus grande partie de la poitrine ainsi que l'abdomen sont blanc jaunâtre, aux flancs parsemés de flèches noirâtres. Le dos noir est fortement sillonné de blanc. Les ailes noires sont éclairées d'une bande blanche dans la région des tectrices alaires et de points blancs sur les rémiges primaires et secondaires. L'iris est brun.

La femelle se distingue du mâle au menton et à la gorge blancs. Pour sa part, le jeune est en général de teinte brune, mais conserve les couleurs des ailes de l'adulte.

Habitat — Nid — Incubation — Ce Picidé habite la plupart des régions boisées du Québec. Tôt le matin, il tambourine sur les arbres dont l'écorce est lâche. C'est chose commune, au printemps, au temps de la pariade. En été, c'est probablement une façon de faire valoir ses droits sur le territoire choisi. Il va sans dire que ces sons percutants n'ont pas toujours l'heur de plaire aux campeurs qui se voient tirer dès l'aube de leur sommeil.

Le nid est creusé à hauteur variable de 4,5 à 19 mètres du sol soit dans un arbre mort, soit dans un autre sérieusement attaqué par les insectes ou autres parasites. La femelle et le mâle couvent à tour de rôle.

Régime alimentaire — À son retour de migration vers la mi-avril, il se nourrit peu d'insectes; ses préférences vont surtout à la sève sucrée. Plus tard, quelques espèces d'insectes — fourmis, sauterelles, criquets, chenilles, papillons et poux — ainsi que des araignées feront surtout les frais de son menu quotidien.

Le cri — Il est assez aigu, plutôt plaintif, un « in » simulant le grincement d'une poulie ou encore le miaulement du chat.

Notes particulières — Plusieurs espèces d'oiseaux, mais de façon toute particulière le Colibri à gorge rubis, profitent des entailles pratiquées aux arbres et s'abreuvent à ces fontaines sucrées. Par une matinée ensoleillée de fin juillet, l'auteur observa longuement, dans une savane, un Colibri à gorge rubis qui accompagnait des Pics maculés. Ces derniers visitaient des Bouleaux blancs, *Betula papyrifera Marsh.,* dont la cime était ceinturée d'une large bande de trous d'où s'écoulait la sève. Quand le Colibri se rapprochait pour participer au festin, il était chassé; aussitôt que les Pics s'éloignaient, il s'empressait de sucer le nectar. À quelques reprises, il suivit les Pics maculés, mais peu de temps après, il revint « s'attabler » à l'arbre qui lui procurait un mets délicieux. Quelques petits rongeurs, entre autres l'Écureuil roux et le Tamias rayé (le Suisse), viennent également y étancher leur soif.

Photo: Direction générale du cinéma et de l'audiovisuel, Québec, par J.-L. Frund.

Des biologistes accusent alors le Pic maculé de contribuer ainsi à la mort de plusieurs arbres. Ce n'est certainement pas le cas de tous ceux qui en ont été les victimes, car avec le temps les blessures infligées se cicatrisent. Toutefois, plusieurs arbres, surtout ceux qui ont été l'objet de très nombreuses perforations meurent: les arbres fruitiers ne produisent plus, les feuillus à caractère commercial perdent énormément de leur valeur sur le marché. Il faut cependant ajouter à l'avantage de cet oiseau qu'il est aussi un précieux dévoreur d'insectes.

Migration — En automne, il quitte nos forêts pour les États-Unis; plusieurs individus s'envolent même jusqu'aux Antilles.

LE PIC CHEVELU

Nom anglais: Hairy Woodpecker
Nom scientifique: Dendrocopos villosus *(Linnaeus)*
Longueur: 23,87 cm (9,4 po)
Ponte: 4-6 œufs blancs

Après avoir passé la nuit agrippé à un arbre, la tête cachée en partie sous une aile, le Pic chevelu se met à l'œuvre à la pointe du jour. Souvent il attaque un arbre à la base. Tout d'abord il écoute et quand son ouïe lui révèle la présence d'un insecte, il frappe à coups redoublés pour se frayer un chemin jusqu'au ravageur. Il le happe alors avec sa langue pointue et l'avale. Il poursuit la même opération jusqu'au faîte tout en grimpant verticalement et en sautillant.

Photo: Musée national des Sciences naturelles, Musées nationaux du Canada, 75-5151.

Description — Un seul détail bien apparent nous permet de distinguer facilement le mâle de la femelle: chez le premier, l'occiput est traversé d'une forte bande rouge, tandis que chez la seconde elle est blanche. À part cela le couple revêt une livrée identique.

Les plumes de la base du bec et des raies sourcilières sont blanches. Le côté du cou dessine un arc brisé blanc surmonté de plumes noires et dont l'ensemble suggère une figure géométrique triangulaire. Le dos noir est coupé au centre de deux bandes blanches longitudinales, dont les plumes retombent lâchement sur les voisines d'où son nom de « chevelu ». Les ailes noires sont mouchetées de rondelles blanches. Le dessus des rectrices est noir à l'exception de deux plumes latérales blanches. Les plumes sous-caudales sont blanches. Les parties inférieures sont blanc grisâtre. L'iris est brun.

Habitat — Nid — Incubation — Le territoire du Pic chevelu couvre toutes les régions boisées du Québec. Toutefois, il est beaucoup moins nombreux dans la Vallée du Richelieu et les Cantons de l'Est que le Pic mineur.

Il fore habituellement son nid dans un arbre mort. L'incubation assumée par les deux partenaires dure environ 14 jours.

Le cri — Lorsqu'il est dérangé par un intrus, il lance son cri d'appel qui rappelle celui du Moineau domestique, mais il est beaucoup plus sonore.

Valeur économique — Selon des biologistes, son régime alimentaire se compose de 77 p. cent d'insectes et de 22 p. cent de fruits sauvages. Voilà donc un autre ami à plumes dont l'utilité est incontestée et qui mérite notre totale protection.

Notes particulières — Le Pic chevelu, comme beaucoup d'autres oiseaux appelés à tort « sauvages » n'est pas craintif. On peut l'approcher aisément, afin de le regarder travailler. Il ne cherche noise à personne. Très sociable, par intérêt ou par esprit de solidarité, il est souvent vu, surtout au cours de l'hiver, en compagnie du groupe: Pic mineur, Mésange, Sittelle et Grimpereau. Pendant la rude saison, il se rapproche aussi des habitations pour se régaler de suif qu'un protecteur des oiseaux suspend aux arbres.

LE PIC MINEUR

Nom anglais: Downy Woodpecker
Nom scientifique: Dendrocopos pubescens *(Linnaeus)*
Longueur: 17,27 cm (6,8 po)
Ponte: 4-6 œufs blancs

De tous nos pics, le Mineur est le plus petit, également le plus confiant, car il s'aventure très souvent près des habitations encadrées d'arbres.

Son nom générique *dendrocopos,* identique à celui du Pic chevelu, vient du grec et signifie « qui nettoie les arbres ». Quant à son nom spécifique *pubescens,* il vient du latin et se traduit par « qui est garni de poils fins et courts ». Cette dernière appellation a probablement été mise en opposition à *villosus,* qui est le nom spécifique du Pic chevelu et qui se traduit par « velu, couvert de poils ou chevelu ».

Description — Les couleurs de cet oiseau, à part quelques légères modifications, sont semblables à celles de son grand cousin, le Pic chevelu. Il s'en différencie par la taille, les plumes blanches du dos bien lisses et qui retombent de façon uniforme, les rectrices latérales blanches qui sont mouchetées de quelques points noirs et l'intérieur des rectrices marqué de quelques traits noirs.

Photo: Musée national des Sciences naturelles, Musées nationaux du Canada, 75-5150.

Habitat — Nid — Incubation — Toutes les forêts de la province constituent le grand royaume du Pic mineur. À l'année longue, il patrouille dans tous les secteurs où croissent les conifères et les feuillus.

En juin, il creuse son nid dans un arbre mort ou utilise une vieille souche. L'ouverture mesure environ 2,54 cm de diamètre (1 po). La femelle et le mâle se relaient pour couver, et ce pendant une douzaine de jours. Une fois les petits éclos, la mère les nourrit d'insectes transformés en une bouillie bien digestible.

Régime alimentaire — Il est sensiblement le même que pour le Pic chevelu. Les chenilles font partie de son menu dans une proportion de 16$\frac{1}{2}$ p. cent. Il consomme également des éphémères, des papillons, des petits fruits sauvages, voire ceux du sumac grimpant. Naturellement, il fait une guerre sans merci aux nombreux xylophages de toute espèce.

Le cri — Il ressemble sensiblement à celui du Moineau domestique, mais il est lancé avec plus de vigueur et de clarté.

Notes particulières — Cet oiseau est également connu sous le nom de Pic minule. Il a aussi une grande valeur économique, étant un insectivore à temps plein douze mois durant.

Lorsque les jeunes ont quitté le nid, d'autres espèces d'oiseaux, entre autres le Troglodyte familier, s'empressent d'en prendre possession. Celui-ci ne se gêne pas alors de le tapisser de branchettes, de paille et autres matériaux.

Son comportement, pendant l'hiver, ressemble à celui du Pic chevelu (cf., notes particulières du Pic chevelu).

LE PIC À DOS NOIR

Nom anglais: Black-backed Three-toed Woodpecker
Nom scientifique: Picoïdes arcticus *(Swainson)*
Longueur: 24,13 cm (9,5 po)
Ponte: 4-6 œufs blancs

La présence continuelle de ce Pic dans les régions nordiques lui a valu d'être appelé Pic arctique. Confiant et non stupide comme d'aucuns le prétendent, il estime la compagnie de l'homme. Il se montre tellement conscient de son rôle de conservateur de nos essences forestières qu'il ne se préoccupe guère des bruits qui l'environnent. C'est alors qu'il se prête volontiers à l'observation.

Description — Comme son cousin, le Pic à dos rayé, il ne possède que trois doigts: deux antérieurs et un postérieur plus long. De la longueur du Pic chevelu, mais plus dodu, le mâle est coiffé d'une superbe calotte jaune orange et se vêt d'un manteau noir lustré, d'où il tire son nom. La base du front est blanche. Un très mince cercle de même couleur, qui entoure un œil brun, se prolonge en arrière comme une queue de comète. La gorge et la poitrine sont blanches; les flancs marqués de noir. Les ailes noires, dessinant quelques pointes effilées de blanc, semblent avoir été badigeonnées de suie; celles de l'intérieur sont blanches, brossées de brun léger à leur extrémité. La femelle est habillée du même costume que son compagnon, exception faite de la coiffure qui conserve la teinte de son manteau.

Habitat — Nid — Incubation — Ce Pic habite surtout les vastes forêts de la Gaspésie, du Témiscouata, du parc des Laurentides, de Charlevoix, du Saguenay, du lac Saint-Jean et de l'île d'Anticosti.

Il creuse son nid dans un arbre parfois près du sol à moins d'un mètre, parfois à quelque six mètres, voire davantage, tout dépendant de son habitat. L'incubation est assumée par la femelle et le mâle, et ce pendant 14 jours environ.

Notes particulières — L'auteur raconte comment, un après-midi d'hiver, il eut l'occasion d'admirer le travail persévérant d'un Pic à dos noir. « Chaussé de skis, je suis un sentier bordé de conifères qui, ce jour-là, sont fraîchement décorés de neige. Les branches des sapins et des épinettes s'alourdissent de masses blanches et, à tout instant, j'imagine voir ces jolis Harfangs des neiges. Il ne manque que les brillants yeux jaunes pour animer ces gros paquets d'ouate. De récentes pistes révèlent le passage d'un lièvre rapide et d'un écureuil roux. Aucune chanson ne vibre dans les branches, pas même les délicieux « chic-a-di-di-di » des Mésanges à tête noire pourtant si nombreuses dans ces bois de Sacré-Cœur à quelque vingt kilomètres de Tadoussac.

Photo: J. Boisclair.
PIC À DOS NOIR

« Ma joie est à son comble lorsque, glissant le long d'une pente, j'entends les tambourinages d'un Pic. Je me dirige du côté d'où provient le bruit et j'éprouve alors le vif contentement d'assister à une scène qui eût fait la joie de tout ornithologue comme de tout amant de la nature. Un Pic à dos noir s'acharne sur un sapin malade et lui inflige de vigoureux coups de bec tantôt à droite et tantôt à gauche. Imaginez près d'une centaine à la minute! Toute la base de l'arbre jusqu'à trois ou quatre mètres du sol, où « sue » le petit foreur ailé, témoigne d'un labeur constant et acharné. De temps à autre, d'énergiques « tchip, tchip » fusent et parfois cette musique monotone baisse d'un ton.

« Non satisfait de connaître les techniques de travail du grimpeur à trois doigts, je veux m'enquérir de son caractère. Je l'excite en lançant une motte de neige dans les branches. En un vol ondulé, il va se percher sur un arbre voisin, tout en jurant comme le grincement d'une poulie. Son départ dure peu, car il revient presque aussitôt à son chantier. De nouveau, chaque coup de bec laisse tomber des parcelles d'écorce. Aucune inquiétude ne se manifeste chez cet oiseau qui a sans doute remarqué la présence d'un intrus.

« Je juge cette première expérience incomplète. Je pousse plus loin mes recherches en effrayant encore la petite « tête jaune ». Un deuxième juron éclate. Vraiment, me dis-je, ce gosier est certainement rouillé. Cette fois-là, je pense bien le chasser pour de bon, mais il n'en est rien, car notre entêté vole se percher sur un peuplier voisin, à

la manière d'un Passeriforme. Peu de temps après, il regagne son laboratoire favori. »

LE PIC À DOS RAYÉ

Nom anglais: Northern Three-Toed Woodpecker
Nom scientifique: Picoïdes tridactylus *(Linnaeus)*
Longueur: 22,22 cm (8,75 po)

Il est plus petit que son parent. Il ressemble au Pic à dos noir, sauf les hachures blanches du dos qui font échelle, les rayures blanches et noires qui bordent la couronne jaune du mâle et qui s'étendent jusqu'au front ainsi que les traits blancs et noirs qui sillonnent le front et une partie de la couronne de la femelle.

Son nom anglais « Three-toed » ainsi que son nom spécifique *tridactylus* traduisent un caractère particulier au genre *picoïdes,* soit celui de posséder trois doigts.

Le Pic à dos rayé vit dans le même habitat que le Pic à dos noir, mais il est plus rare. Quant à ses habitudes, elles sont identiques à celles de son cousin.

ORDRE DES PASSERIFORMES

Parmi les ordres des oiseaux, celui des Passeriformes ou Passereaux englobe dans le monde entier environ 5,000 espèces. Le Canada compte vingt-trois familles, dont vingt et une à l'Est; en tout, approximativement 140 espèces dont 110 habitent la province de Québec.

Ce sont des oiseaux percheurs à quatre doigts: trois antérieurs et un postérieur, tous placés à la même hauteur. Les doigts servent à diverses fonctions: pour tous à empoigner une branche pour s'y percher; d'autres les utilisent en plus pour grimper — c'est le cas de la Sittelle et du Grimpereau —; quelques-uns les emploient pour gratter le sol dans le but d'y découvrir des graines, comme le fait le Pinson, par exemple.

Les oisillons naissent pratiquement nus. Le duvet commence à poindre après quelques jours; les premières plumes surgissent plus tard. En automne, tous muent: adultes et jeunes. Chez beaucoup d'espèces, le plumage devient alors plus terne. Ce n'est qu'au printemps suivant que l'oiseau recouvrera ses plumes de fête.

FAMILLE DES TYRANNIDÉS

Ils sont tous des gobeurs d'insectes. Ils travaillent en vol à proximité de leur poste de guet. Ce sont des chasseurs indépendants, jaloux de leur territoire et qui le défendent avec opiniâtreté. Le bec, un peu aplati et élargi à la base, se termine en une courbure légère.

L'est du Canada recense dix espèces de Tyrannidés dont huit au Québec: le Tyran tritri, le Moucherolle huppé — une espèce commune dans la région du Richelieu —, le Moucherolle phébi, le Pioui de l'Est, le Moucherolle à côtés olive, le Moucherolle à ventre jaune, le Moucherolle des aulnes et le Moucherolle tchébec. Les plus communs sont le Tyran tritri et le Moucherolle phébi.

GROS BEC DES PINS

LE TYRAN TRITRI

Nom anglais: Eastern Kingbird
Nom scientifique: Tyrannus tyrannus (Linnaeus)
Longueur: 21,59 cm (8,5 po)
Ponte: 3-4 œufs blancs mouchetés de marron

Au royaume des oiseaux, la hardiesse et le courage n'au-réolent pas uniquement les plus gros et les plus puissants de leur classe. Le Tyran tritri, désigné également sous le nom de Moucherolle de la Caroline et dont la taille est légèrement supérieure à celle du Vacher, en est un exemple vivant.

Description — Deux couleurs surtout le dépeignent briè-vement: noir grisâtre des dessus et blanc des dessous. Quel-ques détails le précisent davantage: bec noir, iris brun, rémiges secondaires et plumes sus-alaires — les petites et les grandes — bordées de blanc, bande blanche à l'extrémité des rectrices, rectrices latérales blanches, tarse et pied noir brunâtre. Quand il manifeste quelque surexcitation, les plu-mes de la couronne se soulèvent et révèlent le rouge orange de l'intérieur.

Habitat — Nid — Le Tyran tritri se plaît dans le voisinage des vergers. Il tient à demeurer le seul maître de son fief. Seules la Fauvette et quelques autres espèces de petite taille peuvent vivre dans son entourage. Quant aux autres, gare à eux s'ils violent son territoire!

C'est dans toute la splendeur printanière de mai que se déroulent les démonstrations amoureuses du mâle à la conquête d'une femelle. Quand le couple est formé, la fe-melle prépare le nid qui abritera la couvée.

Un logis plutôt grossier de 7,62 cm de diamètre sur 5,08 cm de profondeur (3 po sur 2 po) est fabriqué de paille, de crins, de racines desséchées, de chiffons et de corde. Très souvent, il est confortablement installé sur une branche de pommier à 3,65 mètres du sol ou à tout en-droit jugé favorable.

Incubation — Élevage des petits — Seule la femelle incube pendant 12 ou 13 jours. Quand les oisillons brisent leur coquille, les parents unissent leurs efforts pour les nourrir. La chasse à l'affût devient alors un impératif d'au-tant plus pressant que l'appétit des bébés moucherolles, comme c'est le cas de tous les nouveau-nés, est quasi insatiable.

Techniques de chasse — Régime alimentaire — Posté sur une branche, un poteau ou un fil, libre en avant de tout obstacle, la tête haute, l'allure fière, le Tyran tritri attend le passage d'une proie. L'imprudente qui s'aven-ture près de son perchoir ne fait pas long feu, car l'habile moucherolle qui vole de droite à gauche, de haut en bas avec beaucoup de grâce et d'aisance a tôt fait de la gober. Sauterelles, criquets, bourdons voient leurs jours abrégés avec un tel piège à deux ailes, dont les repas se composent de 85 p. cent de ces bestioles.

Les ennemis — Il pourchasse indifféremment le Mainate bronzé, le Merle d'Amérique, l'Oriole orangé (Oriole de Baltimore) que la Corneille d'Amérique et l'Épervier. Toute-fois, ces deux derniers écopent le plus de son agressivité.

Il n'est pas rare, en été, de l'apercevoir poursuivant l'un de ces derniers prédateurs. Il suit son adversaire de près, le frôle des ailes, le frappe à la tête de son bec, le

Photo: Direction générale du cinéma et de l'audiovisuel, Québec, par J.-L. Frund.

harcèle sans merci tout en poussant des cris aigus. L'oiseau chassé tente d'esquiver les coups, mais c'est en vain, car le Tritri n'abandonne pas aussi facilement la partie. Lors-qu'il est assuré que son ennemi est rendu assez loin, il fait demi-tour et vient reprendre sa besogne de gobe-mouches. Il ne chante pas victoire, mais continue de redoubler de vigilance pour protéger sa couvée et faire valoir ses droits de premier occupant.

Le chant — Les cris — Son apport musical est bien modeste: c'est un déroulement de sons clairs soutenus composés de légères variantes. En vol, il lance des « dzib » aigus. Un autre de ses cris ressemble à un gazouillement prolongé, à la fois perçant et clair.

Valeur économique — Il est un auxiliaire précieux pour le pomiculteur et le maraîcher, en raison de la multitude d'insectes qu'il dévore. Les abeilles trouvées dans quelques-uns de leur estomac, selon des recherches de biologistes américains, appartiennent à des cas isolés et entachent très peu la réputation de cet excellent insectivore.

Sa présence autour de la ferme constitue de plus un atout qui plaide en sa faveur, vu sa propension à éloigner les pirates à plumes en quête de volailles.

Notes particulières — Comme tous les Moucherolles d'Amérique, il appartient à la famille des Tyrannidés. Ce nom qui choque l'oreille, en raison de la cruauté que le mot tyran évoque, doit être pris dans son sens premier, soit celui de « souverain investi d'un pouvoir absolu ». Les Anglais l'ont bien compris, eux qui le nomment « kingbird » (l'Oiseau-roi). Le seul pouvoir, cependant, dont jouit ce frêle souverain est celui que lui valent les spectaculaires combats aériens qu'il livre à la Corneille d'Amérique et à l'Épervier.

Migration — Lorsque les insectes se font plus rares, le Tyran tritri disparaît de nos régions et emprunte la voie aérienne qui le conduit vers le sud du Mexique, la Colombie ou quelque autre pays de l'Amérique du Sud.

LE MOUCHEROLLE HUPPÉ

Nom anglais: Great Crested Flycatcher
Nom scientifique: Myiarchus crinitus *(Linnaeus)*
Longueur: 22,5 cm (9 po)
Ponte: 4-6 œufs blanc crème à chamois, garnis de taches et de lignes brunes et pourpres

Le nom générique *myiarchus* vient du grec et signifie « filet à mouches »; le nom spécifique *crinitus* provient du latin et se traduit par « qui a beaucoup de cheveux ». Cette dernière expression est bien signifiée en français par « huppé » et en anglais par « crested ».

Description — Le Moucherolle huppé ne peut être confondu avec aucun autre Tyrannidé vivant au Québec: d'abord, en raison de sa grosseur et ensuite à cause de la couleur des rémiges primaires et des rectrices. Son aspect physique se détaille comme suit: tête et parties supérieures brun olivâtre; deux rectrices centrales brunâtres et les autres d'un roux canelle; gorge et poitrine grises; abdomen, côtés et flancs jaunes; rémiges primaires d'un roux canelle; rémiges secondaires brun grisâtre; plumes sus-alaires olivâtres au rebord blanchâtre; pourtour de l'œil blanc et iris brun.

Retour de migration — Habitat — Dès la première semaine de mai, il commence la chasse aux insectes dans la région de Montréal; ce n'est qu'une dizaine de jours plus tard qu'il apparaît dans celle de Québec. Son territoire couvre la vallée du Saint-Laurent jusqu'à Sainte-Anne-de-la-Pocatière. La vallée du Richelieu et les Cantons de l'Est font également partie de son vaste domaine.

Nid — Incubation — Ce moucherolle construit son nid dans une cavité naturelle pratiquée dans un arbre ou utilise un nid de Pic abandonné. Il fait également bon usage d'un nichoir installé par l'homme, pourvu que l'entrée mesure 5 cm de diamètre et que le plancher ait 12,5 cm sur 12,5 cm. La femelle y entasse des feuilles, des plumes, des aiguilles

Photo: Musée national des Sciences naturelles, Musées nationaux du Canada, 79-3050.

de pin et divers matériaux sans oublier, dans beaucoup de cas, l'énigmatique peau de serpent ou de couleuvre. Les chercheurs n'ont jamais pu découvrir le pourquoi de cette fantaisie chez le Moucherolle huppé. L'incubation assumée simultanément par la femelle et le mâle dure environ 14 jours.

Régime alimentaire — À l'instar des autres Tyrannidés, il possède une habileté sans pareille comme gobeur d'insectes. Sa diète quotidienne consiste surtout en punaises, sauterelles, criquets et teignes, ces dernières aux stades de la larve et de l'adulte. En automne, en attendant d'entreprendre son voyage de lointaine migration, il mêle quelques petits fruits à son menu habituel.

Le chant — Son apport musical est plutôt modeste, mais contribue tout de même à égayer le milieu forestier. Il émet de temps en temps un fort sifflement ou lance des « coui-coui-coui » très rapides et fort agréables.

Migration — Ses quartiers d'hiver s'étendent de la Floride à la Colombie.

LE MOUCHEROLLE PHÉBI

Nom anglais: Eastern Phoebe
Nom scientifique: Sayornis phoebe *(Latham)*
Longueur: 17,78 cm (7 po)
Ponte: 3-8 œufs blancs

L'appellation des oiseaux provient souvent d'un trait de leur anatomie, de leur coloration, de leur chant ou encore de leur habitat. Les deuxième et troisième aspects s'appliquent nettement à l'un de nos Moucherolles. D'aucuns le nomment le Moucherolle brun à cause de la couleur de sa tête, d'autres le désignent comme le Moucherolle phébi en raison de son chant composé de deux sons et qui semblent traduire en français le mot « phé-bi », en latin et en anglais celui de « phoe-be ». Il est avant tout un Tyrannidé au port élégant, mais sans le caractère facilement irritable de son parent le Tyran tritri.

Description — Cet oiseau, connu autant par sa pétulance d'agile gobe-mouches que par le charme discret de sa trop courte mélodie, s'habille de couleurs très modestes: tête brune, bec noir, iris brun, arc blanc et étroit juste sous l'œil, dessus de ton olive, rémiges secondaires et grandes sus-alaires bordées de blanc, gorge blanche, poitrine et flancs blancs adoucis de jaune pâle.

Retour de migration — Certaines années, il arrive tôt au printemps, fin de mars ou début d'avril; certaines autres, il revient en mai. Dans tous les cas, sa présence est vite remarquée. C'est surtout lorsqu'il est à l'œuvre qu'il faut admirer la vivacité de ses mouvements. Au début de la saison, alors que les insectes se font rares, il inspecte les arbres comme une laborieuse Mésange.

Habitat — Pariade — Son territoire s'étend à plusieurs régions du Québec, notamment au sud-ouest; rarement en bas de Sept-Îles. Il vit près des fermes et fréquente l'orée de la forêt.

Les beaux jours de soleil comme les chasses conduites avec vigueur ne lui font pas oublier les doux moments de la pariade. Ce n'est qu'après le déploiement de ses charmes et l'épuisement de son répertoire de révérences que le mâle réussit à toucher le cœur d'une femelle.

Nid — Incubation — Élevage des petits — La femelle se réserve le privilège de l'emplacement du nid. Elle n'a que l'embarras du choix: pièces de bois formant un angle sous un balcon, planche en saillie d'un poulailler ou d'une grange, solive sous un pont, branche d'un arbre fruitier. Le logis est composé d'herbes desséchées, de glaise, de paille fine, lambrissé à l'intérieur de crins et de plumes.

L'incubation assumée en grande partie par la femelle dure environ 15 jours; quelques observateurs affirment qu'elle varie de 15 à 20 jours. Le Moucherolle phébi élève deux couvées par année; la deuxième suit de près la première et a lieu habituellement en juillet. Parfois le premier nid est utilisé de nouveau, mais il arrive aussi que la femelle en reconstruise un autre, parce que le premier est infesté de poux.

Les jeunes sont nourris d'insectes. Le mâle et la femelle participent à cette corvée épuisante qui requiert des séances de guet du matin au soir.

Techniques de chasse — Régime alimentaire — À l'exemple du Tyran tritri, il se poste sur un fil, un poteau, un pieu de clôture ou une branche sèche, mais toujours à un endroit où aucun obstacle ne lui masque la vue.

Quand un insecte vole près de son observatoire, il s'élance en battant rapidement des ailes, parfois avec les agitations fébriles du Colibri, et presto il happe le fuyard et revient à son point de départ. Un hochement de queue, un œil vigilant, il attend sa prochaine victime.

Une variété de bestioles compose son menu quotidien: fourmis, sauterelles, mites, chenilles, araignées, myriapodes (mille-pattes) etc.

Le chant — Ce n'est pas un maestro, mais toutefois les deux notes musicales « fé-bi » qu'il fait entendre à maintes reprises et à intervalles réguliers charment l'oreille.

Notes particulières — Ce petit Moucherolle est vraiment attachant. La présence de l'homme ne l'effraie pas; il s'habitue au vacarme des voitures qui ne l'empêchent nullement d'élever sa couvée sous un pont. Les services qu'il rend le classent comme l'un des oiseaux les plus utiles que le cultivateur a intérêt à protéger.

Migration — Avant de nous quitter en septembre ou au début d'octobre, il revient une dernière fois près de nos demeures. Il ne chante plus. Il effectue une tournée dans les arbres préoccupé de sa subsistance, puis entreprend une longue course qui le mènera au Mexique ou sur une île des Antilles.

Photo: Musée national des Sciences naturelles, Musées nationaux du Canada, 79-3080.

FAMILLE DES HIRUNDINIDÉS

Les Hirondelles appartiennent à cette famille. Elles possèdent en commun les caractères suivants: tête aplatie, bec très court, plat et évasé, corps aérodynamique, ailes longues et pointues qui, fermées, atteignent l'extrémité des rectrices ou presque, queue fourchue facilitant ainsi des manœuvres aériennes compliquées, pattes brèves et faibles constituées surtout pour se percher.

Les insectes composent près de 100 p. cent de leur régime alimentaire; seule l'Hirondelle bicolore fait exception, car en automne elle mange quelques petits fruits.

Leur chant plutôt monotone n'est en fait qu'un gazouillis qui offre cependant quelque charme.

La migration a lieu durant le jour. Elles voyagent alors sans hâte, contournent les cours d'eau importants tout en se sustentant en vol.

L'Hirondelle est probablement l'oiseau qui, depuis la plus haute antiquité, fascine davantage l'homme. Elle a été pour les peuples anciens une inspiration de grande valeur: les Grecs l'ont introduite dans leur mythologie, les conteurs l'ont mêlée à de nombreuses légendes, les poètes et les chanteurs ont exploité sa grâce et son charme.

Plus de cent espèces d'Hirondelles se partagent notre planète. Pour sa part, le sol canadien en protège douze. Le Québec en compte six: l'Hirondelle bicolore, l'Hirondelle des sables, l'Hirondelle à ailes hérissées, l'Hirondelle des granges, l'Hirondelle à front blanc et l'Hirondelle pourprée.

L'HIRONDELLE BICOLORE

Nom anglais: Tree Swallow
Nom scientifique: Iridoprocne bicolor *(Vieillot)*
Longueur: 15,24 cm (6 po)
Ponte: 4-7 œufs blancs

Quand les chaleurs printanières deviennent plus intenses, les insectes engourdis par l'hiver sortent de leur léthargie, les œufs éclosent pour livrer passage aux larves, les cocons éclatent et projettent dans la lumière des myriades de vies nouvelles. Cette explosion de la nature déclenche le retour des oiseaux à caractère presque exclusivement insectivore.

Les Hirondelles appartiennent à cette catégorie. L'Hirondelle bicolore, la première arrivée au printemps, zigzague au-dessus des villes et villages tout en nous impressionnant par l'éclat de son irisation.

Son nom générique *iridoprocne* vient du grec: la racine du mot *iridos* signifie « arc-en-ciel » et représente ainsi les couleurs irisées de l'Hirondelle bicolore. Quant à la terminaison « procne », elle a été empruntée à la mythologie grecque et rappelle Procné, la fille de Pandion qui a été changée en hirondelle. Le nom spécifique *bicolor* provient du latin et se traduit tout simplement par « bicolore ».

Description — Le mâle, vu de dessus dans les jeux des rayons solaires, laisse percevoir des couleurs allant du verdâtre au bleuâtre de l'acier. Les teintes noirâtres des lores, des rémiges et des rectrices ont également des nuances bleues et verdâtres qui contrastent avec l'éclat des parties supérieures. Quant aux dessous, ils sont blancs.

La femelle vêt une livrée plus terne: dessus plus foncés où le brun grisâtre domine. Chez le jeune, les dessus sont gris souris et les dessous blancs atténués de brun grisâtre sur la poitrine. Tous ont l'iris brun.

Habitat — Nid — Son territoire s'étend jusqu'au sud de la baie d'Hudson et au centre du Labrador. Il comprend tout terrain découvert: abords des lacs et des cours d'eau, voisinage des terrains cultivés, espaces verts des villages et des villes. Pourchassant les insectes en vol, elle requiert des étendues vastes susceptibles de pourvoir généreusement à sa subsistance.

La Bicolore ne pense pas seulement à donner la chasse aux bestioles ailées: elle ressent également le besoin impérieux de perpétuer l'espèce. Le mâle et la femelle qui ont décidé de faire route ensemble travaillent alors conjointement à la préparation du nid. Le couple qui vit à la campagne élit domicile soit dans un nid abandonné par un Pic, soit dans un creux d'arbre, soit dans une encoignure de bâtiment de ferme. Celui, dont les préférences vont au jardin de banlieue et où l'atmosphère semble propice à l'élevage de petits, intensifie les recherches pour découvrir une maisonnette appropriée.

Dans tous les cas, une fois le choix fixé, le couple garnit le fond du logis de paille et de plumes. Souvent le Moineau domestique s'empare de son nid. L'Hirondelle bicolore quitte alors les lieux pour aller vivre en un endroit plus paisible. Quelques ruses peuvent être utilisées pour favoriser la Bicolore: donner à l'ouverture du nichoir un minimum de grandeur, soit 3,81 cm de diamètre (1,5 po); éliminer le perchoir et installer cette maisonnette seulement à son retour du Sud.

Photo: Ministère de l'Énergie et des Ressources, Service de l'éducation en conservation, Québec, par Jean Sylvain.

Incubation — Élevage des petits — La femelle et le mâle couvent à tour de rôle pendant une quinzaine de jours. Quand le mâle est libre, il partage son temps entre la chasse aux insectes et le guet en se tenant tout près du nid. Il en profite alors pour lancer quelques notes qui ne sont que des gazouillements frêles mais soutenus.

Les deux parents nourrissent leurs rejetons d'insectes variés parmi lesquels figurent même des libellules. En une heure, ils donnent chacun une moyenne de six becquées. Quand les hirondeaux quittent leur abri, ils continuent de recevoir leur part de nourriture, très souvent en plein vol. L'Hirondelle bicolore élève deux couvées par saison.

Techniques de chasse — Régime alimentaire — De grandes ailes lui permettent de demeurer longtemps dans les airs, tantôt naviguant à quelque soixante-quinze ou cent mètres du sol, tantôt volant en rase-mottes, compte tenu de la pression atmosphérique qui conditionne l'altitude des diverses espèces d'insectes.

Pressée par la soif, elle s'abreuve à un lac ou à une rivière en frôlant l'eau à hauteur de bec. Si une trop grande distance la sépare de ces plans d'eau, elle se posera à un endroit plus accessible: ruisselet ou baignoire mise à la disposition des oiseaux. Lorsqu'elle patrouille le long de la forêt ou des haies, elle s'arrête pour se régaler de petits fruits.

Notes particulières — Quand les petits peuvent voler avec assurance et qu'ils peuvent subvenir à leurs propres besoins, elle erre dans la campagne près des rivières et des marais en compagnie de ses congénères. Elles forment alors de longues théories sur les fils, psalmodient en chœur ou zèbrent le firmament dans des persévérantes chasses aux insectes.

Migration — Dès septembre, avant que la disette d'insectes s'annonce trop aiguë, elle met le cap sur le Sud, tout en puisant à plein bec dans les greniers aériens.

L'HIRONDELLE DES SABLES

Nom anglais: Bank Swallow
Nom scientifique: Riparia riparia *(Linnaeus)*
Longueur: 13,2 cm (5,2 po)
Ponte: 4-5 œufs blancs

La plus petite de la famille des Hirundinidés possède toutes les qualités de ses grandes cousines quant à la grâce, la souplesse et la légèreté. Revenue à la fin d'avril de quelque pays chaud du Sud, elle envahit tous les coins du Canada, voire quelques endroits reculés du Québec soit la baie d'Hudson, soit le sud du Labrador.

Ses noms anglais *Bank Swallow* et scientifique *Riparia riparia,* qui tous deux signifient « qui se tient sur les rives », traduisent bien le nom sous lequel elle était connue autrefois, soit celui de « Hirondelle des rivages ».

Description — Le plus frêle de nos planeurs est vêtu de façon plutôt modeste et, de plus, les couleurs du plumage se confondent bien avec son habitat. Les dessus de l'adulte sont brun grisâtre; les dessous blancs sont tranchés d'une bande pectorale grisâtre. L'iris est brun. Le jeune est quelque peu différent de ses parents: menton et partie supérieure de la gorge brun grisâtre, poitrine blanche souvent tachetée de rouille.

Habitat — Nid — Le nid de l'Hirondelle des sables la caractérise fort bien. Pendant que trois espèces au moins de la famille profitent des avantages offerts par l'homme, elle, copie encore ses ancêtres en creusant sa demeure au flanc des falaises de sable ou de gravier. Très souvent cette falaise voisine un lac ou une rivière, mais très souvent aussi elle en est éloignée.

À l'aide de ses pattes et de son bec, l'oiseau fore un corridor d'un diamètre de 5 cm (2 po) sur une longueur pouvant atteindre de 45,72 cm à un mètre (18 à 39 pouces), dont l'extrémité plus large est recouverte de paille, d'herbes sèches et de plumes.

Plus de cinquante couples de la même espèce partagent parfois la même paroi. Comme le lieu de chasse de cette Hirondelle est le même que celui du Martin-pêcheur, bien que leur mode de nutrition diffère, il leur arrive de se voisiner.

Peinture: Germaine Gauthier.

Incubation — Élevage des petits — L'incubation qui dure en moyenne 15 jours est assumée par la femelle et le mâle. Quand les jeunes quittent leur trou sablonneux, une vingtaine de jours après leur éclosion, ils se débrouillent déjà en vol, mais n'en continuent pas moins de recevoir la becquée de leurs parents. Une deuxième couvée suit de près la première.

Régime alimentaire — L'Hirondelle des sables, à l'instar des autres Hirundinidés, se nourrit exclusivement d'insectes. On l'aperçoit souvent, en été, en compagnie de l'Hirondelle bicolore et de l'Hirondelle à front blanc, en chasse au-dessus d'un lac ou d'une rivière ou rasant l'onde pour une gorgée d'eau.

Migration — Aussitôt que les bestioles ailées commencent à diminuer, ce qui survient habituellement en septembre, elle s'envole vers une région chaude: le sud des États-Unis, la Floride, l'Amérique centrale, l'Amérique du Sud où elle continue à remplir son rôle d'insectivore.

L'HIRONDELLE À AILES HÉRISSÉES

Nom anglais: Rough-winged Swallow
Nom scientifique: Stelgidopteryx ruficollis *(Vieillot)*
Longueur: 14,37 cm (5,75 po)
Ponte: 6-7 œufs blancs

C'est la moins connue et la plus rare des Hirondelles du Québec. Le nom générique *stelgidopteryx* tire son origine de deux mots grecs: *stelgido* qui signifie « racloir ou sorte de peigne » et *pteryx* qui veut dire « aile ». Cette appellation qualifie assez bien les barbes en forme de crochets ou de dents de la plus externe des rémiges primaires de l'Hirondelle à ailes hérissées. Ce trait anatomique qui la caractérise ne peut se voir à l'œil nu. Toutefois, il est facile de le constater en promenant un doigt le long de la partie externe des barbes, de la base à l'extrémité. Le nom spécifique *ruficollis,* un mot latin qui veut dire « colline rousse ou rougeâtre », rappelle en quelque sorte son habitat.

Description — À première vue, cette Hirondelle ressemble fort à l'Hirondelle des sables. Toutefois, elle ne possède pas de bande pectorale. Les parties supérieures de l'adulte, y compris les côtés de la tête et le cou, sont bruns; le menton, la gorge, la poitrine, les côtés et les flancs sont grisâtres ou gris brunâtre; l'abdomen est blanc et l'iris brun. Le jeune ressemble à ses parents, mais la gorge, le haut de la poitrine, l'extrémité des tectrices alaires et des tertiaires se teintent de cannelle pâle. De plus, les barbes de la plus éloignée des rémiges primaires sont à peine hérissées ou pas encore développées.

Habitat — Nid — Elle vit surtout au sud-ouest du Québec, mais depuis quelques années elle agrandit son territoire vers le Nord. À l'exemple de l'Hirondelle des sables, elle creuse son nid dans un talus sablonneux ou exploite une crevasse de rocher ou de maçonnerie, soit d'une habitation, soit d'un pont. Ensuite, elle le tapisse de brins d'herbe, de feuilles, de radicelles, de plumes ou autres matériaux souples.

Incubation — Élevage des petits — La femelle surtout assume l'incubation qui dure 16 jours. Elle nourrit ses hirondeaux de plusieurs espèces d'insectes. Les jeunes ne quittent leur nid que lorsqu'ils peuvent voler avec aisance. La mère continue de leur distribuer la becquée en plein vol, et ce jusqu'à ce qu'ils soient capables de se débrouiller de façon autonome.

Le chant — Les sons qu'elle émet, plus rudes que ceux de l'Hirondelle des sables, se traduisent en des « trit-trit ». Le cri d'appel se compose de « pit-pit » rauques et bien dégagés.

Notes particulières — L'Hirondelle à ailes hérissées se déplace plus lentement que ses consœurs, très peu en zigzag, mais surtout en vol plané. Elle n'entretient pas cet esprit grégaire de la plupart des espèces de sa famille et comme l'Hirondelle bicolore, elle élève sa famille en solitaire.

Migration — En septembre, alors que les insectes diminuent, elle s'envole vers le sud des États-Unis.

L'HIRONDELLE DES GRANGES

Nom anglais: Barn Swallow
Nom scientifique: Hirundo rustica *Linnaeus*
Longueur: 17,52 cm (6,9 po)
Ponte: 3-6 œufs blancs tachetés de rougeâtre

La vie de l'Hirondelle des granges, que l'on rencontre dans la plupart des régions du Canada, est associée étroitement à celle de l'agriculteur. Participant durant la saison chaude à l'économie rurale, en se nourrissant totalement d'insectes, elle figure parmi les plus précieux auxiliaires du cultivateur. D'ailleurs, son nom scientifique *Hirundo rustica*, qui signifie « Hirondelle de la campagne », délimite en quelque sorte son territoire.

Description — Elle se distingue à sa queue longue et fourchue. Le plumage de l'adulte caractérise bien l'espèce: dos, ailes et rectrices d'un bleu acier; croupion noir; front et parties inférieures brun rougeâtre; iris brun. La livrée du jeune est plus pâle.

Habitat — L'Hirondelle des granges affectionne particulièrement les abords des fermes où s'étendent d'immenses champs en culture. Plusieurs individus, toutefois, trouvent près des lacs et des rivières, où s'élèvent des chalets, un terrain de chasse riche en insectes et des lieux favorables à la nidification.

Vers le 20 avril, une semaine après l'Hirondelle bicolore, elle survole son vaste biotope. En attendant l'heure de la pariade, elle poursuit d'un vol léger les innombrables bestioles ailées.

Pariade — Nid — Au temps de la pariade, le mâle fait montre de ses talents d'acrobate aérien par des zigzags

savamment calculés et des descentes gracieuses, afin d'impressionner favorablement une femelle. La conquête terminée, le couple s'affaire à la construction du nid: une coupe façonnée de boue, d'herbes, de paille et de plumes et fixée, le plus souvent, à l'intérieur d'une grange soit sur une poutre, soit sur une poutrelle à l'angle du pignon, soit sur une solive en saillie sous les larmiers. Quinze à vingt couples vivent souvent dans le même local.

Le couple qui a choisi de vivre près des riverains bâtit souvent son nid, seul, sous le plafond d'une galerie, sur une planche transversale ou exploite l'architecture d'un abri quelconque. Parfois, une maisonnette d'oiseaux abrite une nichée d'Hirondelles bicolores et ce à une couple de mètres seulement.

Incubation — Élevage des petits — La femelle surtout couve; ce n'est qu'en de rares occasions qu'elle est remplacée par le mâle. L'incubation dure 15 jours. La venue des oisillons met la colonie en état d'effervescence: va-et-vient des adultes qui donnent la becquée à leurs rejetons, gazouillements ininterrompus. Quand les jeunes commencent à voler, les parents les nourrissent en vol de bec à bec; plus tard, ils laissent tomber l'insecte que le petit gobe.

Ces phases successives les acheminent graduellement vers leur rôle d'insectivores autonomes. Cette période d'élevage, du nid à l'émancipation de la progéniture, dure près de deux mois. Viennent ensuite les reconnaissances dans les grands espaces, les interminables gazouillis de ces rangées d'ailes sur les fils ou le faîte des maisons.

Les ennemis — L'Hirondelle des granges compte plusieurs ennemis: le Moineau domestique qui lui vole des matériaux de construction — paille et plumes —, la souris et le rat qui dévorent parfois ses œufs, le chat qui vient croquer des oisillons ou qui lui saute dessus lorsqu'elle frôle le sol.

Le chant — Les gazouillements de l'Hirondelle des granges se composent d'un ensemble de notes aiguës qui s'entrechoquent comme de fines lames où dominent les « vic » et qui s'achèvent en des sons aigres.

Notes particulières — L'habitude qu'a adoptée cette Hirondelle d'élire domicile dans un bâtiment de ferme est sérieusement compromise par l'architecture moderne. En effet, quand toutes les vieilles granges auront disparu, elle sera obligée de réintégrer les antres de ses ancêtres — les cavernes, les falaises rocheuses — et forcément elle s'éloignera de son biome actuel. Ce sera regrettable pour l'homme des champs qui perdra ainsi une alliée de valeur certaine.

Migration — À la fin de septembre ou au tout début d'octobre, elle entreprend un long périple pour aller zébrer les cieux de la Floride, du sud du Mexique ou de quelque pays de l'Amérique centrale et de l'Amérique du Sud.

L'HIRONDELLE À FRONT BLANC

Nom anglais: Cliff Swallow
Nom scientifique: Petrochelidon pyrrhonota *(Vieillot)*
Longueur: 15 cm (6 po)
Ponte: 4-5 œufs blanc crème, tachetés de brun rougeâtre

HIRONDELLE À FRONT BLANC

Peinture: Germaine Gauthier.
HIRONDELLE À AILES HÉRISSÉES

Le nom générique de cette espèce *petrochelidon* vient du latin et signifie « hirondelle des rochers »; cette appellation correspond bien au nom anglais *Cliff Swallow*. Le nom spécifique *pyrrhonota* emprunté aux langues grecque et latine se traduit par « marqué de rougeâtre »; cela décrit exactement la couleur des régions des yeux, des oreilles, des joues, du menton et de la gorge de l'Hirondelle à front blanc.

Description — Cette description sommaire appartient également à l'Hirondelle des granges. Toutefois, l'Hirondelle à front blanc s'en distingue sans peine par trois caractères majeurs: front blanchâtre, croupion chamois cannelle et rectrices carrées. D'autres couleurs précisent son identification et préviennent toute confusion avec les autres espèces d'Hirondelles: collier blanc qui sépare la nuque du dos bleu foncé rayé de blanc, ailes et parties supérieures de la queue gris brunâtre; poitrine, côtés et flancs brun grisâtre, abdomen blanchâtre; iris brun. Le jeune se différencie de l'adulte aux parties supérieures brun foncé, à la gorge et aux côtés de la tête brunâtres.

Retour de migration — Habitat — L'Hirondelle à front blanc revient du Sud quelques jours après l'Hirondelle des granges, soit à la fin d'avril ou au tout début de mai. Son territoire s'étend du sud du Québec à la baie de James et à l'île d'Anticosti. Elle construit son nid aussi bien près d'une rivière isolée qu'en milieu rural ou au centre d'un village.

Photo: J. Boisclair.

Nid — La crise du logement n'existe pas pour cette espèce, car en plus d'utiliser les parois des falaises et les anfractuosités des rochers, elle met à profit les avant-toits de toute construction: maisons domiciliaires, granges, églises, etc. L'oiseau transporte dans son bec de petites boulettes de boue, mêlée d'un peu de paille, qu'il fixe solidement à l'endroit choisi. Le nid épouse la forme d'une outre avec une ouverture latérale ou en face. L'intérieur est doublé de plumes. Comme cette espèce est grégaire, les nids s'alignent nombreux sur la même muraille.

Incubation — Élevage des petits — Après 13 jours en moyenne d'incubation, les petits font leur apparition. Les parents les gavent d'insectes au rythme de douze becquées à l'heure, et ce de l'aube au crépuscule. Quand les jeunes se sentent capables de voler, ils quittent leur demeure de glaise, s'y agrippent comme s'ils craignaient le pire, puis encouragés par les adultes ils s'envolent avec beaucoup d'aisance.

Régime alimentaire — Le menu comprend une variété d'insectes: fourmis, faux-bourdons, punaises, pucerons arboricoles, moucherons, libellules et plusieurs autres. Des araignées complètent les repas.

Ennemis — Les Moineaux domestiques qui s'accommodent de tout genre de nid la chassent souvent pour y élever leurs propres petits.

Le chant — Ses notes plaintives sont plus criardes et plus enrouées que celles de l'Hirondelle des granges.

Migration — Quand la pénurie d'insectes se fait sentir, elle s'envole vers l'Amérique du Sud.

L'HIRONDELLE POURPRÉE

Nom anglais: Purple Martin
Nom scientifique: **Progne subis** *(Linnaeus)*
Longueur: 20,32 cm (8 po)
Ponte: 4-6 œufs blancs

La plupart des citadins manifestent peu d'intérêt au rôle que les oiseaux jouent dans l'économie d'une région. Leur attention porte surtout sur l'éclat de leur plumage ou sur le charme de leur voix. Quant au cultivateur, leur caractère utilitaire constitue un critère très important, car sans l'aide d'oiseaux insectivores, comme l'Hirondelle pourprée, ses récoltes seraient sérieusement menacées.

Elle est du genre *progne* et rappelle Progné ou Procné, une fille du roi d'Athènes qui, selon la légende, fut changée en hirondelle.

Description — Les dessus et les dessous du mâle sont bleu violacé qui, sous un angle particulier de la lumière, produisent des reflets d'irisation. Les rémiges et les rectrices sont plus ternes. Le plumage de la femelle et du jeune est gris sur les dessous; les parties supérieures sont bleu foncé avec une bande grise sur la nuque. Tous ont l'iris brun.

Habitat — Nid — Le territoire de l'Hirondelle pourprée se limite aux régions situées au sud de la province. Elle est rare en bas de Trois-Pistoles. Son retour, parfois vers la mi-avril, est d'autant plus remarqué que cette espèce vit en colonie. Elle recherche, en groupe, un emplacement qui favorisera le plus grand nombre possible de couples. Une cabane à plusieurs logements, six, dix, voire quinze ou vingt, mesurant chacun 20,32 cm sur 20,32 cm (8 po sur 8 po) avec une ouverture de 5,08 cm de diamètre (2 po) fait l'affaire. Chaque couple choisit son compartiment et en recouvre le fond d'une épaisseur de matériaux divers: feuilles, chiffons, papier, corde, paille ou herbes.

Incubation — Nid — La femelle couve pendant 16 jours en moyenne. Après la naissance des oisillons, le mâle et la femelle sillonnent les airs, capturent de nombreux insectes et font la navette entre la nichée et leur aire de chasse. Contrairement aux autres oiseaux qui délaissent leur logis, une fois que les jeunes l'ont quitté, l'Hirondelle pourprée revient s'y abriter, le soir, avec tous les membres de la famille.

Caractères spécifiques — Elle possède des qualités d'excellent voilier. Vue de loin, elle est souvent confondue avec le Faucon dont le vol présente de profondes similitudes.

Photo: Musée national des Sciences naturelles, Musées nationaux du Canada, 79-3096.

L'esprit de sociabilité qui l'anime se manifeste, envers ses congénères, par des échanges de visites et des saluts amicaux. Elles se chamaillent rarement entre elles. Au besoin, elles font front commun pour chasser le Moineau domestique et sonnent l'alerte par des cris rauques et forts, lorsque l'Épervier rôde près de leur demeure.

Régime alimentaire — Des guêpes, des mouches, des sauterelles, plusieurs espèces de charançons et une variété considérable d'autres insectes constituent leur menu.

Le chant — C'est un babillage soutenu simulant un roulement de notes sonores qui s'intensifient avec le nombre accru de participants.

Notes particulières — Le cercle de distribution des colonies d'Hirondelles pourprées se rétrécit de façon inquiétante. Elles sont même disparues de plusieurs coins du Québec, en raison de la recrudescence de l'Étourneau sansonnet qui s'empare de leurs nids et probablement aussi à cause de la pénurie de nids appropriés à l'espèce.

Les maisonnettes destinées à ces hirondelles, nombreuses sur plusieurs propriétés, il y a quelques années, sont tombées en décrépitude et n'ont pas été renouvelées. Il serait souhaitable que les organismes à vocation scientifique sensibilisent les amis des oiseaux à ce grave problème, afin d'aider la Pourprée à se maintenir dans ses quartiers actuels et à reconquérir ses territoires de jadis.

Migration — En août et jusqu'à son départ en septembre pour la Floride, le Mexique, le Venezuela ou le Brésil, l'Hirondelle pourprée survole les rives des cours d'eau.

GRAND CORBEAU

FAMILLE DES CORVIDÉS

Les représentants de cette famille sont particulièrement rusés, circonspects, hâbleurs, voire enjôleurs surtout quand ils désirent un peu de nourriture. Ils figurent parmi les plus intelligents de notre avifaune. Leur bec est long, légèrement arqué et fort. Quelques plumes à la fois minces et raides percent à la naissance des narines. Ils crient d'une voix rauque et caverneuse, ce qui les distingue aisément des autres espèces.

Quatre espèces résident au Québec: le Geai gris, le Geai bleu, le Grand Corbeau et la Corneille d'Amérique.

Photo: Ministère de l'Énergie et des Ressources, Service de l'éducation en conservation, Québec, par Jean Sylvain.

LE GEAI GRIS

Nom anglais: Gray Jay
Nom scientifique: Perisoreus canadensis *(Linnaeus)*
Longueur: 33,02 cm (13 po)
Ponte: 3-5 œufs gris perle mouchetés de brun

Moqueur, siffleur, imitateur, voilà le Geai gris, ce lutin de la forêt qui n'est jamais à court de stratagème soit pour éloigner ses ennemis, soit tout simplement pour s'amuser. Comment se présente donc cet indigène ailé qui s'attache à l'homme pour combler sa solitude ou tromper son ennui? Les uns le dénomment le Geai du Canada — c'est là d'ailleurs son nom spécifique —, d'autres l'appellent la Pie, parce qu'il bavarde sans cesse. De plus, il est voleur, gourmand, effronté, tous défauts qu'il cultive sans honte depuis sa tendre enfance. S'il pouvait parler, on dirait qu'il est vantard en plus d'être un fieffé menteur.

Description — Le plumage mêlé de blanc, de gris et de noir caractérise bien le Geai gris adulte. Le blanc recouvre les plumes raides à la base du bec, la partie antérieure de la couronne, les auriculaires, la nuque, la gorge, l'extrémité des rémiges et des rectrices ainsi que la poitrine, cette dernière teintée de beige. Les autres parties de l'oiseau se partagent entre le gris et le noir: région centrale et postérieure de la couronne, bec, pattes et griffes noirs; dos, rémiges et rectrices gris ardoise; abdomen et flancs gris. L'iris est brun. Le jeune est gris noirâtre.

Habitat — Caractères spécifiques — Toutes les grandes concentrations forestières du Québec lui donnent asile à l'année longue. Il demeure l'un de ces oiseaux qui, au lieu de fuir, viennent les premiers saluer le trappeur isolé visitant quotidiennement ses pièges ou le hardi colon travaillant à monter sa demeure dans une clairière. Il ne réserve pas ses politesses exclusivement aux habitués des grands bois, mais s'approche également du campeur occupé à cuire son repas ou du chasseur qui vient d'abattre un gibier.

Il a le « nez fourré » partout et se sent chez lui dans n'importe quel coin de son vaste biome. Si la porte d'un campement est ouverte et s'il sent qu'il n'y a pas âme qui vive, il entre, examine les lieux, picore dans les plats laissés sur la table et prélève le tribut d'un bon morceau de pain ou de viande.

Les campeurs, toujours de plus en plus nombreux dans nos parcs provinciaux et nationaux, lui procurent de riches sources d'approvisionnement. Il surgit inopinément près d'une table pour saisir un croûton, fouille dans une poubelle pour en ressortir avec un morceau de choix, puis s'envole sur un arbre voisin afin de déguster son festin. Il lui arrive aussi de crier et de gesticuler pour éloigner le Gros-bec errant qui convoite sa part du butin.

Nid — Incubation — Le nid fait de brindilles entrelacées, d'aiguilles de pin, d'écorces et d'herbes desséchées est confortablement assis sur un conifère le plus près possible du tronc. Les œufs sont soigneusement entourés de duvet et de plumes, parce qu'il arrive au Geai gris de couver pendant les mois de mars ou d'avril, alors que le thermomètre

Musée national des Sciences naturelles, Musées nationaux du Canada.

descend parfois jusqu'à moins 34°C. La femelle incube de 16 à 18 jours. Quand les petits éclosent, ils s'enfouissent dans l'épais duvet.

Élevage des petits — Régime alimentaire — Le mâle et la femelle unissent leurs efforts pour nourrir leurs rejetons. Le menu est parfois de grande classe, car cette espèce n'a pas son pareil pour dérober les œufs et les oisillons dans un nid voisin. Les souris, les insectes — quelques-uns apparaissent très tôt au printemps — les graines de conifères et les noix recueillis l'automne précédent et cachés en lieu sûr aident à satisfaire l'appétit glouton de ces petits bavards en pleine croissance.

Le cri — Ses expressions vocales sont très variées: cris rauques, sifflements, imitations des oiseaux de son entourage. Les « oui-à » qu'il lance à tout propos facilitent sa reconnaissance, même s'il ne se montre pas.

Notes particulières — L'automne venu, le Geai flaire les camps des travailleurs ou des chasseurs. Il connaît les heures des repas et sait quand les restes sont disposés avec les autres déchets ou tout simplement jetés sur le sol. Le chevreuil éviscéré et pendu dans un hangar ouvert ou à une branche près du camp lui fournit un mets fortifiant: il s'accroche aux cuisses entrouvertes du cervidé et il en extrait le suif succulent.

Il y aurait encore beaucoup à raconter sur le Geai gris qui, au plus fort des difficultés que l'homme vit en forêt, lui procure du réconfort par sa seule présence. La forêt laurentienne ne serait pas si animée sans ce fanfaron ailé qui symbolise la bonne humeur et l'enthousiasme.

LE GEAI BLEU

Nom anglais: Blue Jay
Nom scientifique: Cyanoccita cristata *(Linnaeus)*
Longueur: 29,21 cm (11,5 po)
Ponte: 3-6 œufs olive verdâtre

Le dicton populaire « curieux comme une belette » pourrait tout aussi bien devenir « curieux comme un Geai bleu ». En effet, c'est là, aurait pu écrire La Fontaine, « un de ses moindres défauts ». Le chasseur au guet le sait fort bien, car le Geai bleu le repère vite et répand bruyamment la nouvelle dans son entourage. Il n'existe pas de meilleur héraut que lui pour prévenir d'un danger les bêtes de son habitat, ce qui n'a pas l'heur de plaire au Nemrod trahi par ce dandy à panache dont l'élégance n'a que d'égal ses vilaines habitudes.

Description — En plus de deux couleurs dominantes, le bleu du dos et le blanc de la poitrine, deux traits caractérisent fort bien cet oiseau: une huppe bleue bien accentuée et un collier noir qui encercle totalement le cou, de la nuque à la base de la gorge.

Habitat — Le cri — À l'instar du Geai gris, il n'émigre pas. Au Québec, les forêts laurentienne et des Appalaches de même que les immenses parcs constituent son biotope. Les habitués de la forêt le voient survolant la cime des arbres, criant ses « dgé-dgé » et ses « tut-tut » et disparaissant subitement dans l'épaisse ramure. Son répertoire est varié, mais pas du tout harmonieux: les notes rauques, engorgées comme une poulie non lubrifiée ou un croassement mal articulé appartiennent à ce pitre de l'art musical.

Nid — Incubation — C'est une accumulation confuse de tout ce qui lui tombe sous le bec: branchettes, feuilles, lanières d'écorce, tiges de plantes, herbes, aiguilles de pin, corde, chiffons, papier, le tout entassé sans cérémonie sur une branche de conifère, quelquefois dans un thuya. L'incubation dure environ 18 jours.

Élevage des petits — Les petits, de trois à six, sont nourris par les deux parents. À cette époque, ils manifestent une agressivité sans pareille à l'endroit de tout intrus, qu'il s'appelle épervier ou homme. Ils jouent alors du bec, des pattes et des ailes pour mettre en fuite l'importun qui s'approche de leur bien.

Régime alimentaire — Aucun ornithologue sérieux prétend que le Geai bleu détient le record comme prédateur de nids. Cette coutume alimentaire constitue environ 1 p. cent de son régime. Il trouve surtout sa subsistance dans les noix, les glands et les faînes (75 p. cent selon quelques biologistes); les sauterelles et les œufs de chenilles (20 p. cent); autres insectes nuisibles (4 p. cent). Durant l'automne, il cache des centaines de glands dans les feuilles jonchant le sol, dans les crevasses ou le creux des arbres. Son bec lui sert d'outil pour ouvrir l'enveloppe coriace du fruit qu'il tient fermement dans ses griffes.

Notes particulières — Il a la réputation de cleptomane invétéré, car il s'empare de tout petit objet brillant qu'il dépose dans son nid. Quelques-uns de ses cris imitent à la perfection ceux de plusieurs espèces d'Épervier, semant ainsi l'épouvante parmi les petits oiseaux.

Les départs massifs de nombreux oiseaux, à la fin de l'été et en automne, laissent le Geai bleu bien indifférent, lui qui utilise les trop courtes heures du jour à la récolte annuelle d'akènes de toutes sortes. Quelques individus de l'espèce quittent la forêt, surtout au cours de l'hiver, et s'aventurent près des maisons où des stations alimentaires sont pourvues quotidiennement de nourriture. C'est une excellente occasion de l'observer et d'admirer sa magnifique parure qui contraste avec la blancheur de la neige.

LE GRAND CORBEAU

Nom anglais: Common Raven
Nom scientifique: **Corvus corax** *Linnaeus*
Longueur: 57,62 cm à 68,58 cm (23 à 27 po)
Ponte: 5-7 œufs vert olive mouchetés de brun

Il n'est pas, comme beaucoup de personnes le croient, le mâle de la Corneille. C'est le plus grand oiseau de la lignée des Corvidés. Ses noms générique et spécifique *Corvus corax,* celui-là provenant du latin et celui-ci du grec, signifient tous deux « corbeau ».

Le Grand Corbeau surpasse en finesse la Corneille et il déjoue le chasseur le plus averti. « Il sent la poudre » à distance et, aussitôt qu'il se sait épié, croasse l'alarme.

Description — Le plumage à la couleur de jais est lustré. Les plumes de la gorge sont allongées et pointues. Le bec massif et long constitue un excellent couteau de boucherie que l'oiseau utilise avec beaucoup de dextérité dans le dépeçage d'une proie.

Habitat — Le cri — Les activités du Corbeau se concentrent dans toutes les vastes étendues forestières. Les « couâs-couâs » enroués et caverneux qu'il lance en vol ou du haut d'un grand arbre le distinguent bien de la Corneille d'Amérique. Il arrive souvent que le chasseur qui guette le chevreuil ou l'orignal soit surpris par ce grand Corvidé qui ne se gêne pas pour dévoiler sa présence en poussant des cris.

Nid — Incubation — Au Québec, les immenses boisés de conifères abritent ses amours. Le nid grossier composé de branchettes est posé soit sur un rocher voisinant un lac ou une rivière, soit dans un arbre touffu. L'incubation dure environ 20 jours.

Régime alimentaire — À l'exemple du Geai gris, il ruse pour ravir aux chasseurs ou aux travailleurs en forêt une portion de leur nourriture. En hiver, quelques-uns s'aventurent plus au sud et, à l'heure des repas, d'accord avec des Goélands argentés, cherchent leur pitance sur la grève du Saint-Laurent ou près des dépotoirs.

Nous lisons dans les saintes Écritures que, le déluge terminé, Noé ouvrit la fenêtre de l'arche et lâcha un Corbeau qui ne revint plus. « Il allait et se nourrissait de cadavres. » Sans être grand seigneur, sire Corbeau a tout de même un menu assez varié. La Fontaine raconte dans l'une de ses fables, qu'un jour un fin renard lui fit échapper son fromage, mais la leçon lui profita.

Depuis ce temps, plus de fromage délicat, mais rongeurs, insectes, mollusques, gibier habilement dérobé au chasseur et de la charogne recueillie çà et là. À ce dernier titre, le Corbeau se classe parmi les oiseaux les plus utiles. Une croyance populaire veut qu'il soit un destructeur d'œufs et d'oisillons, mais c'est plutôt là une conclusion tirée au hasard que le résultat d'observations bien conduites.

Techniques de vol — Il se déplace pesamment, mais de façon bien assurée. Dans les grands vents, il semble posséder la griserie des hauteurs: il vole très haut et imite de façon bien modeste le vol plané de l'Aigle; l'air en mouvement l'enivre et alors il se plaît dans des descentes et des montées en profitant des vagues aériennes. Ces plaisirs sont passagers, car il n'est pas bon voilier comme les Éperviers.

Valeur économique — Durant sa longue existence qui peut atteindre soixante-quinze ans, il n'y a pas de doute qu'il rende des services signalés en débarrassant les champs et les rivages de cadavres en putréfaction. Vu son habitat, il ne peut être considéré comme un oiseau nuisible, car comme nécrophage il paye largement les quelques larcins dont on l'accuse.

Notes particulières — Autrefois, en France et dans quelques pays européens, les enfants croyaient bien naïvement que la Cigogne transportait les nouveau-nés au foyer. Il y a un quart de siècle, dans quelques régions du Québec, l'oiseau porteur de joie était le Corbeau. Les enfants ne manquaient pas alors d'annoncer à leurs amis l'arrivée d'un petit frère ou d'une petite sœur par ces mots: « Le Corbeau est passé chez nous ».

LA CORNEILLE D'AMÉRIQUE

Nom anglais: Common Crow
Nom scientifique: Corvus brachyrhynchos *Brehm*
Longueur: 50,16 cm (19,75 po)
Ponte: 4-8 œufs bleu-vert à vert olive tachetés irrégulièrement de brun et de gris olive

Qui ne connaît pas la Corneille d'Amérique qui s'est taillé une très mauvaise réputation dans le monde des oiseaux? Si les inoffensifs passereaux pouvaient parler, ils en raconteraient long sur cet être malfaisant, ravageur de nids, mangeur d'œufs et d'oisillons. Son plumage noir reflète fidèlement la partie entachée de sa conscience et aussi ses méfaits sont analysés de façon telle qu'elle est honnie du cultivateur. Celui-ci, malgré les épouvantails qu'il dresse dans ses champs ne réussit pas à effrayer ce vandale ailé, pillard impertinent des champs de céréales.

Photo: Musée national des Sciences naturelles, Musées nationaux du Canada, 75-5200.

Description — L'oiseau adulte est tout noir, mais toutefois les parties supérieures du dos, des rémiges et des rectrices laissent percer des reflets verdâtres et violacés. Le jeune est noir brunâtre pendant quelques semaines.

Habitat — On peut dire qu'il couvre tout le territoire occupé par l'homme: secteurs agricole et urbain contigus à des boisés; secteur forestier où besognent des travailleurs; secteur maritime bordé d'arbres divers. Les îles d'Anticosti, de la Madeleine et plusieurs autres du fleuve ont leur contingentement de Corneilles d'Amérique.

Nid — Incubation — Elle construit son nid dans un arbre touffu, un feuillu ou un conifère, à des hauteurs variables, parfois même à plus de vingt-deux mètres du sol (70 pieds). C'est un abri grossier mais solide dans lequel entrent plusieurs matériaux: branchettes, herbes, écorces d'arbres, radicelles, etc. L'intérieur est fini de laine, de crins et de paille. La femelle et le mâle assument l'incubation à tour de rôle, et ce de 17 à 20 jours.

Régime alimentaire — Elle se nourrit de céréales, d'œufs et d'oisillons, comme il a été dit plus haut, mais ces aliments ne sont qu'une infime partie de son menu. Le biologiste américain E.-R. Kalmback dans *The Crow in its Relation to Agriculture* fournit quelques données scientifiques relatives à cet oiseau. « Une part de sa nourriture comprend 41,60 p. cent de sauterelles, 5,34 p. cent de chenilles, 2,61 p. cent de punaises, 6,22 p. cent de rongeurs, 3,95 p. cent de déchets. »

Le cri — Les stridents « caw-caw » qu'elle lance semblent défier l'homme qui lui tend continuellement des pièges, mais que notre rusée évite dans la majorité des cas.

Valeur économique — L'homme aurait mauvaise conscience de lui faire une guerre sans merci, même si elle manifeste par trop d'attention aux repas d'oisillons et de céréales. Il ne faudrait pas mésestimer les services rendus quand elle se repaît de sauterelles, de vers blancs et d'autres insectes nuisibles. En raison de ce bilan positif, nous sommes quelque peu enclins à fermer les yeux sur ses délits. Il serait cependant raisonnable, dans les campagnes où une surabondance de Corneilles d'Amérique nuit à la productivité agricole, d'adopter des mesures de contrôle. En raison de ses ruses quasi légendaires, elle n'est pas prête de disparaître.

Notes particulières — La Corneille est probablement l'oiseau le plus traqué. Toutefois, elle semble détecter avec facilité l'ennemi juré du simple observateur. Dans les parcs, où elle entretient une prédilection pour le rebord des routes, elle se dérange peu ou prou lorsqu'une voiture file à vive allure.

Quant aux chasseurs qui ont mis sa tête à prix, ils ont vite su qu'il n'est pas de tout repos de poursuivre un tel gibier si bien doué pour déjouer leurs noirs projets.

Prise jeune, elle s'apprivoise facilement. Elle reconnaît la voix de son maître, le suit, se pose sur son épaule. Elle s'amuse aussi avec les animaux domestiques. Lorsqu'un oiseau rapace viole le territoire de son maître, elle appelle ses congénères à la rescousse. Il n'est pas rare, le matin, de l'entendre « claironner » de sa voix rauque le réveil. Si cela ne suffit, il lui arrive de tambouriner de son bec à une fenêtre pour obtenir sa part du petit déjeuner.

Migration — Quoique la majorité de ces oiseaux émigrent au Sud, un bon nombre de sujets demeurent ici, assurés de trouver quelques bons morceaux soit aux alentours des dépotoirs, soit à proximité des grands établissements de denrées alimentaires. Les migratrices reviennent au début de mars ou à quelques jours près, selon les régions et, en attendant le moment de l'accouplement voyagent en bandes. Elles abondent alors dans les bosquets ou à l'orée de la forêt où elles font entendre leurs croassements stridents.

Photo Maxime St-Amour.

FAMILLE DES PARIDÉS

Les Mésanges se groupent autour de cette famille. Toutes sont de petite taille: leur longueur, selon l'espèce, va de 10,8 à 15 cm (4,25 à 6 po). Leur bec est court, conique, arqué et résistant; les ailes sont plutôt brèves et arrondies; la queue est longue. Le plumage doux et fin a tendance à bouffer.

Leurs habitudes alimentaires les amènent à fureter partout où elles soupçonnent de trouver quelque substance nutritive. Très souvent alors elles travaillent dans des positions qui requièrent une habileté et une technique peu communes.

Elles voyagent en groupe, sauf au temps de la nidification. Quelques espèces de petits oiseaux se joignent à elles dans leurs courses à travers la forêt. Trois espèces vivent à l'est du Canada dont deux au Québec: la Mésange à tête noire et la Mésange à tête brune.

LA MÉSANGE À TÊTE NOIRE

Nom anglais: Black-capped Chickadee
Nom scientifique: Parus atricapillus Linnaeus
Longueur: 13,33 cm (5,25 po)
Ponte: 4-8 œufs blancs mouchetés de marron et de pourpre

La nature gaie et paisible de ce Paridé lui assure la sympathie tant d'une pléiade de petits oiseaux qui évoluent dans son entourage que de l'homme qui ne se lasse jamais de le voir et de l'entendre. Son appellation scientifique *Parus atricapillus,* qui se traduit par « mésange » (parus) « qui a les cheveux noirs » (atricapillus), décrit avec justesse un aspect physique de la Mésange à tête noire.

Description — Les plumes du dos, de la queue et des ailes tendent vers des teintes grisâtres; celles des grandes susalaires, des rectrices latérales et du rebord des rémiges secondaires sont blanches. Le menton et la gorge sont d'un noir velouté; les côtés de la tête, du cou et la poitrine sont blancs; les flancs sont chamois; l'iris est brun.

Habitat — Nid — Elle vit partout au Québec où se développent les forêts mixtes. En juin, elle choisit l'emplacement de son nid. Ordinairement, une cavité d'arbre, une vieille souche, un trou creusé par un Pic ou tout nichoir construit par l'homme fait l'affaire. La Mésange en tapisse le fond de

Photo: Ministère de l'Énergie et des Ressources, Service de l'éducation en conservation, Québec, par Jean Sylvain.

brindilles, de mousse, de plumes, de crins et de poils d'animaux.

Incubation — Nutrition et élevage des petits — La femelle et le mâle assument la corvée de l'incubation qui dure 13 jours. Tous deux nourrissent leurs rejetons de chenilles, d'araignées, de phalènes et d'autres insectes parfois gobés en vol. Quand les jeunes font suffisamment preuve de vigueur physique, ils accompagnent leurs parents dans leurs tournées quotidiennes. À la fin de l'automne ou au tout début de l'hiver, ils s'unissent à d'autres familles pour faire la tournée des arbres.

Régime alimentaire — Techniques de chasse — La Mésange à tête noire consomme une grande quantité d'insectes ainsi que des graines de mauvaises herbes et de petits fruits sauvages. En hiver, elle visite les garde-manger destinés aux oiseaux, et où se trouvent parfois deux de ses mets favoris, du suif et des graines de citrouille.

Ses talents d'équilibriste l'aident à découvrir les cachettes d'insectes à l'un ou l'autre de leur stade de développement. Ses griffes pointues la soutiennent lorsque, la tête en bas, elle explore le revers des feuilles ou le dessous des branches.

Le chant — Le cri — Son répertoire est composé de plusieurs phrases musicales. La mieux connue comme la plus harmonieuse est un délicieux « chic-à-di-di-di- » Quelquefois deux notes interrogatrices se traduisant par « qu'es-tu? » fusent dans la ramure. Ses congénères répondent par un musical « di-di » perçant qui peut être répété trois, quatre ou cinq fois au gré fantaisiste des exécutants. De plus, elle fait entendre un « fé-bi » clair et joyeux qui,

sous un certain aspect, ressemble au chant du Moucherolle phébi, mais sans le ton mélancolique de ce dernier. Un de ses principaux cris ressemble à un « tsi-tsi » sifflant lancé par un ou plusieurs individus: c'est le signal d'un danger ou un appel de ralliement.

Valeur économique — Ses habitudes alimentaires soit comme insectivore, soit comme granivore favorisent grandement les intérêts du forestier et du cultivateur. Il serait étonnant de connaître le volume d'insectes et de graines nuisibles que toutes nos Mésanges dévorent en un an.

Notes particulières — La femelle défend sa couvée avec vigueur. Sa petite taille l'oblige à faire preuve d'initiative. D'ailleurs, elle utilise un subterfuge bien amusant: si un écornifleur trop entreprenant vient mettre le nez près de son nid, elle retient son souffle, puis le lâche brusquement, ce qui produit un léger courant d'air qui surprend l'intrus qui se demande si la Mésange ne lui a pas craché dessus.

Mœurs d'hiver — C'est en automne et surtout en hiver qu'un esprit de groupe extraordinaire anime les Mésanges à tête noire. Elles affrontent ensemble les froids les plus piquants, se rient des bourrasques et font corps pour assainir les arbres en les écumant d'éléments nuisibles tels que larves, pupes et œufs d'insectes. En agissant sans précipitation, l'observateur réussit à les faire manger dans ses mains.

Il en faut des calories à ces fragiles créatures laineuses pour entretenir la chaleur de leur être et c'est pourquoi elles débordent d'une activité intense! Leur bonhomie attire dans leurs rangs plusieurs autres insectivores dont les Pics mineur et chevelu, la Sittelle, le Grimpereau et le Roitelet à couronne dorée. Chacun d'eux exploite sa propre technique de dépistage, ce qui fait la force et l'importance de l'équipe.

LA MÉSANGE À TÊTE BRUNE

Nom anglais: Boreal Chickadee
Nom scientifique: Parus hudsonicus *Forster*
Longueur: 12,7 cm (5 po)
Ponte: 6-7 œufs blancs mouchetés de marron et de pourpre

Par ses mœurs, elle ressemble à la Mésange à tête noire. Alors que celle-ci habite surtout les forêts mixtes, celle-là marque des préférences sensibles pour les forêts conifériennes. Ses noms anglais et scientifique laissent sous-entendre que son habitat est surtout boréal. Au Québec, son territoire s'étend de la baie d'Ungava au lac Témiscamingue; on la

Photo: Ministère de l'Énergie et des Ressources, Service de l'éducation en conservation, Québec, par Jean Sylvain.

retrouve également en Gaspésie sur les îles de la Madeleine et d'Anticosti.

Description — Ces deux Paridés seraient pris l'un pour l'autre, si ce n'était de la couleur de leur livrée: la Mésange à tête noire porte allègrement un vêtement classique de gala, tandis que la Mésange à tête brune vêt un costume sombre qui ressort bien dans le vert des conifères. Les teintes de son plumage se présentent ainsi: tête et dos entièrement bruns; gorge noire; côtés de la tête et du cou, de même que la poitrine de ton gris; flancs rougeâtres; queue et ailes gris ardoise; iris brun.

Mœurs — Son comportement ressemble à celui de la Mésange à tête noire. Son « chic-à-di-di-di » est plus aigu, mais chanté d'une voix pleine avec tout le charme que déploie sa cousine. Sa façon de chasser, ses goûts alimentaires, son mode de nidification, tout cela elle le retrouve chez sa parente à tête noire.

Migration — Il lui arrive de sortir de son territoire habituel pour explorer les forêts de l'Est. C'est alors qu'elle parcourt très souvent les Laurentides où elle est assez commune en hiver.

FAMILLE DES SITTIDÉS

Ces petits Passeriformes appelés Sittelles, dont la taille n'excède pas 15,24 cm (6 po), possèdent quelques caractères communs: doigts comme ceux des individus de leur ordre, mais munis de griffes qui adhèrent fermement à l'écorce; bec légèrement tourné vers le haut, long comme celui d'un Pic mais pointu; ailes longues et effilées; queue courte dont les rectrices arrondies épousent, lorsque déployées, une forme rectangulaire.

Ce sont des grimpeurs excentriques qui se déplacent dans les arbres en commençant par la cime, la tête en bas. En plus d'être insectivores, les Sittelles aiment se délecter de l'amande comestible des glands. Alors, elles les coincent dans la fente d'un arbre et les perforent de leur bec. Leur nom anglais « Nuthatch » (qui couve les noix) vient de cette habitude.

Le Canada compte quatre espèces de Sittelles dont l'une vit surtout à l'ouest. Pour sa part le Québec en dénombre deux: la Sittelle à poitrine blanche et la Sittelle à poitrine rousse.

LA SITTELLE À POITRINE BLANCHE

Nom anglais: White-breasted Nuthatch
Nom scientifique: Sitta carolinensis *Latham*
Longueur: 15,24 cm (6 po)
Ponte: 5-8 œufs blancs ou blanc rosâtre mouchetés de marron

Une multitude de parasites se réfugient dans les arbres et les rongent en dedans comme en dehors. Heureusement, plusieurs espèces d'oiseaux, en raison de leur régime alimentaire et de leur mode de chasse, contrent les méfaits de ces destructeurs. Quelques-unes assainissent l'arbre en le débarrassant d'ennemis intérieurs tandis que d'autres pourchassent ceux de l'extérieur. La Sittelle à poitrine blanche, connue aussi sous l'appellation de Sittelle de la Caroline — son nom spécifique *carolinensis,* — appartient à cette deuxième catégorie.

Photo: Direction générale du cinéma et de l'audiovisuel, Québec, par J.-L. Frund.

Description — Corps de forme ovoïde, yeux bruns inquisiteurs, bec long, fini en pointe et recourbé très légèrement vers le haut, allure de souris, telle est cette Sittelle. Le noir de jais de la tête se prolonge jusqu'à la hauteur du dos; celui-ci est bleuâtre ainsi que les rectrices centrales. Les autres rectrices sont noires traversées d'une bande blanche. Les ailes sont bleuâtres; les rémiges primaires ainsi que les sus-alaires, les grandes et les moyennes, bordées de noir. Les parties inférieures, les côtés des joues et de la nuque sont blancs.

Habitat — Nid — Incubation — La Sittelle à poitrine blanche habite la forêt mixte de toutes les régions du Québec. Elle construit son nid soit dans un arbre, soit dans une vieille souche à un mètre environ du sol, soit dans une cavité naturelle de l'arbre ou celle creusée par un Pic. La hauteur varie beaucoup et peut atteindre jusqu'à dix-huit mètres (60 pieds). La femelle le complète de fines herbes, de feuilles, de poils d'animaux et de plumes. L'incubation dure 12 jours.

Techniques de chasse — Régime alimentaire — C'est un oiseau des troncs et des grosses branches qui se déplace avec souplesse en tous sens et dans des positions à nous donner le vertige. Il sautille avec d'autant d'aisance sous une branche que dessus. Un autre trait qui le distingue bien est sa façon d'aborder un arbre: Il commence sa ronde par le haut, descend en ligne droite, la tête en bas tout en pointant le bec le long des fentes et en l'insérant dans les interstices de l'écorce pour en extraire les insectes, les œufs et les pupes. La Sittelle mange aussi un peu de maïs échappé des épis, des baies sauvages et des glands.

Le cri — Pendant ses chasses, elle lance des « coin-coin » rauques et nasillards. On est porté à croire qu'elle est loin alors qu'elle œuvre tout près de l'observateur.

Valeur économique — Les services qu'elle rend au sylviculteur sont d'autant plus appréciables qu'elle travaille pour lui douze mois par année.

Notes particulières — Durant l'hiver, elle se laisse attirer par le suif suspendu à une branche. En y mettant du temps et de la patience, elle devient aussi familière que la Mésange.

LA SITTELLE À POITRINE ROUSSE

Nom anglais: Red-breasted Nuthatch
Nom scientifique: Sitta canadensis *Linnaeus*
Longueur: 11,68 cm (4,6 po)
Ponte: 4-8 œufs blanc grisâtre légèrement ou profondément tachetés de brun-rouge au gros bout

La forêt conifèrienne est le biotope de la Sittelle à poitrine rousse. Elle était connue autrefois sous le nom de Sittelle du Canada, *sitta canadensis*. Se conformant rigoureusement aux us et coutumes de la famille des Sittidés, elle commence

Photo: Ministère de l'Energie et des Ressources, Service de l'éducation en conservation, Québec, par Jean Sylvain.

sa récolte d'insectes dès les premières lueurs de l'aube, à la tête des arbres, en redescend tête première tout en visitant l'extrémité des branches.

Description — Elle ne peut être confondue avec la Sittelle à poitrine blanche, en raison de sa taille et de ses couleurs: tête noire, raies sourcilières blanches soulignées d'une bande noire étroite qui court de la base du bec à la zone du cou; dos, couvertures des ailes et rectrices centrales gris bleuâtre; ailes brun clair; deux rectrices latérales noires tachetées d'un peu de blanc sur les rebords. La gorge est blanche; les autres parties inférieures rousses. L'iris est brun.

Habitat — Nid — Incubation — Moins familière que la Sittelle à poitrine blanche, à cause de la localisation de son habitat, surtout au nord du Québec, elle est cependant aperçue très souvent dans la forêt laurentienne et dans les régions de l'est.

Il lui arrive de creuser elle-même son nid dans un arbre dont le bois est mou ou en état avancé de décomposition. Ce logis situé parfois à une grande hauteur est constitué de

matériaux identiques à ceux utilisés par sa cousine. Toutefois, elle réduit le diamètre de l'ouverture avec de la gomme de sapin, imitant en cela la Sittelle européenne, *sitta europea,* laquelle tire profit d'un mortier composé de boue. C'est probablement là une mesure de sécurité contre l'intrusion dans son habitation d'un animal plus gros. L'incubation dure 12 jours.

Le cri — Tout en besognant, elle émet des « coin-coin » semblables à ceux de la Sittelle à poitrine blanche, mais dits sur un ton plus élevé.

Notes particulières — La plupart des habitudes de nos deux espèces de Sittelles sont identiques. Les quelques particularités qui les différencient concernent leur lieu d'habitat, le mode de construction de leur nid et l'intensité de leurs activités.

La Sittelle à poitrine rousse fait partie de nos oiseaux sédentaires. Certaines années à l'occasion de disette de graines de conifères, elle hiverne plus au sud-est. Elle revient à son biotope naturel à la fin avril ou au tout début de mai.

FAMILLE DES CERTHIIDÉS

Une seule espèce de cette famille vit par tout le pays. Il s'agit du Grimpereau brun qui présente des traits bien spécifiques: bec grêle, long, arqué et pointu; rectrices lancéolées, rigides et pointues; griffes fortement recourbées et acérées.

LE GRIMPEREAU BRUN

Nom anglais: Brown Creeper
Nom scientifique: Certhia familiaris *Linnaeus*
Longueur: 12,06 cm (4,75 po)
Ponte: 5-8 œufs blancs ou crème tachetés de pourpre

Le quatuor Mésange, Sittelle, Pic mineur et Grimpereau groupe des adeptes du travail en série. Voyageant très souvent de compagnie, ces quatre Passeriformes unissent leurs efforts pour dépolluer les arbres des insectes, en dedans comme en dehors, depuis la base jusqu'au faîte.

Le Grimpereau brun, ou Grimpereau d'Amérique selon Taverner, que Claude Mélançon appelle Grimpereau familier — c'est son nom spécifique et celui qu'il porte en Europe — appartient à cette catégorie d'oiseaux dont le garde-manger par excellence est l'arbre lui-même.

Description — Le plumage se marie bien à l'écorce des arbres: parties supérieures rayées de brun et de blanc, croupion brun rougeâtre, rectrices externes brunes, rémiges brunes atténuées de blanc, raies sourcilières blanches. Les parties inférieures sont blanc grisâtre; l'iris est brun.

Habitat — Nid — C'est un oiseau des forêts mixtes et un visiteur assidu des vergers. Il nidifie dans le sud du Québec: île d'Anticosti, Natashquan, sud du lac Mistassini et sûrement dans le parc des Laurentides où on le rencontre durant tout l'été.

Le nid composé de branchettes, de lanières d'écorce et de plumes est dissimulé sous une écorce dépenaillée de sapin mort. Ce camouflage protège la couvée et permet aux parents de nourrir leurs petits en toute quiétude.

Techniques de chasse — Régime alimentaire — Les plumes fermes et pointues de la queue servant d'appui, il escalade un arbre aussi bien que n'importe quel Pic. Il s'agrippe à toute écorce, qu'elle soit rugueuse comme l'orme ou lisse comme le hêtre. Quand le tronc est suffisamment développé, soit environ 24 cm de circonférence, le Grimpereau en fait l'ascension en spirale. Il est le seul oiseau à opérer dans ce style. Lorsque le fût rétrécit, il se laisse choir à la base de l'arbre voisin et reprend un circuit similaire, tout en fouillant de son bec incurvé les moindres lézardes. Toutefois, si l'arbre est plus petit, il grimpe en droite ligne.

Il se nourrit d'œufs d'insectes, de cocons, de larves, de chenilles, de fourmis, de plusieurs autres espèces ainsi que d'araignées.

Le cri — Pendant qu'il lutte pour satisfaire son estomac en appétit, en raison de sa dépense continuelle d'énergie, il fait entendre parfois de mélancoliques « sip-sip ».

Notes particulières — Sa petitesse ainsi que ses couleurs, dont le brun se confond avec l'écorce, rendent difficile son observation. Quand un indiscret rôde trop près de sa petite personne, il se glisse furtivement de l'autre côté de l'arbre. Si l'intrus insiste et veut le suivre dans ses mouvements, il disparaît sur le côté opposé. Il vaut mieux alors pour l'observateur de ne pas bouger et d'attendre que le petit drôle reprenne sa course normale.

Habitat d'hiver — Comme ses trois coéquipiers, il n'émire généralement pas. La forêt demeure son biome permanent où il exerce son rôle de persévérant insectivore, ce qui lui mérite l'estime du propriétaire forestier.

FAMILLE DES TROGLODYTIDÉS

Le mot troglodyte vient de la langue grecque et signifie « habitant des cavernes ». En effet, le Troglodyte bâtit toujours son nid dans un trou, chaque espèce y apportant des variations selon le milieu.

Les Troglodytidés sont de petits oiseaux au plumage terreux, au bec long et arqué, aux ailes courtes et à la queue qui retrousse au moindre mouvement. Ils sont très remarquables par leur vivacité et leur faconde.

Cette grande famille fort représentative sur notre planète compte environ 250 espèces et sous-espèces. Vingt-huit vivent dans les limites des États-Unis; le Canada, pour sa part, en abrite dix, dont quatre sont vues régulièrement au Québec: le Troglodyte à bec court, le Troglodyte des forêts, le Troglodyte des marais et le Troglodyte familier.

TROGLODYTE DES FORÊTS

Peinture: Germaine Gauthier.

LE TROGLODYTE FAMILIER

Nom anglais: House Wren
Nom scientifique: Troglodytes aedon *Vieillot*
Longueur: 12,7 cm (5 po)
Ponte: 6-8 œufs blanc terne marqués de nombreux points rougeâtres

Photo: Musée national des Sciences naturelles, Musées nationaux du Canada, 79-3025.

Le roitelet le plus commun rencontré au Québec, également dans le sud des autres provinces, est le Troglodyte familier. Taverner l'appelle Troglodyte aédon (le mot aède vient du grec et signifie « chanteur »); de son côté, Claude Mélançon le baptise de plusieurs noms: Troglodyte musicien, Troglodyte railleur et Roitelet.

Description — Le plumage de la tête, du dos, des ailes et de la queue se confond avec la couleur terreuse du sol de la forêt. D'étroites bandes noires rompent la monotonie du brun de la queue, des rémiges secondaires et des grandes sus-alaires. La région des yeux, des oreilles et des joues est un mélange de brunâtre et de blanc pâle. Les parties inférieures sont grises, soulignées aux flancs de traits bruns transversaux. Le bec, plus court que la tête, est légèrement incurvé. L'iris est brun.

Retour de migration — Habitat — Son retour au début de mai ne passe pas inaperçu. Ses déplacements rapides et ses mouvements fébriles laissent croire en sa présence partout en même temps. Le mâle arrive quelques jours avant la femelle. En attendant sa future compagne, il borne son biotope, chante si fort que son frêle corps en frissonne, furette dans tous les taillis, transporte des brindilles dans diverses cavités, bref, régente son petit royaume en exerçant ses droits de Roitelet.

Le territoire du Troglodyte familier est très vaste: sud-est du Québec à la Gaspésie; sud-ouest à l'Abitibi. Il est très commun autour des fermes et des villages entourés de bosquets.

Nid — Incubation — Il appartient à la femelle de résoudre le problème du nid. Ce peut être une excavation dans un arbre, un trou creusé par le Pic mineur, un boîte en fer-blanc, une maisonnette d'oiseau, une vieille chaussure ou toute autre cavité assez grande pour que l'oiseau puisse y pénétrer. Un nichoir d'une ouverture de 2,38 cm ($^{15}/_{16}$ de po) lui convient, ce qui lui permet d'évincer le Moineau domestique et l'Étourneau sansonnet. Les matériaux qui en recouvrent le fond peuvent être aussi hétéroclites que le style d'habitation: branchettes, toiles d'araignée, paille, écorces d'arbre, bouts de broche, plumes, duvet, etc. Les deux partenaires couvent à tour de rôle 14 jours durant.

Nutrition des petits — Régime alimentaire — Deux couvées par saison ne viennent pas à bout des énergies de ce Troglodytidé. Les parents manifestent beaucoup d'ardeur pour satisfaire leurs petits affamés qu'ils gavent de sauterelles, de chenilles, de punaises, de scarabées et d'araignées. Le menu servi aux jeunes est le même que celui des adultes.

Caractère — Le Troglodyte familier est de caractère vindicatif. Au lieu de vivre en paix avec ses voisins, il les provoque. C'est ainsi qu'il oblige parfois l'Hirondelle bicolore à quitter son nid, qu'il se chamaille avec le Merle bleu à poitrine rouge et qu'il perfore les œufs de quelques espèces d'oiseaux. Heureusement que cette mauvaise habitude ne touche que quelques individus. Toutefois, il ne revient pas toujours vainqueur de ses esclandres. Quand il livre bataille à l'Étourneau sansonnet, il lui arrive d'avoir la peau trouée par le puissant bec de cet adversaire.

Le chant — À son arrivée au printemps, le mâle s'égosille en un roulement de notes harmonieuses, soutenues et qui se précipitent semblables à l'écoulement des eaux d'un ruisseau. Ces élans musicaux se répètent à de courts intervalles.

Notes particulières — Quand il ne chante pas, il s'agite, vole de branche en branche, morigène pour se donner des airs d'autorité et fait passer son agressivité sur les insectes découverts au hasard de ses déplacements.

En dépit de ses défauts, il mérite d'être protégé. Comme insectivore à 100 p. cent, il gagne une mention d'honneur; comme chanteur, il mérite le titre envié de maestro.

Une des meilleures façons de l'attirer est de lui réserver un nichoir dont l'ouverture est grande comme un vingt-cinq cents et que lui seul peut franchir.

Migration — Avant que les jours froids lui coupent toutes les vivres, il s'envole vers le Sud et se rend même jusque dans l'est du Mexique.

à la hâte son biome d'été. C'est le cœur en fête qu'il le parcourt, le délimite en tous sens par ses chants pour en faire sa propriété.

Le territoire de cet oiseau couvre le sud du Québec de l'est à l'ouest et se prolonge du côté des Appalaches jusqu'en Gaspésie. Du côté des Laurentides, il s'étend jusqu'à Saint-Augustin un peu en deçà de Blanc-Sablon. Il nidifie aussi sur

LE TROGLODYTE DES FORÊTS

Nom anglais: Winter Wren
Nom scientifique: Troglodytes troglodytes (Linnaeus)
Longueur: 10,16 cm (4 po)
Ponte: 5-7 œufs blanc crème avec points brun rougeâtre

Autant le Troglodyte familier aime partager la civilisation des humains, autant le Troglodyte des forêts la fuit pour vivre en ermite aux abords d'un marais ou d'un ruisseau. Les couleurs du plumage lui facilitent ce jeu de cache-cache dans les fourrés épais et, de plus, sa petite taille ainsi que ses mouvements nerveux lui permettent de se soustraire rapidement aux projets de tout envahisseur.

Description — Dans l'ensemble, il se présente dans des couleurs brunes distribuées en une gamme variée de nuances claires et foncées. Les parties supérieures sont de ton brun rouge. D'étroites bandes noirâtres traversent le dos, les épaules, les ailes, les tectrices sous-caudales et les rectrices supérieures. Les parties inférieures sont d'un brun léger parfois grivelées très sommairement. La région des joues, des yeux et des oreilles a des teintes brun clair striées d'un brun plus pur. Les raies sourcilières blanches tranchent bien dans ces couleurs terreuses. L'iris est brun.

Retour de migration — Habitat — Le Troglodyte des forêts qui, durant quatre mois environ, a vécu dans quelque grand boisé des États-Unis, revient vers la mi-avril et regagne

plusieurs îles du Saint-Laurent, entre autres sur celles de la Madeleine et d'Anticosti.

Nid — Incubation — Élevage des petits — Les mœurs du Troglodyte dictent à la femelle les règles touchant la construction de son nid. Elle sait le camoufler dans la cavité d'une souche vieillie ou dans l'enchevêtrement des racines d'un arbre croupissant dans l'épais tapis végétal. C'est un entrelacement de branchettes, de tiges de plantes, de mousse et de lichen, dont le fond est recouvert de mousse, de fourrure et de plumes. Une ouverture circulaire y donne accès.

L'incubation dure environ 14 jours. Pendant que la femelle couve, le mâle chante tout en s'inquiétant de sa subsistance. Il est fort probable que, comme le Troglodyte familier, il prenne la relève de sa compagne. L'éducation des petits est affaire du couple qui les nourrit d'insectes divers et d'araignées.

Le chant — Plumes de la queue retroussées, allure frétillante, le mâle lance ses notes claires, pleines d'assurance, roulées dans la gorge comme des billes de cristal et reprises plusieurs fois à de très brefs intervalles. L'observateur est chanceux quand il peut le voir, car ce pétillant musicien fait preuve de grande discrétion. S'il est dérangé, il s'envole pour reprendre sa mélodie un peu plus loin.

Migration — Ce n'est que tard en automne, parfois juste avant l'apparition de l'hiver qu'il délaisse la forêt pour s'engager plus au sud. Il arrive même que quelques individus de cette espèce subissent chez nous la rude saison des froids. C'est probablement cette habitude qui lui a valu le nom de Troglodyte d'hiver et que, d'ailleurs, il conserve encore en anglais.

MOQUEUR CHAT

FAMILLE DES MIMIDÉS

Ces oiseaux ont quelques traits en commun: bec fin, légèrement incurvé, mais plus prononcé chez le Moqueur polyglotte et le Moqueur roux; vibrisses raides et très accentuées; queue longue à rectrices arrondies; tarse fortement recouvert d'écailles.

Les Mimidés appelés aussi Moqueurs ou Imitateurs comptent onze espèces au Canada dont trois au Québec: le Moqueur polyglotte, le Moqueur chat et le Moqueur roux.

LE MOQUEUR POLYGLOTTE

Nom anglais: Mockingbird
Nom scientifique: Mimus polyglottos *(Linnaeus)*
Longueur: 27,94 cm (11 po)
Ponte: 4-5 œufs vert bleuâtre recouverts de nombreux points bruns

Quand on parle d'oiseau moqueur, on signale toujours en premier lieu la grande vedette: le Moqueur polyglotte qui est un imitateur de classe. Taverner lui a donné plusieurs noms: la Grive polyglotte, l'Oiseau moqueur et le Merle moqueur. Son nom générique *mimus,* d'où vient la famille des Mimidés, vient du latin et signifie « imitateur » ou « mime »; son nom spécifique *polyglottos* (du préfixe *poly* et du grec *glôssa* ou *glôtta,* langue) veut dire « plusieurs langues ».

Photo: Musée national des Sciences naturelles, Musees nationaux du Canada, 79-3095.

Description — Son identification est très facile, en raison de sa forme légère et élancée et de ses couleurs: gris qui ressort de l'ensemble de son plumage, bordure blanche des grandes et des moyennes sus-alaires, tache blanche de la partie supérieure des rémiges primaires, rectrices latérales en grande partie laiteuses et iris d'un jaune très pâle.

Habitat — L'espèce très rare au Québec il y a quelques années nidifie présentement dans plusieurs centres: Montréal, Estrie, banlieue de Québec (notamment à Sainte-Foy), Saguenay, Rimouski et quelques autres régions.

Nid — Incubation — La femelle construit très souvent son nid dans un buisson, parfois dans un arbre à une hauteur de un à sept mètres. Il est composé de branchettes, d'herbes, de mousse, de feuilles et l'intérieur est tapissé d'herbes desséchées et de radicelles. La femelle seule assure l'incubation d'une durée approximative de 12 jours.

Régime alimentaire — Le Polyglotte se nourrit de sauterelles, de fourmis, de chenilles et de quelques autres insectes. Quand les petits fruits viennent à maturité, il ne manque pas de s'en régaler. En automne, il se tient dans les endroits où ils abondent et, à l'instar des Grives et du Merle, il les mange avec avidité.

Le chant — Il aime se percher haut pour exécuter ses nombreux chants: une cheminée, une antenne de télévision ou l'extrémité d'une haute épinette. Parfois en plein milieu d'une phrase musicale, il bondit pour gober un insecte. Ses imitations aussi variées qu'inattendues couvrent une gamme vaste de cris et de sons: caquetage de la poule, aboiement du chien, répertoire d'un grand nombre d'oiseaux — Merle d'Amérique. Grive des bois, Sittelle à poitrine blanche, Pluvier kildir, etc.

Lorsqu'il entre en scène, lançant des notes aiguës, claires, voire percutantes et mêlées à des notes graves, il nous laisse l'impression que toute une fanfare met en branle ses instruments. Avant de passer à une nouvelle partition, il répète le même thème quatre ou cinq fois de suite.

Migration — Quelques individus hivernent ici, si les petits fruits sauvages sont vraiment abondants. Toutefois, la plupart s'envolent vers le Sud au cours du mois d'octobre.

LE MOQUEUR CHAT

Nom anglais: Catbird
Nom scientifique: Dumetella carolinensis *(Linnaeus)*
Longueur: 22,22 cm (8,75 po)
Ponte: 4-6 œufs bleu verdâtre

Ce Mimidé, bien connu dans plusieurs régions du Québec, a plusieurs noms dont deux concernent ses talents d'imitateur: Oiseau-chat et Merle-chat; un troisième, « Grive de la Caroline », rappelle son nom spécifique *carolinensis*. Quant à son nom générique *dumetella* il vient de deux mots latins: *dumus* (ronceraie ou buisson) et *tellus* (domaine). C'est en effet dans un buisson ou parmi les aubépines que le Moqueur chat construit son nid.

Description — C'est un oiseau svelte et d'allure sportive aux couleurs sombres: bec et couronne noirs, iris brun, dos et parties inférieures gris ardoise et tectrices sous-caudales brun-rouge.

Retour de migration — Habitat — Il signale son arrivée à la fin d'avril par des chants et des cris très variés. C'est aussi avec fracas qu'il se taille un biome et qu'il célèbre les doux moments de la parade.

Le territoire qu'il couvre est immense: sur la rive sud, de Huntingdon à Rivière-du-Loup, et, sur la rive nord, de l'Outaouais à Baie Sainte-Catherine dans le comté de Charlevoix. Il abonde dans le parc de la Gatineau, dans la Vallée du Richelieu et dans les Cantons de l'Est.

Nid — Incubation — Élevage des petits — La femelle visite plusieurs buissons avant de décider quel arbuste abritera son nid. Son choix porte souvent sur une branche d'accès difficile d'une haie d'aubépines ou dans un arbre bien feuillu à moins de un mètre du sol ou tout au plus à deux. Plutôt grossier, le logis façonné par le couple est composé de feuilles sèches, de brindilles, de racines, d'herbes et il est doublé à l'intérieur de fines radicelles. L'incubation dure une douzaine de jours.

Le Moqueur chat élève deux couvées par été. Le mâle, en époux fidèle et dévoué, ne laisse pas à sa compagne seule le soin de nourrir la nichée. Pendant que l'ardente petite mère construit un second nid, son cavalier servant s'affaire à donner la becquée à quelques petits affamés.

Régime alimentaire — Le menu est varié: fourmis, sauterelles, chenilles, fruits sauvages et cultivés — fraises, framboises, baies —. De nature frugivore, en temps d'abondance, il se permet de retarder son départ vers le Sud.

Le chant — Il possède tout un méli-mélo de sons variés où se mêlent et s'entrechoquent les diverses harmonies du Merle d'Amérique, du Pinson chanteur, de l'Oriole orangé et de beaucoup d'autres espèces. Lorsqu'il jouit d'un moment de répit, il débite son bagage d'emprunts sonores et, en gamin incorrigible, prend plaisir à faire damner les oiseaux du voisinage en poussant des miaous inquiétants.

Notes particulières — Le Moqueur chat, très sympathique à l'homme à cause de la versatilité de son répertoire, ne s'attire pas, par ailleurs, l'amitié de quelques espèces d'oiseaux qui se méfient fort de ce félin à deux pattes qui furette dans les buissons où se dissimulent leurs nids, miaule comme un chat, simulant ainsi l'attaque éventuelle de ce rusé quadrupède carnivore. Ces inquisitions souvent répétées lui encourent l'ire du Merle d'Amérique et des Pinsons qui le soupçonnent de quelque mauvais dessein.

Migration — Quand les premiers froids mordent les petits fruits encore accrochés aux branches, il s'empresse de regagner une forêt chaude des États-Unis.

Photo: Musée national des Sciences naturelles, Musées nationaux du Canada, 79-3001.

LE MOQUEUR ROUX

Nom anglais: Brown Thrasher
Nom scientifique: Toxostoma rufum *(Linnaeus)*
Longueur: 26,67 cm à 30,48 cm (10,5 po à 12 po)
Ponte: 4-5 œufs bleus très pâles mouchetés de minuscules points bruns

Le plus grand de nos Mimidés, le Moqueur roux, appartient au genre *toxostoma,* un mot grec qui signifie « moqueur, railleur »; son nom d'espèce *rufum* est emprunté à la langue latine et se traduit par « roux ».

Description — Il se présente en un ensemble de couleurs qui lui sont bien propres: dessus brun rouge; dessous chamois rayés de brun, deux bandes blanches sur les sus-alaires et iris jaune pâle.

Habitat — Nid — Au Québec, son territoire est plutôt restreint: région de l'Outaouais, boisés des comtés de Joliette, de l'Estrie et Québec. C'est un oiseau discret et timide qui fréquente les fourrés, l'orée de la forêt et les bosquets. Il s'enfuit à la moindre alerte; l'observateur n'a que le temps d'apercevoir sa longue silhouette brune.

Il bâtit habituellement son nid dans un buisson, avec une préférence nettement marquée pour un arbuste épineux. Il lui arrive aussi de le poser sur le sol. C'est un abri conçu sans art et compsé de branchettes, de feuilles, de radicelles, de crins où s'ajoutent quelques plumes. La femelle et le mâle, à tour de rôle, assurent l'incubation d'une durée moyenne de treize jours.

Régime alimentaire — Des chenilles, des sauterelles et quelques autres insectes nuisibles forment le menu quotidien. Quand les baies sauvages sont mûres, le Moqueur roux s'en gorge généreusement.

Le chant — Le répertoire de ce Mimidé, l'un des plus brillants de notre avifaune, se déroule sur plusieurs thèmes musicaux dont chacun est repris deux ou trois fois. Cette accumulation de notes sonores semble rouler sur billes, tellement elles sont imprégnées de douceur; toutefois, de temps à autres, un son plus dur éclate, comme si notre chantre voulait y introduire quelque contraste. Il fait entendre aussi un « tchac » à la fois éraillé et strident.

Migration — À la fin d'octobre, il prend son essor pour le sud des États-Unis.

Photo: Direction générale du cinéma et de l'audiovisuel, Québec, par J.-L. Frund.

FAMILLE DES TURDIDÉS

Quelques traits communs caractérisent les Turdidés: la rémige la plus externe des dix primaires est plus courte que les quatre précédentes; le tarse de quelques espèces est écailleux; les Grives, le Merle d'Amérique et le Merle bleu à poitrine rouge juvéniles ont des dessous mouchetés; leur déplacement sur le sol est à la fois majestueux et gracieux; tous excellent dans l'art vocal.

Le Merle d'Amérique et le Merle bleu à poitrine rouge aiment le voisinage de l'homme. Quant aux diverses espèces de Grives, leurs préférences vont aux forêts denses et aux grands boisés.

Quand les petits fruits parviennent à maturité, ils font la convoitise de ces oiseaux. En automne, les sorbiers d'Amérique les accueillent quotidiennement. Le moment du départ pour le Sud est très souvent conditionné par l'abondance de ces grappes vermeilles.

L'est du Canada compte huit espèces de Turdidés dont sept vivent au Québec: le Merle d'Amérique, la Grive des bois, la Grive solitaire, la Grive à dos olive connue aussi sous le nom de Grive de Swainson, la Grive à joues grises appelée également la Grive d'Alice, la Grive fauve ou Grive de Wilson et le Merle bleu à poitrine rouge. Quant au Traquet motteux, sa présence est parfois signalée sur la Côte-Nord, notamment à Godbout, Natashquan et dans l'île d'Anticosti.

LE MERLE D'AMÉRIQUE

Nom anglais: American Robin
Nom scientifique: Turdus migratorius (Linnaeus)
Longueur: 25,4 cm (10 po)
Ponte: 4-5 œufs bleu verdâtre

Voilà un oiseau typique de nos régions. Habitant à la ville comme à la campagne, il s'accommode de toutes les situations. Les Montréalais l'appellent Grive, l'assimilant ainsi à quelques espèces de la même famille. Son nom générique *turdus,* qui vient du latin, signifie « grive »; son nom spécifique *migratorius* veut dire « migratrice ».

Description — Une allure de gymnaste, un port altier, une démarche fière décrivent fort bien le Merle d'Amérique. C'est au printemps surtout que le mâle se révèle dans un plumage au coloris chatoyant: le rouge de la poitrine, le noir de la tête et de la queue, le gris cendré des parties supérieures et des ailes constituent les couleurs dominantes. Deux légers arcs blancs, l'un au-dessus de l'œil et l'autre au-dessous, font mieux ressortir le brun profond de l'iris. Un trait bref également blanc court du haut de l'œil vers la mandibule supérieure. Le menton est blanc; la gorge dessine des rayures noires et blanches. Les tectrices sous-caudales, les plumes de la partie inférieure du ventre de même que l'extrémité des rectrices latérales sont blanches. Le bec est jaune.

La femelle vêt une livrée semblable, mais de ton plus sobre. De nombreuses mouchetures des parties inférieures du jeune le différencient de l'adulte; les parties supérieures vont du gris brun à l'olive; le rebord des sus-alaires tend vers des teintes blanches aux roussâtres.

Retour de migration — Habitat — Certaines années, il arrive au printemps vers le 20 mars, en même temps que le Carouge à épaulettes et le Merle bleu à poitrine rouge. Tout en se livrant à des tournées de concert, il survole son futur biotope. Le territoire couvert par cette famille s'étend jusqu'à la limite des arbres. Ce qui l'attire davantage, ce sont les gazons et les terrains où il peut extraire de nombreux lombrics, un plan d'eau pour se baigner et se désaltérer ainsi que quelques arbres qui lui assurent ombre et sécurité.

Nid — Incubation — L'endroit précis du nid est laissé à l'initiative de la femelle. Ce peut être une fourche d'arbre ou une branche maîtresse à hauteur variable de 2 à 15,2 mètres du sol (6,5 à 50 pieds). Cette espèce construit son nid à des endroits aussi insolites les uns que les autres: une marche

d'escalier de sauvetage, une planchette avec toit accrochée à un arbre, un coude de gouttière sous le larmier d'une maison, un rebord de fenêtre, une boîte aux lettres rurale, une poutre à l'intérieur d'un bâtiment de ferme, etc.

Cet abri solide, fabriqué de glaise entremêlée d'herbes sèches et moulé au gabarit de la poitrine du Merle, est recouvert au fond d'une couche de paille. Ce Turdidé élève deux couvées par été; l'incubation dure 12 ou 13 jours. Les parents se méfient des curieux du voisinage pendant la couvaison et tout le temps de l'élevage de leurs rejetons. Ils craignent de façon toute spéciale le chat qui rôde sur leur territoire.

Nutrition des petits — Régime alimentaire — Les jeunes sont nourris de petits fruits — cerises, fraises, framboises —, de sauterelles, de chenilles, de plusieurs autres espèces d'insectes, d'araignées et de lombrics.

Quand les sorbes sont mûres, elles procurent aux oiseaux frugivores un aliment de choix. Le Merle d'Amérique les cueille avec dextérité, une à la fois, et les avale toutes rondes, contrairement au Roselin pourpré qui les pèle avant de les ingurgiter. Parfois le Jaseur des cèdres et la Grive solitaire partagent ces agapes.

Techniques de chasse — Quoi de plus ravissant que l'observation d'un Merle en tournée de chasse sur un gazon! Il sautille, s'arrête bien droit, écoute, penche la tête d'un côté en l'appuyant à ras de sol, attend, puis plonge brusquement le bec au travers l'herbe et le ressort aussitôt en tenant un lombric qui se débat et, s'il est trop long, s'arc-boute pour ne pas en perdre une parcelle. Il l'avale gloutonnement et poursuit sa ronde le torse bombé comme un tambour-major.

Le chant — Le cri — Le Merle d'Amérique sonne le réveil bien avant que le coq claironne son vibrant cocorico. Parfois même à quatre heures du matin, il lance sa douzaine de notes harmonieuses, enchanteresses et tout imprégnées de mélancolie. Premier artiste qui anticipe les lueurs de l'aube, il est le dernier, le soir, avec le Pinson à gorge blanche, à glorifier le crépuscule.

Pendant le jour, entre deux périodes de chasse, il se plaît à faire valoir ses talents de musiciens. Pour lui, chanter semble un besoin. Aussi, après un orage, il s'installe au faîte d'un arbre ou à tout autre endroit qui le met en évidence, hoche la queue comme pour battre la mesure et entonne son couplet mélodieux.

Harcelé par un intrus, il flûte d'une voix ferme un « gue » fort, répété quatre ou cinq fois d'affilée. Un autre de ses cris, un « uit » sonore, semble être tout simplement un avertissement du danger ou un signe de communication avec l'un des siens.

Migration — Quelques individus hivernent dans nos régions. Ils fréquentent alors les terres basses plantées d'arbres nombreux où ils peuvent compter sur une abondance de fruits sauvages. À la mi-octobre, parfois un peu plus tard, la plupart font route vers le Sud et se rendent en Floride, voire jusqu'au Guatemala.

LA GRIVE SOLITAIRE

Nom anglais: Hermit Thrush
Nom scientifique: Hylocichla guttata *(Pallas)*
Longueur: 17,78 cm (7 po)
Ponte: 3-4 œufs bleu verdâtre (parfois 5 ou 6)

Les cinq espèces de Grives que nous retrouvons au Québec appartiennent au genre *hylocichla*. Ce nom vient du grec: la racine *hylo* veut dire « bois » et la terminaison *cichla* signifie « grive »; quant au nom spécifique de la Grive solitaire, *guttata,* il provient du latin et se traduit par « moucheté ». Trois traits majeurs caractérisent cette Grive et, partant, en facilitent l'identification: d'abord un haussement de queue lorsqu'elle se perche, comme si elle voulait maintenir son équilibre; puis le marquant brun rougeâtre du croupion et des rectrices externes, et enfin les délicieuses vocalises qui font d'elle le plus remarquable chantre de la forêt.

Description — Le mâle et la femelle portent un plumage aux couleurs identiques: côtés de la tête brun grisâtre rayés de blanc; joues blanches mêlées de chamois; pourtour des yeux blancs avec iris brun foncé; lores blanchâtres; côtés de la gorge rayés de brun noirâtre; parties supérieures, ailes, croupion et rectrices brun rougeâtre; parties inférieures blanches, mouchetées de brun noirâtre et flancs d'un gris brunâtre clair.

Retour de migration — Habitat — Dès son arrivée dans la dernière quinzaine du mois d'avril, elle visite les bosquets de banlieue avant de regagner son biome, la forêt mixte. Bien qu'elle préfère les très vastes boisés aux retraites sûres, elle se plaît également dans un royaume aux limites plus restreintes, pourvu qu'il rencontre un minimum d'exigences: une densité d'arbres qui lui permettent de vivre pleinement sa vie d'oiseau solitaire et, à l'instar des autres espèces, des points d'eau afin qu'elle puisse se désaltérer et se baigner.

Nid — Incubation — Sa couvée est élevée dans un logis massif très rudimentaire: c'est une composition de mousse, d'herbes, de feuilles et le tout doublé d'aiguilles de pin et de radicelles. La femelle le pose habituellement sur le sol, rarement dans un buisson ou sur un arbuste. Pendant qu'elle seule incube, 12 jours durant, son poète de mari, de sa voix argentine, donne libre cours à son instinct de fin diseur.

Régime alimentaire — C'est un oiseau insectivore de son arrivée à la mi-juillet, époque où il commence à reluquer du côté des petits fruits mûrs. Cette gourmandise ne cause aucun préjudice. En automne, les baies sauvages l'attirent de façon toute particulière.

Le chant — Le cri — Il faut l'entendre à l'aube ou à la naissance du crépuscule égrener en préambule six ou sept notes sonores, semblables à l'entrechoquement de billes de cristal, suivies de quelques sons plus enroués, mais dont l'ensemble rappelle les effets harmonieux du piccolo. Quoique les roulades cristallines de la Grive des bois laissent des impressions de haute musicalité, celles de la Grive solitaire, de tonalité plus riche encore, se rapprochent davantage de la pureté de l'art vocal poussé à la limite de la suavité.

Quelques cris appartiennent à son bagage oral, dont un « tchoc » bref, semblable à celui du Merle d'Amérique, mais dit plus faiblement.

Notes particulières — Lorsqu'elle s'aventure près des maisons, elle doit faire face à un grave péril: le chat. L'auteur a vu un rusé siamois accroupi près d'une Grive solitaire qui était bien campée sur ses deux pattes, mais qui se sentait incapable de bouger, probablement hypnotisée par les regards du félin.

Migration — Avant de franchir la frontière qui lui ouvrira les portes du soleil, de connivence avec le Merle d'Amérique et le Jaseur des cèdres, elle vendange dans les sorbiers ou dans les petits arbres à fruits savoureux. Elle s'enfuit au moindre bruit, mais une fois le calme revenu, elle reprend la grappe délaissée momentanément. Son attrait pour ces sucreries retarde souvent son départ qui, parfois, ne survient pas avant la mi-novembre.

LE MERLE BLEU À POITRINE ROUGE

Nom anglais: Eastern Bluebird
Nom scientifique: Sialia sialis *(Linnaeus)*
Longueur: 17,78 cm (7 po)
Ponte: 3-7 œufs bleu pâle

Il est mieux connu sous les appellations de Rouge-gorge bleu et d'Oiseau bleu. De plus, il fait partie des légendes, surtout depuis que la comtesse d'Aulnoy, au XVIIe siècle, écrivit un joli conte intitulé « L'Oiseau bleu ». Son nom scientifique a été emprunté à la langue grecque et signifie « sorte d'oiseau ».

Description — Le plus petit des Turdidés se pare d'un plumage aux contrastes saisissants: les parties supérieures du mâle, du front à l'extrémité de la queue, sont d'un bleu profond, tandis que les parties inférieures d'un rouge terreux se nuancent de couleurs plus effacées — blanc et bleu grisâtre — dans les régions du ventre, des tectrices sous-caudales et des rectrices internes. Les rémiges primaires et secondaires ont des teintes noires à leur extrémité. Le pourtour des yeux est blanc et l'iris est brun pâle.

Les couleurs de la femelle sont plus ternes. Le plumage du jeune est quelque peu particulier: dessus de la tête et du dos gris brunâtre, celui-ci maculé de points blancs; parties inférieures gris-blanc soulignées de rayures et de mouchetures brunes; rémiges et rectrices bleues, mais plus pâles que chez l'adulte.

Retour de migration — Habitat — Il célèbre le printemps en même temps que le Merle d'Amérique. Le verger est son biome privilégié. La plupart des régions lui donnent asile, mais il est beaucoup plus rare en bas de Tadoussac, en Gaspésie, en Abitibi et au lac Saint-Jean. Les Cantons de l'Est et la Vallée du Richelieu restent les secteurs où il nidifie en grand nombre.

Nid — Incubation — La femelle cherche à bâtir son nid dans le voisinage d'arbres fruitiers. Alors que les autres membres de la famille façonnent leur propre demeure, elle préfère soit un nid abandonné de Pic mineur, soit une cavité naturelle dans un arbre ou un nichoir construit par l'homme. Elle en recouvre le fond d'herbes, de parcelles d'écorce et de tiges de plantes. Les heures d'incubation, partagées alternativement par chacun des partenaires, s'échelonnent sur une période de quinze jours, et ce deux fois au cours de la belle saison.

Photo: Direction générale du cinéma et de l'audiovisuel, Québec, J.-L. Frund.

Régime alimentaire — Techniques de chasse — Il trouve sa pitance sur le sol en chassant à la manière des Turdidés: des sautillements rythmés, un arrêt figé, une oreille attentive, puis c'est un claquement de bec sur une sauterelle ou un criquet, deux de ses proies préférées. Il s'attaque aussi à d'autres insectes à l'état adulte ou larvaire.

Au temps des petits fruits, il sait y prélever le juste tribut de ses loyaux efforts d'insectivore. Les baies sauvages l'attirent surtout, voire très tard en automne et tant que les arbres n'ont pas été dépouillés en grande partie de leur récolte.

Le chant — C'est dans le décor des arbres fleuris que le mâle déroule son répertoire de très courte durée, mais combien riche et émouvant. Ses notes n'éclatent pas en fanfare comme le Merle d'Amérique, ni en sons d'airain comme la Grive des bois, mais se comparent plutôt à celles des Fauvettes, lancées toutefois avec plus de vigueur et empreintes d'une plus riche harmonie.

Migration — Après s'être gavé de petits fruits sucrés pendant les mois de septembre et d'octobre, il s'envole vers le sud des États-Unis.

FAMILLE DES SYLVIIDÉS

Au Québec, trois espèces d'oiseaux dont le Roitelet à couronne dorée et le Roitelet à couronne rubis font partie de la famille des Sylviidés. Ce nom emprunté au mot latin *sylva* signifie « qui se rapporte à la forêt ». D'ailleurs, ces petits oiseaux, dont la taille se situe entre le Colibri et le Troglodyte, y vivent à l'année longue, que ce soit chez nous ou à l'étranger lors de la migration d'automne.

Arboricoles par excellence, ils passent leur existence à visiter les arbres et les arbustes en quête d'insectes. Leurs activités comme insectivores ressemblent fort à celles des Mésanges. Leur bec est court et droit; leur corps est rondelet.

Étant de mœurs semblables, ils ont plusieurs autres points en commun, entre autres ceux qui concernent la construction du nid, le régime alimentaire et les techniques de chasse.

Le nid — Il est habituellement placé haut dans un conifère de huit à vingt mètres du sol. Parfois il est suspendu à des ramilles, d'autres fois il est posé sur une branche. De forme sphérique avec une ouverture en dessus, il est entrelacé de mousse verte, de lanières d'écorce, de lichens et de radicelles. L'intérieur est tapissé de plumes.

Régime alimentaire — Techniques de chasse — Leur activité débordante se manifeste surtout lorsqu'ils recherchent des insectes: ils sautillent d'une branche à l'autre en faisant entendre des « tsi-tsi », introduisent leur bec minuscule dans les replis les plus secrets de l'arbre, usent de leur talent d'acrobate pour cueillir la chenille qui se dérobe sous une feuille. Très souvent, ils sont de mèche avec la Mésange pour nettoyer un conifère des bestioles qui le hantent. Ils appartiennent à cette race d'échenilleurs consciencieux et d'insectivores insatiables, car ils travaillent de l'aube au crépuscule.

Photo: Musée national des Sciences naturelles, Musées nationaux du Canada, 75-5300.

LE ROITELET À COURONNE DORÉE

Nom anglais: Golden-crowned Kinglet
Nom scientifique: Regulus satrapa Lichtenstein
Longueur: 10,79 cm (4,25 po)
Ponte: 5-10 œufs blanc crème ou jaune clair tachetés de brun

À l'instar de son cousin le Roitelet à couronne rubis et de quelques autres Passeriformes, il fait une halte, en mai, dans les jardins de banlieue où quelques arbres lui assurent un peu de nourriture. Ce salut aux banlieusards dure quatre ou cinq jours, puis il regagne l'épaisse forêt de conifères.

Son nom générique *regulus* ainsi que son nom spécifique *satrapa* mettent tous deux en lumière son titre de « Roitelet », donc investi d'un fief. Le sien: c'est la grande forêt.

Description — La couronne, bordée de brun, est orange chez le mâle et jaune serin chez sa femelle. Le plumage en général est pâle: raies sourcilières gris pâle, extrémité de l'œil brune, nuque et partie antérieure du dos gris souris, parties centrale et postérieure du dos gris olive, croupion et queue olive verdâtre; ailes jaune olive; une bande blanche sépare les grandes sus-alaires des moyennes. Les parties inférieures sont jaunâtres. L'iris est brun.

Habitat — Toute forêt mixte où les conifères prédominent constitue son territoire. On le voit régulièrement dans nos grands parcs: parc des Laurentides, parc de la Mauricie, parc de La Vérendrye; également en Gaspésie et sur l'île d'Anticosti.

Le chant — La composition musicale débute sur une note aiguë répétée cinq ou six fois et s'achève en un doux gazouillement.

Migration — Quelques individus de cette espèce hivernent dans leur habitat naturel. La plupart, toutefois, s'envolent en octobre vers les États du Sud et s'aventurent même jusqu'au Mexique et au Guatemala.

LE ROITELET À COURONNE RUBIS

Nom anglais: Ruby-crowned Kinglet
Nom scientifique: Regulus calendula *(Linnaeus)*
Longueur: 11,43 cm (4,5 po)
Ponte: 5-9 œufs blanc pâle ou jaunes très clairs mouchetés de brun clair au gros bout

Photo: Musée national des Sciences naturelles, Musées nationaux du Canada, 74-2664.

Il est difficile de distinguer nos deux espèces de Roitelets du genre *regulus* à moins de voir la couleur de leur couronne. On peut toutefois y parvenir en y mettant du temps et de la patience. C'est lors de mouvements de surexcitation que les plumes de la tête du Roitelet à couronne rubis mâle se soulèvent pour y laisser percer la tache vermillon.

Description — La tête et la nuque de l'adulte sont gris olive; le dos, le croupion et les rectrices externes sont jaune pâle. Les rémiges sont aussi jaune pâle; deux bandes blanches traversent les sus-alaires. Le pourtour des yeux est blanc, l'iris est brun. Un seul caractère apparent différencie le mâle de la femelle: celui-là porte une couronne d'un rouge vif tandis que celle-ci n'affiche aucune couleur particulière.

Habitat — Il nidifie plus au nord que son parent le Roitelet à couronne dorée. Le territoire du Nouveau-Québec est son royaume. On le voit aussi en nombre plus restreint dans nos grands parcs provinciaux.

Le chant — Il lance avec vigueur une suite de notes bien rythmées, dont les sons cristallins surprennent ceux qui l'entendent. Cet égrènement musical est exécuté rapidement, tandis que notre aède ne cesse sa cueillette d'insectes.

Migration — Dès octobre, il met le cap sur le Sud et se rend même jusqu'au Guatemala.

JASEUR DES CÈDRES (jeune)   Photo: Julien Boisclair.

FAMILLE DES BOMBYCILLIDÉS

Le nom de cette famille convient bien à ces oiseaux appelés « Jaseurs », car leur plumage est lisse et soyeux. En effet, la racine « bombyx », d'origine latine, signifie « vêtement de soie ».

Ces oiseaux possèdent quelques caractères en commun: plumage de texture fine et de couleurs semblables, huppe pointue chez l'adulte, abords des yeux noirs, quelques rémiges secondaires terminées en un filament rouge et tectrices caudales longues. De plus, ce sont des insectivores et des frugivores.

Les deux espèces connues en Amérique du Nord habitent également le Québec: le Jaseur de Bohême et le Jaseur des cèdres.

LE JASEUR DES CÈDRES

Nom anglais: Cedar Waxwing
Nom scientifique: Bombycilla cedrorum *Vieillot*
Longueur: 18,26 cm (7,19 po)
Ponte: 3-5 œufs gris bleuâtre tachetés de noir

Photo: Maxime St-Amour.

À la mi-mai, au sud-est du Québec, le retour du Jaseur des cèdres et la floraison des arbres fruitiers coïncident. Les vergers, qui demeurent les habitats de prédilection des individus de cette espèce, leur sont parfois funestes. En effet, il arrive de trouver, surtout à cette époque, des Jaseurs des cèdres soit morts, soit en piteux état. La cause première de cet état de choses provient de l'emploi exagéré d'insecticides dans l'arrosage des pommiers.

Description — Il allie une fière allure aristocratique aux effets à la fois modestes et élégants d'une parure, dont les plumes sont tellement soyeuses qu'elles ne relèvent jamais. La couleur du plumage, comme la bure du bon François d'Assise, pour qui les oiseaux étaient des frères, est brun clair d'où lui vient son nom de « Récollet ».

La monotonie de cette couleur terreuse est rompue par le noir des raies sourcilières, des lores, de la gorge et du bec, ce qui donne l'impression que le Jaseur porte un loup de bal masqué. L'iris est brun. Un peu de blanc agrémente la régions des lores et la base du front. L'abdomen ainsi qu'une tranche fine bordant l'extrémité des rectrices est jaune citron. Les tectrices sus-caudales, les plumes du croupion, de même

que les rémiges primaires et secondaires sont gris ardoise. Quelques-unes de ces dernières exhibent à leur extrémité une tige rouge semblable à un cachet de cire. Les membres inférieurs du tarse au bout des griffes sont noirs.

Quand le jeune quitte le nid, la huppe brune des adultes paraît à peine. La tête, la gorge et le dos sont gris; la poitrine d'un blanc mat laisse percer quelques taches grisâtres. Les autres couleurs se rapprochent de celles de l'adulte.

Habitat — Son territoire couvre la plupart des régions de la province: sud-est jusqu'en Gaspésie; de l'Outaouais au lac Mistassini; rive nord du Saint-Laurent jusqu'à Saint-Augustin près de Harrington. Le biotope du Jaseur des cèdres est très varié: bordure des rivières, des lacs, des marais et des tourbières; vergers et forêts mixtes.

Nid — Incubation — Le nid composé de paille, de racines desséchées, de feuilles et parfois d'antennaires (fleurs blanches connues également sous le nom d'immortelles) mesure 7,62 cm sur 5,08 cm (3 po de diamètre sur 2 po de profondeur). La femelle l'installe dans un buisson ou dans un arbre à une hauteur variant de 1,21 à 12,19 mètres (4 à 40 pieds). L'espèce d'arbre importe peu, pourvu qu'il soit à proximité d'arbres fruitiers. L'incubation dure une douzaine de jours.

Régime alimentaire — C'est un bon mangeur de fruits: cerises sauvages, framboises, merises, sorbes, pommettes et autres. Plusieurs observateurs dignes de foi rapportent qu'il arrive parfois que des Jaseurs des cèdres, bien alignés sur une branche ou un fil — ils peuvent être dix ou davantage — se passent de bec à bec une cerise, et ce sans qu'aucun d'eux tente de la croquer. Que signifie cette scène? Jeu ou politesse d'oiseaux? Aucun ornithologue n'a trouvé réponse à ce manège de Bombycillidés.

Il s'affiche comme frugivore dans une proportion d'environ 85 p. cent. Les petits dévorent aussi une quantité considérable de petits fruits. Il rançonne également les insectes soit sur les arbres, soit sur le sol ou soit en vol, ce qui lui vaut le titre d'insectivore, mais à un faible degré. En ce dernier cas ses préférences portent alors sur les chenilles, les sauterelles, les criquets, les punaises, les poux et les petits coléoptères.

Le chant — L'unique manifestation musicale de cet oiseau s'exprime sur une seule note, un « zi » bref, sifflé, répété à de courts intervalles et à tout moment de ses activités. Il s'en sert également comme cri de détresse quand ses petits sont importunés ou comme appel des siens lorsqu'il en est éloigné. Le sifflement doux que cet oiseau lance à tout propos, alors qu'il est perché ou en vol, le rappelle sans cesse à notre attention. Quand une vingtaine de Jaseurs devisent en même temps, le concert est monotone, mais il n'y manque tout de même pas de charme.

Migration — En octobre, beaucoup de Jaseurs des cèdres émigrent aux États-Unis. D'autres se regroupent dans des endroits où croissent les arbres fruitiers. De temps à autre, au cours de l'hiver, ils se rapprochent des habitations dans l'espoir d'y cueillir quelques baies savoureuses encore suspendues aux branches.

Photo: Roger Larose.

LE JASEUR DE BOHÊME

Nom anglais: Bohemian Waxing
Nom scientifique: **Bombycilla garrulus** *(Linnaeus)*
Longueur: 20,32 cm (8 po)

Trois caractères physiques le différencient du Jaseur des cèdres: taille plus grande, tectrices sous-caudales marron et taches blanches et jaunes sur les ailes.

Il nidifie au nord-ouest du Canada. Son nom spécifique *garrulus* vient du latin et signifie « qui gazouille ou qui babille ». En effet, son cri qu'on peut tout aussi bien appeler chant est un sifflement semblable à celui du Jaseur des cèdres, mais il est plus perçant.

En hiver, ce Bohémien ailé, à caractère frugivore, se déplace vers le Sud et pousse une pointe vers les régions du Québec. Son esprit grégaire l'incite à voyager en compagnie de plusieurs individus de son espèce.

FAMILLE DES STURNIDÉS

Deux espèces de cette famille vivent au Canada: l'Étourneau sansonnet et l'Étourneau huppé. Le plus connu est l'Étourneau sansonnet. Il se distingue à son bec élancé, à ses ailes courtes et pointues, à sa queue brève et carrée. Les rémiges primaires sont au nombre de dix, alors qu'il n'y en a que neuf chez les étourneaux indigènes.

En été, le Sansonnet se fait remarquer comme insectivore. Son appétit de frugivore et de granivore s'éveille à l'apparition des petits fruits et des céréales.

L'ÉTOURNEAU SANSONNET

Nom anglais: Starling
Nom scientifique: Sturnus vulgaris Linnaeus
Longueur: 21,59 cm (8,5 po)
Ponte: 4-6 œufs bleu pâle

Durant plusieurs années, il porte le nom d'Étourneau vulgaire. Cette appellation découle de son nom scientifique *sturnus vulgaris* et provient de la langue latine: le genre *sturnus* signifie « étourneau » et l'espèce *vulgaris* se traduit par « vulgaire ».

L'expansion rapide de cette espèce sur tout le continent américain résulte de plusieurs facteurs: la robustesse de sa constitution; son ardeur combative bien servie par un bec long, pointu et fort; son adaptation tant à la ville qu'à la

campagne; son acclimatation aux changements de saisons; sa fécondité et son instinct de conservation porté à un haut degré.

Description — Le plumage de l'adulte présente une gamme de teintes variées: tête et cou lustrés de pourpre; extrémité des plumes de la tête, de l'arrière du cou, du dos et du croupion brun pâle; dos et ailes violacés, intérieur des ailes gris argenté; parties inférieures vert métallique; bec jaune d'une longueur de 2,54 cm; iris brun.

Le jeune vêt une livrée plus terne: parties supérieures brun grisâtre foncé; intérieur des ailes grisâtre; gorge blanchâtre; poitrine brun grisâtre; centre de l'abdomen de même couleur mais rayé de blanchâtre.

Notes historiques — L'Étourneau abonde en Europe. Il est reconnu comme un très efficace destructeur d'insectes, mais il constitue une véritable peste dans les régions fruitières. Voyant surtout en cette espèce un insectivore de valeur, des

Américains entreprirent des démarches pour l'introduire dans leur pays. Monsieur Eugene Scheifflin en importa quatre-vingts qui, le 6 mars 1890, furent relâchés dans le « Central Park » de la ville de New York; quarante autres les rejoignirent le 25 avril 1891. Ces premiers couples sont à l'origine de millions d'individus répandus dans tous les coins des États-Unis et du Canada; l'espèce a été signalée pour la première fois au Québec en avril 1917.

Habitat — Son territoire de nidification s'étend d'une année à l'autre à la ville comme à la campagne. Il ne lui reste pratiquement plus que la conquête du Nouveau-Québec, car il est déjà bien installé depuis le Sud jusqu'à la hauteur de Blanc-Sablon et des îles de la Madeleine.

Nid — Incubation — Il niche souvent dans un trou abandonné de Pic flamboyant. Parfois, il le chasse de sa propre demeure et s'en rend maître. Il s'empare également de nichoirs destinés à l'Hirondelle bicolore ou au Merle bleu à poitrine rouge. Une autre fois c'est le Troglodyte familier qui se voit évincer de son logis. Bref, le Sansonnet s'accommode de tout emplacement qu'il soit à quatre mètres du sol ou qu'il soit à une hauteur pouvant en atteindre vingt. Il y transporte toujours divers matériaux: feuilles, plumes, brindilles et paille. La femelle et le mâle assument la corvée de l'incubation qui dure environ une douzaine de jours. Ils élèvent deux couvées par année.

Régime alimentaire — Les insectes constituent son aliment de base. Il en nourrit ses petits et y ajoute des vers piégés sur les gazons ou dans les champs. À l'époque des cerises, il s'empiffre de ces fruits juteux et sucrés. En automne, il s'attaque aux sorbes.

Quand les petits deviennent autonomes, les Étourneaux sansonnets resserrent leurs rangs et, par bandes, s'abattent sur les champs de céréales. À ce moment, ils causent de graves dégâts.

Le chant — Le cri — Le répertoire est plagié sur celui de quelques oiseaux: il imite, entre autres, quoique imparfaitement, le sifflement du Cardinal et le miaulement du Moqueur chat. De plus, il fait entendre plusieurs roulades discrètes entrecoupées de notes rudes. Son cri le plus usuel est un « vi-it » prolongé.

Valeur économique — Il est sans contredit un grand destructeur d'insectes. Toutefois, il ne se gêne pas pour occuper les nids destinés aux oiseaux indigènes également insectivores, par surcroît chanteurs et de nature paisible. Il nuit ainsi à leur multiplication, tandis que lui prolifère à un rythme stupéfiant. Dans certaines régions, il lèse les producteurs de fruits, car il est un frugivore très gourmand; dans d'autres, il consomme une quantité appréciable de céréales.

Notes particulières — Ce n'est pas un oiseau migrateur. En hiver, il élit domicile à l'endroit où il est assuré de bouffer quelques bons morceaux. Est-ce bon compagnonnage ou opportunisme, toujours est-il qu'il est souvent aperçu, à ce moment de l'année, mangeant à la même table que le Moineau domestique, le Gros-bec errant et le Sizerin à tête rouge.

FAMILLE DES VIRÉONIDÉS

Les Viréos revêtent tous une livrée semblable: c'est un mélange de jaune tendre, de blanc et d'olive. Le bec, dont la mandibule supérieure est légèrement courbée à son extrémité, les distingue de la Fauvette. Ils accrochent leur nid à la rencontre de deux branches. De plus, leur chant est très agréable.

Six espèces de cette famille habitent à l'est du pays dont cinq au Québec: le Viréo à gorge jaune, le Viréo à tête bleue, le Viréo aux yeux rouges, le Viréo de Philadelphie et le Viréo mélodieux. Le mieux connu comme le plus familier est le Viréo aux yeux rouges.

LE VIRÉO AUX YEUX ROUGES

Nom anglais: Red-eyed Vireo
Nom scientifique: Vireo olivaceus (Linnaeus)
Longueur: 15,87 cm (6,25 po)
Ponte: 4 œufs blancs légèrement teintés de brun

Les noms français et anglais mettent en relief le caractère fondamental de cette espèce. Elle appartient au même genre que ses cousines: *vireo,* un mot d'origine latine qui signifie « être vert » ou encore « être dans sa verdure »; il est à remarquer, en effet, que tous nos Viréos canadiens ont des nuances vertes dans le plumage de leurs parties supérieures.

Quant au nom spécifique *olivaceus,* qui veut dire « de couleur d'olive », il appuie encore davantage sur les couleurs des dessus du Viréo aux yeux rouges.

Description — Sa taille dépasse légèrement celle de la Fauvette couronnée. Les couleurs de son plumage se détaillent comme suit: raies sourcilières et poitrine blanches; front et partie supérieure de la tête de teinte cendrée; dos, ailes et queue jaune olive.

Retour de migration — Habitat — Il revient du Sud quand les chaleurs printanières ont vraiment communiqué de la vigueur aux insectes. Son apparition dans la Vallée du Richelieu survient donc rarement avant la première semaine de mai; dans la deuxième semaine, il chante dans les bosquets de Montréal; ce n'est que dans la troisième ou la quatrième qu'il s'annonce dans la région de Québec.

Il vit aussi bien dans nos grandes forêts mixtes, à l'orée du bois, dans nos bosquets qu'au bord des lacs et des cours d'eau planté d'aulnes et de saules.

Nid — Incubation — Il construit son nid vers la mi-mai. C'est un délicat berceau aérien de 5,08 cm de diamètre sur 6,98 cm de profondeur (2 po sur 2,75 po) accroché à l'intersection de deux branchettes, tressé de feuilles mortes, d'écorces de bouleau, d'herbes desséchées et lambrissé à l'extérieur d'un fin duvet végétal blanc. L'intérieur est tapissé de feuilles sèches et d'aiguilles de pin. L'incubation assumée par la femelle seule dure de 12 à 14 jours.

Régime alimentaire — Il chasse les insectes dans les arbres et les buissons. Il se délecte particulièrement de chenilles arpenteuses et de tordeuses. Les autres espèces d'insectes qui envahissent son territoire font également partie de son menu.

Le chant — Le cri — Tandis que la femelle couve, son partenaire exécute de brillantes vocalises composées de notes déclamatoires, d'où son nom de *Preacher Bird* (Oiseau prêcheur). Il peut chanter toute une journée, tout en guettant sous la feuillée les imprudentes chenilles vertes. Si un intrus pénètre dans son domaine, il lance une note plaintive qui rappelle vaguement le miaulement du chat.

Notes particulières — Le Viréo aux yeux rouges est un oiseau confiant qui permet à l'homme de s'en approcher de très près en période de couvaison. Une légère secousse imprimée à la branche qui supporte son nid ne le dérange pas.

Parfois le Vacher pond un œuf ou deux dans son nid. Le Viréo les couve avec les siens. Comme les jeunes Vachers se développent plus rapidement que les oisillons Viréos, ils jettent par-dessus bord les héritiers légitimes. La femelle n'en continue pas moins de nourrir ces « petits monstres », comme s'ils étaient les fruits de ses amours. Un œuf de Vacher anéantit une nichée de Viréos.

Migration — Un soir de septembre ou d'octobre, les Viréos rassemblés entreprennent un long périple vers un coin enchanteur du sud des États-Unis ou du Mexique.

FAMILLE DES PARULIDÉS

Trois traits spécifiques surtout caractérisent les Fauvettes qui appartiennent à cette grande famille: plumage au coloris éclatant, bec délicat pour la majorité d'entre elles et taille n'excédant pas 15,24 cm (6 po). Elles peuvent être confondues avec les Viréos et deux ou trois Moucherolles, mais la conformation de leur bec et leur mode de chasse les en distinguent fort bien. La plupart reviennent du Sud dans la première quinzaine de mai.

À leur retour de migration, quelques espèces font une courte halte dans les jardins de banlieue, mais seule la Fauvette jaune y élève sa couvée. Les autres s'enfoncent dans la forêt.

Elles présentent, en général, une image plutôt terne comme musiciennes. Leur notes faibles, en sourdine, semblent destinées à quelques initiés vivant dans leur voisinage très immédiat. Elles modulent des sons délicats, plutôt monotones qui les apparentent à de modestes diseuses en apprentissage.

L'Amérique du Nord compte 57 espèces de Fauvettes: toutes vivent au Canada; l'est du pays en recense 33 et pour sa part le Québec en abrite 28. Il ne sera question dans cet ouvrage que de cinq espèces: la Fauvette jaune, la Fauvette à croupion jaune, la Fauvette à gorge orangée, la Fauvette couronnée et la Fauvette flamboyante.

LA FAUVETTE JAUNE

Nom anglais: Yellow Warbler
Nom scientifique: Dendroica petechia *(Linnaeus)*
Longueur: 12,95 cm (5,1 po)
Ponte: 2-6 œufs blancs avec taches brunes au gros bout

Elle apparaît dans notre paysage avec les chaleurs du début de mai. Avant de s'installer à demeure dans un coin discret de bocage, elle inspecte le feuillage récent des arbustes, afin d'y surprendre les petits insectes et les chenilles arpenteuses. Son nom générique *dendroica* — le même que la Fauvette à croupion jaune, la Fauvette à gorge orangée et de seize autres espèces de Fauvettes — laisse voir clairement qu'elle est une habituée des arbres.

Description — Le jaune prédomine dans le plumage du mâle: la tête, le dos et les rectrices sont jaune olive; les rémiges de la même couleur sont rayées de jaunâtre. La poitrine d'un jaune or est striée de jaune orange. L'iris est brun. La femelle porte une livrée plus modeste: parties supérieures gris olive et parties inférieures d'un jaune très pâle rayées légèrement de rouge orange.

Habitat — On la trouve un peu partout au Québec de l'Outaouais jusqu'à la baie de James, dans tout l'est jusqu'au sud du Labrador, dans nos villes et nos villages ombragés de bosquets, le long des lacs et des cours d'eau où croissent les saules et les aulnes, dans les tourbières et les endroits marécageux.

Nid — Incubation — La Fauvette jaune fixe son nid dans une haie entre un et un mètre et demi du sol ou dans un arbre à une hauteur pouvant en atteindre trois. Parfois prise en serre dans une fourche de deux branches secondaires, parfois liée à cet entrecroisement de sorte qu'une branche disparaît dans le tressage, cette coupole renversée, entrelacée de paille et de fines écorces d'arbre, est finie à l'intérieur en crin. L'extérieur est lambrissé d'un peu de duvet végétal et quelquefois de menus lambeaux de tissu recueillis dans l'entourage. L'incubation dure de 12 à 15 jours.

Régime alimentaire — C'est un oiseau qui se nourrit d'insectes capturés sur les feuilles et occasionnellement en vol. Les petits fruits entrent également dans son menu.

Le chant — Son apport musical très agréable est composé de cinq ou six notes claires, aiguës, bien détachées, mais rapidement réunies en un faisceau harmonieux, comme si le petit chanteur voulait mettre un point final à son concert. Cette phrase harmonieuse peut se traduire ainsi: ti-ti-ti-ti-ti-tititi.

Notes particulières — Elle est l'une des victimes du parasitisme du Vacher à tête brune qui pond ses œufs dans les nids de plusieurs espèces d'oiseaux. Elle n'est toutefois pas dupe de cette lâcheté et recouvre alors tous les œufs d'une couche de paille et reprend sa ponte. Cependant, il lui arrive de déroger à cette règle et d'incuber les œufs de cette femelle dénaturée. L'auteur a plus d'une fois observé des Fauvettes jaunes donner la becquée à des Vachers juvéniles. Cette scène touchante surprend d'autant plus qu'elles sont toutes fragiles à côté de leurs protégés.

La sociabilité de cette Fauvette en fait un oiseau très attachant. C'est la seule de la famille à bâtir son nid en pleine civilisation; elle paie en modulations et comme insectivore l'hospitalité offerte par l'homme.

Migration — Dès la fin du mois d'août, elle s'engage vers les pays de l'Amérique centrale ou au cœur de la forêt brésilienne.

Photo: Musée national des Sciences naturelles, Musées nationaux du Canada, 74-2666.

LA FAUVETTE À CROUPION JAUNE

Nom anglais: Myrtle Warbler
Nom scientifique: Dendroica coronata (Linnaeus)
Longueur: 14,22 cm (5,6 po)
Ponte: 3-5 œufs blanc pâle ou crème, mouchetés de marron et de gris lilas au gros bout

Cette Fauvette, l'une des plus communes de la famille des Parulidés, arrive tôt au printemps, parfois vers le 20 avril en même temps que les robustes Pinsons à gorge blanche et à couronne blanche. Le nom spécifique *coronata,* un mot latin qui signifie « couronnée », lui a été attribué parce qu'elle porte une couronne à la fois très voyante et d'un beau coloris.

Description — Le mâle se pare d'un plumage de fête au printemps et en été: couronne jaune citron; côtés de la tête noirs; pourtour de l'œil, joues, menton et gorge blancs; front, rebords de la couronne jusqu'à l'œil, nuque et dos gris bleuâtre striés de noir; parties inférieures presque entièrement blanches, mais la poitrine, les côtés et les flancs sont rayés de noir; de plus, une tache jaune paraît de chaque côté de la poitrine; rémiges noires bordées de gris; sus-alaires, grandes et moyennes, traversées de bandes blanches; rectrices noires bordées de gris dont trois extérieures lisérées de blanc; bec noir et iris brun; pattes et pieds brun foncé.

Les parties supérieures de la femelle sont brunes et gris brunâtre; les parties inférieures sont plus pâles que celles du mâle. Les autres couleurs s'apparentent à celles du mâle. En automne, le mâle et la femelle revêtent une livrée plus terne, mais il est facile de les identifier grâce au croupion qui est toujours jaune quelle que soit la saison.

Habitat — Au Québec, le territoire de la Fauvette à croupion jaune s'étend jusqu'aux forêts de la baie d'Hudson et du nord du Labrador. Dans les autres provinces, elle habite jusqu'à la limite des arbres. Au printemps, elle vient fureter dans les haies de nos parterres, mais contrairement à la Fauvette jaune qui souvent en fait son biome, son séjour au cœur de la civilisation dure peu et elle s'empresse de retourner à la forêt de son enfance. Sa vie au royaume des résineux s'écoule sans bruit, en tout semblable à celle de ses cousines.

Nid — Incubation — Après avoir pris connaissance d'un territoire répondant à ses besoins d'insectivore, elle s'accouple et choisit l'arbre qui abritera son nid. Que ce soit le plus souvent à deux ou trois mètres du sol sur une branche d'épinette, ou de temps en temps à dix-sept, elle construit un logis plutôt grossier fait de ramilles de conifère, de fibres végétales, de feuilles sèches et doublé à l'intérieur de crins, de radicelles et de plumes. L'incubation assurée surtout par la femelle dure 12 ou 13 jours.

Le chant — Le cri — Sa mélodie se résume à une modeste portée musicale de cinq ou six notes claires, rapides, la dernière étant une double-croche harmonieuse. Cette envolée pleine de sonorité peut se traduire par l'onomatopée: tchi-tchi-tchi-tchi-tchi-tchi. Le cri d'appel est un vibrant « tchic ».

Migration — L'automne venu, alors que la plupart des espèces de Fauvettes font route vers le Sud, elle traîne en arrière. Tant qu'il reste quelques rayons de soleil, un peu d'insectes, des baies sauvages, elle volette dans les buissons et les haies. Première arrivée de sa famille au printemps, elle est la dernière à nous quitter pour les forêts chaudes de quelque pays ou île du Sud: sud-est des États-Unis, Panama ou l'une des Antilles.

LA FAUVETTE À GORGE ORANGÉE

Nom anglais: Blackburnian Warbler
Nom scientifique: Dendroica fusca (Müller)
Longueur: 13,33 cm (5,25 po)
Ponte: 4 œufs grisâtres ou blanc bleuâtre, mouchetés de brun olive

Quelques espèces de Fauvettes ne présentent aucune difficulté d'identification, en raison de la vivacité d'une couleur ou deux qui marquent leur plumage de façon toute particulière. C'est le cas de la Fauvette à gorge orangée connue autrefois sous le nom de Fauvette de Blackburn (nom de son découvreur) qui revient vers le 10 mai, après plus de sept mois passés dans un pays de soleil. Le nom spécifique *fusca,* un mot latin qui signifie « noir », convient à cette espèce qui est l'une des rares Fauvettes dont le plumage est en grande partie noir.

Description — Le mâle, dont les parties inférieures passent du jaune orange à un jaune plus pâle, donne l'impression d'être une torche vivante. Les flancs jaunâtres sont rayés de noir; les tectrices sous-caudales sont blanches. Les parties supérieures et les ailes ont comme teinte de fond le noir, lequel s'éclaire çà et là d'orange vif: cela s'applique à deux rayures dorsales, à une partie de la couronne, aux raies sourcilières et aux joues. Les rémiges et les rectrices sont atténuées de blanc. L'iris est brun; les pattes et les pieds brun sombre.

Chez la femelle, le jaune est plus pâle; les parties supérieures sont gris olive avec des rayures dorsales grisâtres. Les autres couleurs se rapprochent sensiblement de celles du mâle.

Habitat — Elle habite la grande forêt depuis le Parc de la Gatineau jusqu'à la Pointe-des-Monts. On peut toutefois la voir, au cours de l'été, dans des boisés dont la dimension est plus restreinte. Ses préférences vont aux grands conifères dont le sommet lui sert tout autant d'aire de chasse et de nidification que de plate-forme de concert.

Nid — Incubation — Un conifère sert de refuge à la couvée. La Fauvette à gorge orangée tisse son nid sur une branche horizontale. Quelquefois, il est bas, mais le plus souvent solidement assis à près de vingt-six mètres du sol. C'est une gracieuse coupe composée de matériaux divers: herbes fines, radicelles, branchettes de pruche, lanières d'écorce, duvet de quenouille, le tout doublé de crins, de poils d'animaux et de lichens délicats. La femelle incube seule durant 12 ou 13 jours.

Régime alimentaire — Techniques de chasse — Elle donne la chasse aux insectes dans les têtes branchues des conifères. Parfois, elle les capture sur une ramille ou les pince dans les interstices d'une branche maîtresse; souvent, elle les gobe en vol. L'observateur qui a la chance de la voir à l'œuvre s'émerveille devant cette légère créature à la poitrine étincelante comme une flamme.

Le chant — La Fauvette à gorge orangée semble exister beaucoup plus pour réjouir l'œil que pour plaire à l'oreille. Son chant, réservé comme celui de la majorité de ses cousines, est un débit rapide de quatre ou cinq notes claires, traduites en des « zi-zi-zi-zi » qui ressemblent à des sifflements timides. Une autre des ses phrases musicales retentit comme des « zilop-zilop-zilop ».

Notes particulières — Elle rend de précieux services au sylviculteur en contribuant comme insectivore à l'assainissement des arbres. Quand vient septembre, elle s'habille de couleurs plus ternes.

Migration — C'est un oiseau qui aime la chaleur, voilà pourquoi il émigre avant l'ouverture officielle de l'automne. Il se rend alors dans l'une des Antilles ou quelque pays de l'Amérique centrale, voire jusqu'au nord de l'Amérique du Sud.

LA FAUVETTE COURONNÉE

Nom anglais: Ovenbird
Nom scientifique: Seiurus aurocapillus *(Linnaeus)*
Longueur: 15,74 cm (6,2 po)
Ponte: 3-6 œufs blancs tachetés de brun rougeâtre

C'est en mai surtout que reviennent la majorité des espèces de Fauvettes. Pour sa part, la Fauvette couronnée ne se presse pas de quitter les pays chauds du Sud, parce qu'elle se complaît dans les bains de soleil. Certaines années, elle arrive dans la région de Montréal au début de mai et un peu plus tard dans celle de Québec. Après une brève escale parmi les îlots de verdure des villes, elle s'oriente vers la forêt.

Pendant ses moments de repos, elle balance la queue à la manière des Grives d'où provient son nom générique *seiurus* qui signifie « hochequeue »; son nom spécifique *aurocapillus*, dont la racine *auro* signifie « doré » et dont la terminaison *capillus* veut dire « cheveux », décrit avec justesse la couronne jaune de l'espèce.

Photo: Musée national des Sciences naturelles, Musées nationaux du Canada, 79-3057.

De prime abord, la Fauvette couronnée, que quelques ornithologues ont déjà appelée Grive couronnée, peut être confondue en raison surtout de ses couleurs avec la Grive à dos olive (la Grive de Swainson). Toutefois, une observation attentive de l'oiseau ne peut laisser aucun doute sur son identification.

Description — Le mâle et la femelle se parent des mêmes couleurs: couronne jaune lisérée de brun; pourtour de l'œil blanc; iris brun; dos, ailes et rectrices internes brun clair tirant sur l'olive; parties inférieures blanches avec rayures brunes sur la poitrine et les flancs; pattes et pieds de couleur chair.

Habitat — L'épaisse forêt mixte demeure le biotope recherché de la Fauvette couronnée: sud du Québec jusqu'à la baie de James, les îles d'Anticosti et de la Madeleine. Les résidents

et les campeurs des Laurentides la rencontrent très souvent, surtout au crépuscule, lorsqu'elle vient s'abreuver à un lac.

Nid — Incubation — La femelle construit son nid sur le sol et en pleine forêt. C'est une demi-sphère renversée faite d'herbes, de feuilles, de lanières d'écorce, de radicelles; une ouverture percée sur le côté permet à l'oiseau d'y pénétrer. Sa ressemblance avec un four à pain extérieur a valu à cette Fauvette le nom anglais de « Ovenbird ». La femelle couve seule durant une douzaine de jours.

Régime alimentaire — Elle cherche sa pitance d'insectes sur le sol et sur les branches basses des buissons et des arbres. Si un intrus la dérange, elle se dissimule furtivement dans la ramure tout en continuant à chasser.

Le chant — C'est une répétition rapide en crescendo huit à dix fois, de deux notes où se marient des sons clairs et stridents que l'on traduit par « tit-ché ». Cet effet musical bien simple lui a valu de la part d'observateurs américains le surnom de « Teacher ». Un autre chant qu'elle fait entendre, lorsqu'elle vole, se déverse semblable à une avalanche de gazouillements d'une impressionnante mélodie.

Migration — Son départ vers le Sud a lieu un soir de septembre. Elle émigre alors aux Antilles, au Mexique ou en Colombie.

LA FAUVETTE FLAMBOYANTE

Nom anglais: American Redstart
Nom scientifique: Setophaga ruticilla *(Linnaeus)*
Longueur: 13,71 cm (5,4 po)
Ponte: 4 œufs blanc crème pointillés de brun rouge ou de lilas

Vive, nerveuse, demeurant peu de temps en place et toujours pressée de visiter un arbre nouveau ou un bosquet voisin, telle apparaît la Fauvette flamboyante. Ses couleurs rutilantes — du nom spécifique *ruticilla* — et quasi féeriques qui tranchent dans le vert de la forêt ne cessent de nous émerveiller. Plusieurs personnes la connaissent surtout sous son ancien nom: la Fauvette à queue rousse.

Description — Les parties supérieures du mâle sont noires du front à l'extrémité de quatre ou cinq rectrices centrales; les autres rectrices dessinent à leur extrémité une large bande noire prolongée d'orange pâle; une large bande de ton orange pâle traverse les rémiges noires. Les parties inférieures sont noires du menton au secteur supérieur de la poitrine et de là elles sont blanches jusqu'aux plumes sous-caudales. Les côtés de la poitrine sont illuminés de rouge orange; l'iris est brun; les pattes et les pieds sont noirâtres.

Pour sa part, la femelle s'habille de couleurs différentes: aux tons orange pâle et rouge orange du mâle se substituent

Photo: Ministère de l'Énergie et des Ressources, Service de l'éducation en conservation, Québec, par L. Laverdière.

le jaune or. La tête, du front à la nuque, et les joues sont gris souris; le dos, les ailes et la queue non touchés par le jaune or sont vert olive; les parties inférieures gris blanc se changent en blanc pur dans la région du ventre.

Retour de migration — Habitat — Elle revient dans la région de Montréal dans les premiers jours de mai; une semaine plus tard, les bosquets et les jardins de Québec l'accueillent. Après quelques jours en ville et dans la banlieue, elle s'envole vers ses quartiers d'été qui s'étendent du sud à la baie de James et au sud du Labrador; elle nidifie aussi dans plusieurs îles du Saint-Laurent, notamment les îles d'Anticosti et de la Madeleine.

Pariade — Nid — Incubation — Après la pariade traditionnelle où le mâle étale dans toute leur splendeur les plumes des ailes et de la queue, l'accouplement se réalise dans le décor ensoleillé de l'orée de la forêt ou d'une clairière. Ce sont là, d'ailleurs, les territoires recherchés par les individus de cette espèce.

La femelle fixe l'emplacement de son nid dans une fourche d'arbrisseau ou de jeunes arbres à une hauteur variant de 1,5 à 6 mètres. Le logis fragile, mais tressé avec art, est un ensemble de fibres végétales, de lanières d'écorce, d'herbes sèches et de toiles d'araignées. L'intérieur doublé de crins procure à ce petit chef-d'œuvre tout le confort requis par la nichée. La femelle seule couve durant 12 jours.

Régime alimentaire — Les insectes et les larves suffisent à cet oiseau insectivore à 100 p. cent. C'est en voletant dans les arbrisseaux que la Fauvette flamboyante s'alimente et recherche la nourriture de ses petits; parfois elle quitte une branche élevée et s'élance vers le sol pour gober une bestiole.

Le chant — Le mâle module quelques sons monotones d'une exécution rapide, comme si, pour lui, chanter était bien secondaire. Le répertoire modeste, présenté sous deux ou trois formes différentes, est une succession de notes aiguës tout à fait musicales, mais lancées nonchalamment: « tsi-tsi-tsi-tsi-tsit » (la dernière note est plus élevée); « tsi-tsi-tsi-tsi-tsi-o » (la dernière note est plus basse); parfois les notes sont doubles « tit-sa, tit-sa, tit-sa, tit-sa ».

Migration — Dès septembre, la Fauvette flamboyante abandonne son biome estival qui déjà se ressent de la fraîcheur des nuits et d'une diminution d'insectes. Elle joint alors les rangs de petits voyageurs nocturnes pour un chaud pays du Sud: les Antilles, l'Amérique centrale, le Mexique ou quelque forêt du nord de l'Amérique du Sud.

FAMILLE DES PLOCÉIDÉS

Cette famille groupe les oiseaux conirostres, c'est-à-dire ceux dont le bec de forme conique sert à la décortication des graines. Elle compte environ six cents espèces répandues surtout en Afrique et en Europe. Une seule vit au Canada: le Moineau domestique.

Photo: Direction générale du cinéma et de l'audiovisuel, Québec, par J.-L. Frund.

LE MOINEAU DOMESTIQUE

Nom anglais: House Sparrow
Nom scientifique: Passer domesticus (Linnaeus)
Longueur: 16,51 cm (6,5 po)
Ponte: 4-7 œufs blancs ou verdâtre pâle ou bleuâtres mouchetés d'olive

Débrouillard, « dur à cuire », voilà le Moineau domestique, ce gamin de la gent ailée qui ne s'en laisse pas imposer et qui ne se gêne pas pour loger partout où cela lui convient. Son nom scientifique veut dire « passereau domestique ». Sa physionomie n'a rien d'éclatant, mais tout de même son plumage offre quelques contrastes qui lui confèrent un petit air gavroche.

Description — La gorge noire caractérise bien le mâle. Le dessus de la tête, la nuque et le croupion sont gris; une bande marron s'étend des yeux et va en s'élargissant jusqu'à la nuque et le cou; les joues sont blanc grisâtre; le dos brun est marqué de traits longitudinaux plus prononcés; la queue est brun foncé, mais les rectrices sont lisérées de chamois; les ailes sont brunâtres et une bande blanche traverse les sus-alaires; la poitrine et les flancs sont gris. L'iris est brun.

La femelle vêt une livrée plus terne: tête grise, dos brunâtre rayé d'un brun plus foncé, ailes brunâtres, parties inférieures grisâtres.

Notes historiques — Au cours de l'automne de 1850, des Américains de Brooklyn, New York, importent d'Europe huit couples de Moineaux domestiques à qui ils donnent la liberté le printemps suivant. Cette première expérience est suivie de plusieurs autres et des Moineaux sont dispersés dans quelques localités. Les conséquences deviennent effarantes, car cette espèce est actuellement présente dans la plupart des régions habitées du Canada et des États-Unis.

L'objectif poursuivi par les instigateurs était en soi louable, parce que le Moineau était reconnu comme un excellent dévoreur de chenilles. Toutefois, ces importateurs maladroits n'ont pas su prévoir toutes les conséquences néfastes de leur geste qui sont signalées dans cette courte monographie.

Habitat — Le Moineau vit dans les villes, les villages et les campagnes. Il se sent en sécurité près des fermes, dans les cours et les jardins, dans les bosquets, sur les routes bordées de maisons et près des dépotoirs. Sa présence a même été signalée à Havre-Saint-Pierre et sur les îles de la Madeleine.

Nid — Incubation — Très tôt au printemps, avant le retour des oiseaux migrateurs, il choisit l'emplacement de son nid. Pour lui, tous les endroits sont bons: une corniche de maison, une saillie de monument, un trou dans un mur, un coin de gouttière, une cavité d'arbre, une boîte aux lettres rurale, etc. S'il trouve un nichoir déposé sur une branche ou accroché à la maison, il s'en empare pourvu qu'il puisse y pénétrer sans trop de difficultés. Il tapisse le fond de quelques brins d'herbes ou de paille. L'incubation à la charge de la femelle seule dure 12 ou 13 jours.

Fécondité de l'espèce — Un couple de Moineaux domestiques élève deux ou trois couvées par année, voire quatre ou cinq selon des observateurs dignes de foi. Dans des conditions toutes spéciales, il peut donner naissance à plus de vingt-cinq rejetons en une seule année. Peut-on imaginer alors le nombre de ces oiseaux dans une ville comme Montréal ou encore dans un milieu rural où abondent les fermes?

Photo: Direction générale du cinéma et de l'audiovisuel, Québec, par J.-L. Frund.

Régime alimentaire — Il capture une grande quantité d'insectes tout le temps de l'élevage des petits. En juillet, il mange les papillons de la Tordeuse de l'épinette. Posté à l'extrémité d'une branche, il guette les bestioles imprudentes et les happe en vol. Il se nourrit aussi du petit coléoptère vert qui ronge les feuilles de saule et de l'Alypie à huit points (la chenille) qui endommage les vignes vierges qui grimpent aux maisons. Quand les petits peuvent voler et se nourrir de façon autonome, les Moineaux s'attroupent dans les champs de céréales qu'ils pillent avec voracité.

Le cri — Dès l'aube, il piaille. Ses « pit » agaçants à la longue se succèdent sans répit et trahissent sa présence, même lorsqu'il se tient bien à l'abri dans les branches touffues d'une épinette.

Procès de l'espèce — Les ornithologues ont beaucoup écrit sur le Moineau domestique. La plupart d'entre eux ont usé de mots cruels à son endroit. Ce manque de sympathie envers ce petit paquet de plumes est dû à sa mauvaise réputation, tant vis-à-vis des espèces indigènes, chanteurs et insectivores par surcroît qui éprouvent de la difficulté à conserver leur territoire d'origine, qu'à l'égard du cultivateur à qui il dérobe des quantités considérables de céréales.

Il chasse très souvent l'Hirondelle bicolore ou le Merle bleu à poitrine rouge qui ont déjà commencé leur nid. Le Moineau transporte alors quelques brindilles dans le logis convoité; cela suffit habituellement pour éloigner les premiers occupants qui vont chercher refuge ailleurs. De plus, il envahit les places publiques, bouche les gouttières et salit les monuments.

Pour P.-A. Taverner, « c'est un des produits les moins désirables qu'on ait importé d'Europe »; de son côté, Claude Mélançon le qualifie de « parasite de l'homme, au même titre que la souris ».

Valeur économique — Certes, il présente des sources d'ennui. Toutefois, comme insectivore, il offre maints avantages. Le bilan de son comportement plaide-t-il en sa faveur? Il ne semble pas, surtout à cause du nombre trop considérable des individus de l'espèce qui portent préjudice aux oiseaux autochtones. Si ces derniers étaient plus nombreux, ils joueraient un rôle accru dans le maintien d'un sain équilibre dans le monde des insectes.

Notes particulières — Les jugements sévères portés contre le Moineau domestique découlent d'observations sérieuses et objectives. En dépit de cette levée de boucliers — pièges tendus, nids bouchés, coups de fusil, style des édifices modifié pour l'empêcher de nicher — il n'a cessé de s'accroître à un rythme extraordinaire. Il est le parangon de cet esprit d'adaptation à la vie moderne.

Si le cheval l'a bien servi autrefois dans les villes par les grains d'avoine laissés dans ses déjections, le cheval-vapeur l'a contraint de se trouver d'autres sources d'approvisionnement. Il s'est alors collé aux maisons, a cherché un refuge dans les cours, les parterres, les marchés publics afin d'y recueillir les aliments abandonnés, et ce, tous les jours de l'année.

FAMILLE DES ICTÉRIDÉS

Deux traits en commun distinguent surtout les Ictéridés: leur dandinement quand ils se déplacent sur le sol et le nombre de rémiges primaires, soit neuf. Le bec du Goglu et du Vacher à tête brune épouse une forme conique; celui des autres espèces est long et pointu comme une alène. Il est légèrement bombé chez les Mainates.

Le Goglu, la Sturnelle des prés et les Orioles chantent à ravir. Quant aux autres individus de cette famille, ils émettent des sons rudes, parfois métalliques.

Dix-neuf espèces vivent au Canada dont douze sont protégées par une loi fédérale. Sept habitent le Québec: le Goglu, la Sturnelle des prés, le Carouge à épaulettes, l'Oriole orangé, le Mainate rouilleux, le Mainate bronzé et le Vacher à tête brune.

Photo: Musée national des Sciences naturelles, Musées nationaux du Canada, 79-3027.

STURNELLE DES PRÉS

LE GOGLU

Nom anglais: Bobolink
Nom scientifique: Dolichonyx oryzivorus *(Linnaeus)*
Longueur: 18,25 cm (7,25 po)
Ponte: 4-7 œufs beige pâle ou rougeâtre pâle et tachetés de marron et de pourpre

Parmi les chanteurs qui sèment leurs chaudes mélodies dans nos champs et nos prés, il en est un dont les brillantes vocalises plaisent à plus d'un mélomane: c'est le Goglu, un aède à la voix vibrante, dont les riches sons évoquent les agréables percussions de l'airain des cloches.

Son nom spécifique *oryzivorus* signifie « dévoreur de riz »; il le devient en effet lors de son séjour en Amérique du Sud, où il est connu comme l'Ortolan de riz.

Description — Vu de face et assez éloigné, le mâle fait penser au Vacher à tête brune. Lorsqu'il est observé de près, les couleurs sont tout autres: dos noir fortement rayé de chamois; nuque, partie postérieure de la tête, portion latérale du cou et rebord des ailes chamois; croupion, grandes susalaires et tectrices sus-caudales blancs. Le restant du plumage et le bec sont noirs.

La livrée de la femelle est plus sobre: trois bandes se dirigent du front à la nuque: une centrale de couleur chamois et deux latérales de ton brunâtre; raies sourcilières chamois; parties supérieures et ailes olive jaunâtre rayées de noir; parties inférieures olive jaunâtre; flancs et tectrices sous-caudales de même ton, mais rayés de noir. Le bec est brun. Le mâle et la femelle possèdent trois traits en commun: rectrices pointues, iris et pattes bruns.

Retour de migration — Habitat — À son retour au début de mai, il mêle son chant à celui de la Sturnelle des prés qui l'a précédé de plus d'un mois. C'est un oiseau à caractère rural qui se plaît dans les grands champs et les prairies. Son territoire couvre une bonne partie du Québec: il s'étend à l'est jusqu'à Percé en Gaspésie et à l'ouest jusqu'à Taschereau en Abitibi. Il abonde dans la Vallée du Richelieu et dans les Cantons de l'Est: il n'existe pratiquement pas de fermes de ces régions qui n'accueillent un ou deux couples de cette espèce.

Pariade — Nid — Incubation — En raison de son arrivée tardive et de son départ hâtif, à la mi-août, le mâle s'empresse de faire la cour. La pariade se déroule en démonstrations diverses d'amitié: étalement des ailes et de la queue, pavane répétée, envols d'un bout à l'autre du champ pendant lesquels il égrène ses notes cristallines accompagnées de frémissements d'ailes.

La femelle construit son nid sur le sol parmi les herbes: il est constitué d'herbes et de feuilles sèches, lambrissé à l'intérieur de fines herbes. Il est si bien dissimulé qu'il faut le

chercher longtemps avant de le découvrir. La mère le quitte et y revient en faisant mille détours. L'incubation assurée par elle seule dure de 11 à 13 jours.

Élevage des petits — Régime alimentaire — À l'éclosion des petits, le mâle cesse pratiquement de vocaliser et se met de la partie pour nourrir sa progéniture de saute-relles, de criquets et d'autres insectes capturés au hasard. Quand les jeunes quittent le nid, ils suivent leurs parents dans les champs. Tout en s'exerçant à l'art de voler, ils s'entraînent à la chasse. Ils mangent également le grain tombé des épis et dont le cultivatuer ne tire aucun profit.

Le chant — Le cri — Le mâle commence à chanter dès son apparition au printemps et il ralentit ses ardeurs musicales à la naissance de ses rejetons. Il lance d'abord deux notes sonores, puis trois autres qu'il répète trois ou quatre fois et qui s'achèvent en decrescendo. Cette ritournelle continue comme un chapelet sans que notre chanteur éprouve la moindre lassitude. Plus loin, plusieurs de ses congénères participent à ce concert champêtre.

Pendant que sa compagne couve, il survole les champs tout en faisant exploser ses notes métalliques que l'on peut traduire par une onomatopée « bob-o-link ». Les travailleurs occupés à la fenaison ne se lassent pas de l'entendre.

Migration — Dès le mois d'août, les Goglus se regroupent pour entreprendre le long périple vers le Sud. À ce moment, les mâles troquent le noir et le jaune de leur livrée contre les modestes atours des femelles.

Durant quelques mois, les uns vivront en Jamaïque et les autres dans quelques pays de l'Amérique du Sud. Les plus audacieux s'aventureront jusqu'au Brésil, au Paraguay ou en Argentine. Ils devront user alors de ruse pour survivre, car des coups de fusil et des pièges leur sont réservés. D'insectivores qu'ils étaient chez nous, ils sont devenus des granivores voraces qui s'empiffrent de riz et de quelques autres céréales.

LA STURNELLE DES PRÉS

Nom anglais: Eastern Meadowlark
Nom scientifique: **Sturnella magna** *(Linnaeus)*
Longueur: 26,87 cm (10,75 po)
Ponte: 4-6 œufs blancs mouchetés marron

Les champs ont à peine perdu leur immense manteau blanc que, déjà, la Sturnelle des prés lance ses premières notes annonçant la fin de l'hiver. Un printemps hâtif la ramène du Sud vers la mi-mars; les autres années, elle arrive dans la dernière semaine du même mois.

Nos ancêtres, ces opiniâtres défricheurs, étaient toujours suivis de ce sympathique oiseau qu'ils prirent en amitié et qu'ils baptisèrent « Alouette ». Elle figure depuis longtemps sur un paquet de tabac; de plus, les Québécois la plument sans vergogne à diverses occasions. D'ailleurs, le nom anglais « Meadowlark » nous le rappelle, bien que ce soit là une erreur d'identification. Il y a quelques années à peine, cet oiseau était appelé « Étourneau des prés », de son nom générique *sturnella*. En 1978, le Comité permanent de nomenclature française des vertébrés du Canada le rebaptisa du joli nom de « sturnelle ».

Description — On ne peut dire que la Sturnelle des prés est un oiseau gracieux qui, en plus d'un bec long et pointu, possède un corps très rebondi, des pieds larges et une queue courte. Les couleurs de cet oiseau de nos prairies sont très variées: tête marquée, de la base du bec à la nuque, d'une bande centrale chamois; deux autres bandes, l'une noirâtre juste au-dessus de l'œil, et l'autre blanche suivant l'arrière de l'œil; partie en avant de l'œil jusqu'aux narines d'un jaune éclatant; tectrices des oreilles blanches soulignées de rayures plus foncées; parties supérieures rayées de chamois, de noir et de brun; trois rectrices latérales blanches, quelques-unes d'un brun grisâtre et les centrales noires; rémiges primaires grisâtres, bordées de brun grisâtre; rémiges secondaires, tertiaires et couvertures des ailes recouvertes de bandes noires, lisérées de brun clair. Les parties inférieures d'un jaune citron s'agrémentent d'un large croissant noir qui s'étend en pointe de chaque côté du cou; les flancs et les côtés d'un blanc chamois sont rayés de noir. L'iris est brun.

Habitat — Nid — Son territoire s'étend de l'Outaouais à Rimouski; des observateurs ont également signalé sa présence au Lac-Saint-Jean et au nord de Tadoussac. Napoléon-A. Comeau rapporte dans son livre *La vie et le sport sur la Côte Nord du Bas St-Laurent et du Golfe* que la *Sturnella magna,* qu'il appelle aussi Grande alouette des prés, est bien présente près de Pointe-des-Monts: « Un peu rare. Niche. 19 avril 1900, 4 mai 1902. »

La femelle dissimule son nid dans les hautes graminées. C'est un ensemble d'herbes desséchées surmontées d'un dôme, afin de protéger les œufs et la nichée contre les chats et les rongeurs. Elle assume seule la corvée de l'incubation qui dure en moyenne 14 jours.

Régime alimentaire — Valeur économique — Vivant collé au sol, cet oiseau champêtre attaque avec acharnement les pires ennemis des récoltes: criquets, sauterelles, chenilles composent 75 p. cent de son menu quotidien. De plus, la Sturnelle des prés ingurgite 12 p. cent de graines nuisibles et 13 p. cent de grain tombé des épis et dont ne se soucie guère le cultivateur. Elle rend donc d'immenses services aux agriculteurs et, à ce titre, mérite une protection soutenue.

Le vol — C'est une alternance de battements d'ailes rapides et de vol plané. Ses déplacements à base altitude, à travers champs, permettent de remarquer la blancheur des rectrices latérales.

Le chant — Le cri — Ce ténor de nos prairies lance avec vigueur un sifflement musical composé de trois notes: la première est basse; la seconde plus haute et puis la troisième légèrement plus basse que la seconde. Le cri d'alarme forme un ensemble de notes rauques et rapides qui s'entrechoquent.

Migration — Dès la mi-octobre, la Sturnelle des prés nous quitte pour les chaudes régions des États-Unis.

LE CAROUGE À ÉPAULETTES

Nom anglais: Redwinged Blackbird
Nom scientifique: Agelaius phoeniceus *(Linnaeus)*
Longueur: 21,59 cm (8,5 po)
Ponte: 3-6 œufs bleu pâle ou verdâtres, striés de noir ou de rouge marron

Les marais et les étangs sont des milieux intéressants, non seulement à cause de la variété considérable d'êtres qui y vivent — plantes et animaux —, mais en raison également de l'attirance quasi magnétique qu'ils exercent sur le scientifique, l'amateur en sciences naturelles ou le simple observateur. Plusieurs espèces d'oiseaux en ont fait leur biome, entre autres le Carouge à épaulettes connu encore sous les noms de Commandeur et Étourneau à ailes rouges.

Description — Le nom anglais « Redwinged Blackbird » décrit fort bien le mâle car il est noir, sauf les petites sus-alaires qui sont rouge feu et les moyennes qui sont chamois ou blanches.

La femelle est toute différente: parties supérieures noir brunâtre, rayées de chamois, de grisâtre et de brun clair; petites sus-alaires légèrement tachetées de rouille; parties inférieures grises et rayées de noirâtre; menton, gorge et lores d'un rose saumon; une bande blanche longe le haut de l'œil.

Photo: Direction générale du cinéma et de l'audiovisuel, Québec, par J.-L. Frund.

Les couleurs du jeune mâle, le premier automne, voisinent quelque peu celles de la femelle: parties supérieures d'un noir terne, rayées de chamois et de brun rougeâtre; parties inférieures également d'un noir terne rayées de chamois pâle; ailes marquées de points noirs où apparaît parfois une tache orangée. Tous ont l'iris brun.

Retour de migration — Habitat — Le Carouge à épaulettes signale son retour à la mi-mars. Il ne vagabonde pas en ville ou au village — sauf de rares exceptions — comme le Mainate bronzé et le Vacher à tête brune, mais s'empresse de revenir aux roseaux de son enfance. Après avoir fait une tournée de son domaine en lançant des cris de possesseur, le mâle recherche celle qui perpétuera l'espèce.

Le territoire de cet Ictéridé est très vaste: il vit autour des lacs, des étangs et des marais, le long des cours d'eau et à l'orée du bois, bref, partout où croît la typha à feuilles larges (la quenouille). Il niche dans plusieurs secteurs de la province: du sud-est jusqu'en Gaspésie et du sud-ouest jusqu'au sud de la baie de James.

Pariade — Nid — Incubation — Le mâle fait la cour selon les rites de sa famille: queue en éventail et petits cris suppliants. Cette cérémonie des amours printanières se déroule dans le décor des marais, au moment où surgissent les premières plantes aquatiques et s'accompagne des coassements graves des agiles grenouilles et des impressionnants ouaouarons.

Le nid composé d'herbes et de joncs est attaché aux roseaux et tissé avec les herbes qui surgissent au-dessus de l'eau; parfois la femelle l'accroche dans un buisson ou un arbuste. Il lui arrive même d'élever sa couvée près des habitations, pourvu qu'une nappe liquide n'en soit pas trop éloignée. La charge de l'incubation assumée par la femelle seule dure une douzaine de jours.

Régime alimentaire — Les oisillons sont nourris exclusiment d'insectes. L'adulte en consomme également une grande quantité et il y ajoute des graines nuisibles — environ 80 p. cent de tout son menu —. Quand les jeunes peuvent voler, les Carouges s'envolent, dès l'aube, vers les espaces cultivés où ils pillent les céréales qui composent environ 20 p. cent de leur régime alimentaire. Le soir, ils reviennent dormir dans les marais.

Le cri — Au printemps comme tout l'été, le mâle lance de sonores « o-ki-ri » qui se mêlent aux sourdes vocalises des batraciens des étangs. Ces trois notes pleines de charme décroissent pour passer du grave à l'aigu. Il émet aussi un « tchoc » plutôt fade très semblable à celui des autres Ictéridés. Parfois, il fait entendre un « ti-i » étiré et empreint de mélancolie.

Notes particulières — Il n'est pas dans les habitudes du Carouge à épaulettes de venir se balader dans les parterres de la banlieue. Toutefois, en des circonstances exceptionnelles et sûrement pour des besoins de survie, il se rapproche des cantines de plein air. C'est le cas d'un individu de l'espèce qui, le 8 avril 1977, à l'occasion d'une tempête de neige, vint manger des graines de tournesol en compagnie d'un Junco ardoisé, de Moineaux domestiques, d'une dizaine de Vachers à tête brune, d'une vingtaine de Gros-becs errants et de quelques Étourneaux sansonnets.

Migration — Au début de l'automne, il entreprend son voyage annuel vers le Sud et hiverne du centre des États-Unis à l'Amérique centrale.

L'ORIOLE ORANGÉ

Nom anglais: Baltimore Oriole
Nom scientifique: Icterus galbula *(Linnaeus)*
Longueur: 20,32 cm (8 po)
Ponte: 4-6 œufs blancs pointillés de noir

Il est fort périlleux de vouloir décerner un premier prix au plus bel oiseau de nos régions. L'Oriole orangé, — le mâle surtout en raison de l'éclat de son plumage — considéré comme l'un des plus colorés de nos vergers, se classerait certainement parmi les concurrents sérieux. Le nom générique *Icterus* comme le nom spécifique *galbula* proviennent tous deux de la langue latine et signifient respectivement « loriot ». Plusieurs amateurs des oiseaux le connaissent sous le nom de « Loriot de Baltimore ».

Description — Les couleurs du mâle sont vives et contrastantes: tête, cou, nuque, épaules, dos, menton, gorge et début de la poitrine et deux rectrices centrales noirs; croupion, poitrine en grande partie, ventre, flancs, tectrices supérieures de la queue, petites et moyennes sus-alaires jaune orange; rémiges noires et lisérées de blanc; rectrices — les deux centrales mises à part — orange léger ou jaune orange traversées d'une bande noire à la base.

Photo: Musée national des Sciences naturelles, Musées nationaux du Canada, 75-5326.

La femelle est plus sobre: couronne, nuque, épaules et dos jaune olive, mouchetés de noir et de gris; auriculaires noires; rémiges noires, lisérées de blanc; deux bandes alaires blanches; gorge jaune olive mouchetée de noir à la naissance de la poitrine; poitrine, ventre, flancs, croupion et queue d'un jaune plus pâle que le mâle. Le mâle et la femelle ont un bec de la couleur du plomb. L'iris est brun.

Notes historiques — George Calvert, premier baron de Baltimore, obtient, en 1632, de Charles 1er, roi d'Angleterre, une charte lui concédant le territoire des États de Delaware et de Maryland. Il meurt la même année et la concession est confirmée à son fils aîné, Cecil Calvert, deuxième baron de Baltimore qui fait voile vers l'Amérique, en compagnie d'un groupe de colons, et entreprend le défrichement de ses terres.

Les défricheurs sont attirés par le charme d'un oiseau qui niche près de leur demeure. Bien qu'aucun lien ne l'apparente au Loriot d'Europe, ils lui donnent quand même ce nom. En 1766, le grand naturaliste suédois, Linné, reçoit une peau de cette beauté ailée d'Amérique. Il lui conserve le nom suggéré par les colons et y ajoute celui de Baltimore, en l'honneur du lord anglais dont les armoiries sont orange et noires.

En 1976, le Comité de nomenclature française des vertébrés du Canada remplace le nom de Baltimore en celui de « orangé ». Désormais, ce sera l'Oriole orangé.

Retour de migration — Habitat — Au début de mai, le mâle manifeste son retour du Sud par un cri rauque, signe d'appel de cet Ictéridé. Le verger, le bosquet et l'érablière deviennent alors des milieux assidus de fréquentation. En attendant l'arrivée des femelles, il distribue ses concerts, batifole, se délecte d'imprudentes chenilles, bref, il participe à l'éclosion du printemps. Puis, un beau matin, les femelles à la livrée plus modeste apparaissent dans le paysage en lançant deux ou trois notes monotones.

Il niche dans le sud-ouest de la province et il est vu jusqu'à Rimouski. La Vallée du Richelieu et les Cantons de l'Est lui réservent de nombreux endroits correspondant à ses exigences d'insectivore.

Pariade — Nid — Incubation — À la mi-mai, l'Oriole mâle chante ses ardeurs. La conquête d'une compagne lui offre l'occasion de faire montre tout autant de son riche plumage que de l'éclat vibrant de sa voix. Quand la femelle a fixé son choix, elle se met en quête de l'arbre dans lequel elle accrochera son nid balançoire. Après une inspection minutieuse des lieux, elle opte pour un emplacement idéal où elle tressera une nacelle solide, capable de subir les intempéries du vent, de la pluie, voire durer trois ou quatre ans.

Le nid, un véritable berceau aérien qui répond aux moindres frissons de la brise, est un modèle d'architecture qu'on peut qualifier de chef-d'œuvre. La femelle seule — pendant ce temps le mâle fait les frais de la musique — édifie la demeure. Chaque matériau est sélectionné avec soin et transporté au fur et à mesure de la progression du foyer. C'est d'abord la corde, la ficelle ou les fibres qui le suspendront aux branches; suivent le crin de cheval, les tiges de plantes, les lanières d'écorce, la paille. Le bec, véritable alêne vivante, est l'outil à tout faire. C'est avec dextérité que la femelle l'utilise pour entrelacer les fibres, la ficelle et les bandes d'écorce qui constituent la charpente et les parois. Lorsqu'il est terminé, il ressemble à un sac suspendu de quinze centimètres de hauteur. L'incubation dure en moyenne 13 jours.

Élevage des petits — Régime alimentaire — Les oisillons sont nourris par les deux parents de chenilles, de taupins, de sauterelles et de hannetons. Fréquentant régulièrement les vergers, l'Oriole y picore parfois les fruits; toutefois ces méfaits sont occasionnels. Pendant cette période, le mâle ralentit ses envolées musicales.

Le chant — Perché sur une haute branche, le mâle siffle d'une voix d'alto « ti-ri-ti, ti-ri-ti, tiri ». À l'instar du Chardonneret jaune, du Gros-bec errant et de quelques autres espèces, il chante en volant. En ces occasions, il lance des notes sonores qui semblent nous dire « o-ri-o-le ».

Migration — Il arrive tard au printemps et il est l'un des premiers à nous quitter. Il ne demeure chez nous que trois mois et demi environ, car à la mi-août il s'envole vers des pays plus ensoleillés. Le mâle, en cette circonstance, quitte son costume d'apparat et revêt une livrée moins apparente qui assurera sa sécurité pendant ce long voyage.

Photo: Ministère de l'Énergie et des Ressources, Québec, service de l'Éducation en conservation, par Jean Sylvain.
MAINATE BRONZÉ

LE MAINATE BRONZÉ

Nom anglais: Common Grackle
Nom scientifique: Quiscalus quiscula *(Linnaeus)*
Longueur: 30,48 cm (12 po)
Ponte: 4-6 œufs bleuâtres ou verdâtre pâle, parfois d'un brun sale, fortement zébrés de lignes brunes et noires

Dans la troisième semaine de mars ou au plus tard au début d'avril, le Mainate bronzé apparaît dans la région de Montréal; il arrive quelques jours après dans celle de Québec. On le voit alors se dandiner comme un clown sur un terrain à peine libéré de la neige, — champs labourés, prairies et parterres — cherchant sa subsistance.

Son nom scientifique *quiscalus quiscula* dérive de « quiscale », un oiseau remarquable par sa belle livrée noire à reflets éclatants où domine le rouge et répandu surtout dans l'Amérique centrale. Cette description convient à quelques-uns de nos Ictéridés; le rouge mis à part, elle s'applique assez bien au Mainate bronzé.

Description — En vol, le mâle semble tout noir comme une Corneille d'Amérique. Les couleurs réelles se perçoivent mieux lorsqu'il est observé de près. Au soleil, le plumage s'éclaire de teintes variées: tête, cou et gorge d'un bleu violacé; dos, rémiges, rectrices et poitrine noirs aux reflets métalliques; petites sus-alaires, partie supérieure du dos et de la poitrine de teinte bronzée.

Le plumage de la femelle est semblable, mais beaucoup plus terne. Le couple est doté d'un long bec noir, légèrement arqué; l'iris va du jaune pâle au jaunâtre, tendant même vers le blanc.

Habitat — Il vit en bordure des forêts contiguës aux lacs, aux rivières ou aux étangs. Quelques individus préfèrent les bosquets, les parcs de dimension restreinte, de même que les cours ombragées de hautes épinettes. Tout espace gazonné, vaste comme un terrain de golf ou peu étendu comme un parterre de petit propriétaire, convient à ses habitudes d'insectivore. Il fréquente aussi les rives herbeuses des rivières et du fleuve et se mêle aux oiseaux limicoles.

Son territoire s'étend de l'Outaouais au lac Abitibi, du comté de Missisquoi au centre de la province, du lac Mégantic à Havre-Saint-Pierre, y compris les îles d'Anticosti et de la Madeleine.

Nid — Incubation — La femelle bâtit habituellement son nid au sommet d'un conifère. C'est un amoncellement de branchettes, de brindilles, d'herbes et de paille, le tout accumulé sans art à un endroit très touffu. L'auteur, pour sa part, remarque que depuis quatorze ans un couple de Mainates bronzés construit toujours son nid dans une haute épinette de sa cour. Cette espèce utilise parfois une cavité d'arbre près d'un cours d'eau. La femelle seule assure l'incubation qui dure 14 jours.

Élevage des petits — Régime alimentaire — Les petits sont nourris d'insectes variés, parfois même d'œufs et d'oisillons ravis dans des nids voisins. Quand les jeunes peuvent se débrouiller, ils se joignent aux adultes et, dès la pointe du jour, s'attaquent aux champs de céréales. Le soir, après le coucher du soleil, ils retraitent vers la forêt. En automne, le Mainate bronzé suit la charrue du cultivateur, afin de s'alimenter de vers blancs.

Le cri — Les « clac-clac » ainsi que les sons qui ressemblent au grincement d'une poulie de corde à linge sont bien connus de l'observateur. Il lance les premiers aussi bien lorsqu'il est perché que lorsqu'il vole; les seconds sont surtout réservés à son arrivée au printemps et au temps de la pariade.

Migration — Après s'être repu de céréales et de vers blancs, il nous quitte, en octobre, pour le sud des États-Unis.

LE VACHER À TÊTE BRUNE

Nom anglais: Brown-headed Cowbird
Nom scientifique: Molothrus ater *(Boddaert)*
Longueur: 20,32 cm (8 po)
Ponte: les œufs, de nombre inconnu, sont blancs et tachetés de brun

Le champ où paissent les bêtes à cornes est le véritable biotope du Vacher à tête brune. Ses noms français et anglais correspondent à ses mœurs champêtres, soit de trouver sa subsistance en insectes en vivant dans le voisinage du bétail, au cours de l'été et une partie de l'automne. Son nom générique *molothrus,* traduit en français par « molothre », le décrit comme étant un Ictéridé voisin des Sturnelles et des Dolichonyx (les Goglus); son nom spécifique *ater* signifie « sombre »: une bonne indication des teintes de son plumage.

♂

Photo: Ministère de l'Énergie et des Ressources, Service de l'éducation en conservation, Québec, par Jean Sylvain.

VACHER À TÊTE BRUNE

Description — Il est reconnaissable à son cou de phoque et à son bec court et conique. La tête et le cou du mâle sont brunâtres; le dos et la poitrine gris-noir. La femelle est toute grise. Le jeune vêt la même livrée que la femelle, mais toutefois la poitrine est maculée de points noirâtres.

Retour de migration — Habitat — À son arrivée, vers la fin de mars, alors que les champs gardent encore des vestiges de l'hiver, le Vacher à tête brune cherche sa pitance sur les parterres humides et dans les cours parmi plusieurs autres espèces d'oiseaux. Il ne dédaigne pas les graines de tournesol ainsi que les miettes de table que jette quotidiennement la sympathique hôtesse de maison.

Son séjour en ville est habituellement de courte durée — une ou deux semaines — car il est surtout attiré par les pâturages et les grands animaux de la ferme. Toutefois, des couples isolés viennent encore en mai, voire en juin manger dans les cours et les parterres de banlieue. Le territoire qu'il couvre s'étend jusqu'à Havre-Saint-Pierre.

Pariade — Pendant les jours laborieux des nids, le Vacher batifole au royaume des ruminants. S'il ne se plie nullement à la règle logique d'élever une famille, il n'oublie cependant pas l'étiquette de la pariade. Elle est toute simple: le mâle étale ses plumes rectrices, entrouve les ailes et lance deux

notes graves suivies d'un cri aigu traînant: « glou-gloup-gliii ».

Caractères spécifiques — La femelle distribue sa ponte dans plusieurs nids de petits oiseaux. Le Viréo aux yeux rouges et les Parulidés, notamment la Fauvette jaune, sont souvent les victimes de cette mère dénaturée. Ils couvent parfois jusqu'à deux œufs de Vacher. Quelques espèces ne sont pas complices de l'incurie de ce parasite et abandonnent leur nid pour en recommencer un autre ailleurs; parfois, elles en rebâtissent un nouveau par-dessus.

L'incubation des œufs de Vacher dure 11 ou 12 jours. Pendant que la mère alimente les nouveau-nés, elle accorde moins de temps à sa propre couvée qui très souvent ne se rend pas à maturité. Si ses héritiers légitimes voient le jour, ils reçoivent moins de nourriture de leur propre mère préoccupée à sustenter un ou deux jeunes Vachers toujours affamés. Il arrive même que ces derniers refoulent à l'extérieur du logis les oisillons qui les gênent.

Une fois qu'ils ont quitté leur nid d'adoption, les jeunes Vachers continuent d'être nourris avec beaucoup de zèle par leurs nouveaux parents. Il est révoltant de voir de quelle façon cet Ictéridé résout le problème de la survie de ses semblables! Il est toutefois touchant d'observer la Fauvette jaune ou le Viréo aux yeux rouges élever un ou deux jeunes oiseaux beaucoup plus gros qu'eux! Son autonomie conquise, le jeune Vacher à tête brune rejoint les rangs de ses congénères.

Régime alimentaire — C'est un excellent insectivore qui fait la guerre aux taons, aux guêpes, aux sauterelles, aux fourmis et à plusieurs autres espèces d'insectes. Les nombreuses bestioles déplacées par les lourds sabots des bêtes deviennent des cibles vivantes qu'il capture avec beaucoup d'habileté.

Le chant — Le cri — En plus du chant d'amour de la pariade, il fait entendre en vol une suite de trois notes: la première est haute et sifflée; les deux autres sont plus basses. Notre langage les traduirait ainsi: « oui-titi ». Le cri le plus commun, utilisé en diverses circonstances, est un « tchoc » bref.

Valeur économique — Cet Ictéridé serait considéré comme un oiseau très utile, car il est un grand dévoreur d'insectes, si ce n'était son instinct de faire couver ses œufs et de laisser à d'autres oiseaux le soin d'élever sa progéniture. Les services qu'il rend au cultivateur, surtout en pourchassant les insectes qui harcèlent ses bêtes, sont certainement très précieux. À l'occasion, il glane bien le grain tombé des épis et se régale de quelques fruits sauvages, mais cela ne nuit à personne.

Migration — En octobre, les insectes se font plus rares. De plus, les troupeaux qui commencent à ressentir les effets du froid paissent moins longtemps dans les champs. Le Vacher à tête brune voit alors ses sources de ravitaillement tarir de jour en jour, ce qui l'incite à s'envoler vers le sud des États-Unis.

Photo: Direction générale du cinéma et de l'audiovisuel, par J.-L. Frund.

GROS BEC ERRANT

FAMILLE DES FRINGILLIDÉS

Le mot Fringillidé vient du latin *fringilla* et signifie « pinson ». Toutefois, cette famille n'englobe pas seulement cette catégorie d'oiseau. Les individus qui en font partie ont un bec conique: court chez le Pinson, le Sizerin, le Chardonneret et le Bruant; prononcé chez le Cardinal, le Gros-bec, le Tohi commun et le Bec-croisé. Le bec de ce dernier offre le plus d'originalité, en raison de l'entrecroisement des mandibules.

Les Fringillidés se révèlent de grands granivores; au temps de l'élevage des petits, ils deviennent des insectivores très utiles. Plusieurs d'entre eux sont des chanteurs remarquables.

Vingt-sept espèces de cette famille vivent régulièrement au Québec; douze autres espèces, dont huit de Pinsons ainsi que le Cardinal, le Gros-bec bleu, le Dickcissel et le Tohi à queue verte nous visitent de façon sporadique.

Cet ouvrage traite de dix-sept espèces: le Gros-bec à poitrine rose, le Gros-bec errant, le Roselin pourpré, le Gros-bec des pins, le Sizerin à tête rouge, le Chardonneret

des pins, le Chardonneret jaune, le Bec-croisé rouge, le Bec-croisé à ailes blanches, le Pinson vespéral, le Junco ardoisé, le Pinson hudsonien, le Pinson familier, le Pinson à couronne blanche, le Pinson à gorge blanche, le Pinson chanteur et le Bruant des neiges.

LE GROS-BEC À POITRINE ROSE

Nom anglais: Rose-breasted Grosbeak
Nom scientifique: Pheucticus ludovicianus (Linnaeus)
Longueur: 17,5 cm à 21,25 cm (7 à 8,5 po)
Ponte: 3-5 œufs bleu verdâtre tachetés de brun rougeâtre et de marron

L'équilibre de la nature serait mieux maintenu si l'homme observait attentivement les êtres vivants qui la composent, afin d'en tirer un parti optimum. C'est ainsi que beaucoup d'espèces d'oiseaux en constituent la pierre d'angle en dévorant les insectes destructeurs de végétaux. Le Gros-bec à poitrine rose fait figure de champion en ce domaine, en raison des chasses intensives qu'il livre aux doryphores de la pomme de terre *Leptinotarsa decemlineata* (Say), communément appelés « bêtes à patates ».

Description — Le mâle adulte, au printemps, offre des points d'identification sûrs: tête, cou, gorge, rectrices, une grande partie des ailes et du dos noirs; croupion blanc, rémiges soulignées de blanc à quelques endroits; intérieur des ailes et poitrine d'un rouge carmin, sur laquelle il descend en forme d'entonnoir; autre parties inférieures blanches; bec de même couleur et iris brun. En automne et en hiver, il troque sa livrée nuptiale contre le brun. De plus, il porte plusieurs rayures, notamment sur la tête, le cou, le dos, la poitrine et les côtés. Le rouge de la poitrine pâlit et fait place en partie au chamois; le dessous des ailes est rougeâtre.

Photo: Musée national des Sciences naturelles, Musées nationaux du Canada, 79-2943.

De nombreuses rayures caractérisent la femelle; blanc jaunâtre au centre de la tête et au-dessus de l'œil, brunes sur les parties supérieures et inférieures. Aucune trace de rose n'apparaît sur la poitrine. Le jeune mâle, le premier automne, ressemble à l'adulte mâle en plumage d'hiver. Toutefois, quelques traits lui sont propres: ailes et queue d'un brun grisâtre; deux bandes blanches ou chamois traversent les ailes; un peu de rose tempéré de chamois sur la poitrine; intérieur des ailes noir. Le jeune et la femelle peuvent être pris pour la femelle du Roselin pourpré, mais il faut se rappeler que cette dernière est beaucoup plus petite.

Retour de migration — Habitat — Il revient de migration dans la région de Montréal au début de mai; huit à douze jours plus tard, il apparaît dans celle de Québec. Son territoire couvre plusieurs secteurs de la province: sud du Parc provincial de La Vérendrye, régions de Charlevoix, lac St-Jean, l'Estrie et le Bas Saint-Laurent jusqu'à Rimouski. Cet oiseau vit parmi les arbrisseaux, furette dans les broussailles en bordure de la forêt.

Nid — Incubation — Plutôt délicat, le nid formé de ramilles, d'herbes desséchées et de radicelles est posé dans un buisson ou sur une branche ténue d'un arbre à une hauteur variant de 1,5 à 6 mètres du sol. Les deux parents s'occupent de l'incubation d'une durée moyenne de 13 jours. Pendant que la femelle couve, le mâle la charme par la douceur de son chant.

Régime alimentaire — Valeur économique — En plus de dévorer les doryphores de la pomme de terre et leurs larves, dont le couple gave également leurs oisillons, le Gros-bec à poitrine rose chasse les chenilles à tente, les vers rongeurs des plantes, les vers gris-noirs, les punaises et autres. Son menu végétal se compose de pois en petite quantité et de bourgeons d'arbres forestiers. En raison des services qu'il rend comme insectivore, il mérite la protection de l'agriculteur qui a grand intérêt à l'attirer en lui ménageant des arbrisseaux parmi lesquels il peut se réfugier.

Le chant — Le cri — Ses notes ravissantes, semblables à celles du Merle d'Amérique, sont toutefois plus pures, plus nuancées, lancées avec aisance et rapidité. La chaleur du midi n'arrête pas les élans musicaux de cet artiste infatigable. Il est tellement passionné qu'il chante même en volant. Dérangé ou surpris, il fait entendre un « tic » aigu à résonance métallique.

Notes particulières — Les amants de l'avifaune estiment grandement cet oiseau qui manifeste beaucoup de calme et prend son rôle au sérieux soit comme insectivore, soit comme musicien, soit comme compagnon qui voit au bien-être de sa compagne occupée à couver. En bon père de famille, il s'occupera aussi à nourrir sa progéniture. Cette préoccupation axée d'abord sur le devoir lui a valu l'appellation scientifique *Pheucticus ludovicianus* qui signifie « qui fuit les plaisirs ». Avant de retourner, au printemps, à son coin de forêt favori, il s'arrête parfois dans un jardin de banlieue où il ne semble ni inquiet, ni pressé, à tel point qu'il se laisse facilement croquer par l'œil magique d'une caméra.

Migration — Il émigre au sud des États-Unis, au Mexique et en Amérique centrale.

LE GROS-BEC ERRANT

Nom anglais: Evening Grosbeak
Nom scientifique: Hesperiphona vespertina *(W. Cooper)*
Longueur: 20,32 cm (8 po)
Ponte: 3-4 œufs vert clair tachetés de brun clair

Les campeurs connaissent bien cet oiseau obèse dont les couleurs rappellent vaguement celles du Serin. Il s'approche des campements pour y manger des miettes, gratte dans les cendres éteintes des foyers ou dans le gravier, afin de consommer un peu de sel.

Description — Le mâle est coiffé d'un béret noir d'où il tirait son ancien nom: le Gros-bec à couronne noire. Le front et les raies sourcilières dessinent un arc jaune or; le dos et les parties inférieures jaunes se teintent de brun. Les rémiges primaires et les rectrices sont noires; les rémiges secondaires sont blanches. La femelle est habillée de gris cendré teinté de légères nuances argentées; les ailes sont d'un noir terne; les grandes sus-alaires ont des teintes grisâtres; la nuque est de ton olive; les rectrices supérieures sont noires, marquées de blanc à leur extrémité. Chez le couple le bec est verdâtre au printemps et en été; il devient blanchâtre en hiver. L'iris est brun.

Photo: Musée national des Sciences naturelles, Musées nationaux du Canada, 79-2969.

Habitat — Durant l'été et l'automne, le Gros-bec errant fréquente les forêts de conifères: Cantons de l'Est, Mauricie, parc des Laurentides, Lac-Saint-Jean, Abitibi, Gaspésie et l'île d'Anticosti.

En décembre, il se rapproche des habitations où il escompte trouver une table garnie de graines de tournesol, d'avoine et d'orge. Il visite aussi les vergers où les quelques fruits encore suspendus aux branches lui procurent des desserts sucrés. En hiver, quand il se fait villageois ou citadin, il partage le couvert du Moineau domestique, de l'Étourneau sansonnet et du Sizerin à tête rouge.

Certaines années, il quitte la ville ou le village en avril; certaines autres, il s'attarde jusqu'en mai. En 1977, par exemple, quelques individus de l'espèce rôdaient encore dans la banlieue de Québec dans la première semaine de mai.

Nid — La femelle pose son nid dans un conifère ou un feuillu à une hauteur pouvant atteindre quatorze mètres. Il est peu profond et est fabriqué de brindilles, de radicelles et de lanières d'écorce; l'intérieur est lambrissé de délicates radicelles et de crin.

Régime alimentaire — Le Gros-bec errant raffole de bourgeons de toutes espèces: érable à Giguère, sureau, frêne et autres. Il se régale aussi d'une variété de fruits: cerises sauvages, sorbes, sumac vinaigrier ou sumac de Virginie. Des graines diverses entrent également dans son menu, de façon toute spéciale celle de l'hélianthe annuel mieux connu sous les noms de grand Soleil ou tournesol.

Le cri — Les mâles, aux habitudes grégaires, manifestent leur présence par des cris variés. Quelquefois, c'est d'une voix enrouée qu'ils lancent deux notes roulées: une première élevée suivie d'une autre plus basse. Un deuxième cri, qui se situe entre l'aigu et le grave, peut se traduire par « criccric ». La plupart du temps, perchés au faîte de grandes épinettes, les Gros-becs entretiennent des conversations bruyantes. Ce sont les mêmes sons qu'ils font entendre en volant.

Notes diverses — Il arrive parfois que des animaux de même espèce, en vertu d'un phénomène de dichromatisme, se vêtent de couleurs différentes. En avril 1974, l'auteur a vu à quelques reprises, dans une bande d'une cinquantaine de Gros-becs errants, un individu dont les couleurs étaient les suivantes: tête, dos et poitrine d'un jaune éclatant; ailes ainsi que tectrices sus-caudales blanches; tectrices sous-caudales noires.

LE ROSELIN POURPRÉ

Nom anglais: Purple Finch
Nom scientifique: Carpodacus purpureus (Gmelin)
Longueur: 15,74 cm (6,2 po)
Ponte: 4-6 œufs bleu verdâtre avec quelques taches brunes, noires et violacées

Le premier oiseau qui synchronise son débit musical aux effluves printaniers est le Roselin pourpré. Selon la légende de John Burrough, il se serait baigné dans le jus de framboise. Ses autres noms, le Rosalin, l'Oiseau rouge et le Pinson pourpré décrivent admirablement bien le mâle, l'un des plus beaux et des plus sympathiques représentants de la famille des Fringillidés.

Description — Le rouge framboise couvre presque totalement le mâle. Toutefois, cette teinte perce de façon plus flamboyante sur la tête et le croupion. Un brun léger se mêle au rouge du dos. Les tectrices sous-caudales et l'abdomen sont blancs. Le dessus de la queue et les ailes sont brunâtres; ces dernières rayées de rouge.

La femelle et le jeune revêtent une livrée plus sobre: ensemble gris strié de brun, plus dégagé sur la poitrine et les flancs, mais plus serré sur la tête et le dos. La région dorsale est, de plus, nuancée d'olive. Un blanc rosé découpe les petites et les moyennes sus-alaires. La queue est rougeâtre. De chaque côté de la tête et, de l'œil à la nuque, une bande olive fait mieux ressortir l'iris brun.

Photo: Musée national des Sciences naturelles, Musées nationaux du Canada, 79-2983.

Habitat — La forêt de conifères de petite ou de grande dimension, ainsi que les marais où abondent les thuyas font partie de son biome. Il nidifie jusqu'à Saint-Augustin près de Harrington et sur l'île d'Anticosti. Ils vivent très nombreux également dans plusieurs parcs provinciaux, notamment dans celui de la Mauricie.

Pariade — Nid — Incubation — Au temps de la pariade, il faut voir le mâle déployer maints artifices, afin de persuader celle qu'il convoite de l'accepter comme le père de sa prochaine couvée. Il multiplie les démonstrations susceptibles de toucher le cœur de la femelle: ascensions vertigineuses à quelque soixante mètres accompagnées de notes vibrantes, descentes spiralées vers la courtisée, parades d'exhibition du coloris des plumes de la couronne, des ailes et de la queue. La femelle conquise par cette mise en scène spectaculaire signifie à l'élu qu'il peut faire route avec elle.

C'est dans un conifère que la femelle construit son nid. Il est composé de branchettes, de fibres végétales, d'herbes, de radicelles, de parcelles d'écorce et fini à l'intérieur de crin. L'incubation qui dure environ 13 jours est à la charge de la femelle. De son côté, le mâle s'occupe de la nourrir tout en couvrant son petit royaume d'arpèges harmonieux.

Élevage des petits — Régime alimentaire — Le couple rivalise de dévouement pour satisfaire l'appétit des oisillons. Quand ils peuvent voler avec aisance et assurer leur

subsistance, ils s'unissent à d'autres individus de l'espèce et parcourent la forêt en quête de leur pitance.

Le Roselin pourpré se sustente de graines de mauvaises herbes et de quelques variétés d'arbres. Les baies et plus particulièrement les sorbes entrent aussi dans son régime alimentaire.

Technique d'alimentation — Posé sur une branche de sorbier, il s'approche d'une grappe, cueille prestement un fruit, le roule dans son bec afin de le dépouiller de la pulpe qu'il crache sur le sol et avale le noyau. Tout en grapillant, il fait entendre des « chip-chip » de satisfaction.

Il lui arrive de causer des dommages aux vergers en lacérant les fruits de son bec, d'où lui vient son nom générique *carpodacus*, tiré du grec et qui signifie « qui mord les fruits ». Cette habitude déplaisante est heureusement compensée par une multitude de mauvaises graines qu'il consomme.

Le chant — Le cri — Le mâle appartient à cette catégorie d'oiseaux dont les talents musicaux émeuvent. Le prélude est d'abord très doux: un mince filet de voix caresse l'air, puis les notes cristallines s'amplifient tout en conservant une suavité envoûtante. La musique pensive de ce gai troubadour évoque les jeux du ruisseau qui baigne les herbes folles en clapotant le long de ses rives. Le petit gosier ne se lasse pas d'égrener ses accords rythmés qui inondent son biotope dont il se veut l'unique possesseur. En vol, il continue sa mélodie ou lance des « pip-pip » aigus.

Notes personnelles — En raison de ses qualités de virtuose, il est parfois capturé et mis en cage. Il ne perd pas ses moyens d'artiste, mais en revanche se départit de l'éclat de son plumage qui fait place à un jaune vermeil. La femelle chante également, mais à un degré beaucoup moindre.

En été, on voit souvent des bandes de Roselins pourprés se déplacer en un vol léger et souple. Quand ils sont perchés sur un arbre, immobiles, les plumes ébouriffées, ils ressemblent à de petits lutins qui attendent le moment propice d'exécuter un mauvais coup. Ils ne sont pas malfaisants, mais plutôt d'un naturel timide et farouche, car au moindre bruit ils se dispersent, mais peu après reviennent à leur point de départ, surtout si les lieux peuvent les pourvoir de quelques graines ou de fruits.

Ceux qui séjournent chez nous, en période de saison morte, se rapprochent des champs cultivés où ils se gorgent de graines de plants qui émergent de la neige. Ils visitent aussi les vergers où pendent encore quelques fruits et les cantines de plein air.

Au printemps, alors que la pénurie d'aliments devient plus aiguë, ils rallient les rangs des Moineaux domestiques et, en leur compagnie, grattent le fumier près des étables. En redoublant d'ingéniosité, ils réussissent à surmonter les difficultés de notre climat.

Migration — La rareté des vivres, en automne, incite beaucoup de Roselins pourprés à s'envoler vers le sud des États-Unis et au Mexique.

LE GROS-BEC DES PINS

Nom anglais: Pine Grosbeak
Nom scientifique: Pinicola enucleator (Linnaeus)
Longueur: 22,86 cm (9 po)
Ponte: 4 œufs bleu verdâtre mouchetés et tachés de brun foncé

Les gens de Charlevoix l'appellent « Bourgeonnier ». Son nom générique *pinicola* qui signifie « habitant des pins » ainsi que son nom spécifique *enucleator* qui veut dire « qui

Photo: Roger Larose.

156

enlève le noyau » conviennent bien à ce Fringillidé granivore, mangeur de bourgeons, de pépins, de graines et de petits noyaux.

Description — Le mâle porte une livrée rouge écarlate marquée à quelques endroits de gris; les rémiges sont noires, traversées de deux bandes blanches dans la région des plumes alaires; quelques rémiges secondaires et tertiaires sont bordées de blanc; les rectrices sont noires de même que le bec et les pattes. L'iris est brun.

Chez la femelle, la tête et l'occiput sont brun orangé; les parties inférieures de même que le dos sont gris lavés d'olive. Les couleurs des ailes, de la queue, du bec et des pattes ressemblent à celles du mâle.

Habitat — Son territoire de nidification est très vaste et se situe au nord de la province: Fort-Chimo, centre nord du Labrador; également les grandes réserves forestières de la Gaspésie, de Rimouski, de l'île d'Anticosti et des îles de la Madeleine. Le Gros-bec des pins est le type d'oiseau par excellence dont le biome est le conifère.

De la mi-novembre au début de mars, il se rapproche davantage des humains. Il est commun dans plusieurs régions de la province: Charlevoix, Lac-Saint-Jean, Québec, etc. Il visite également plusieurs autres provinces et États américains. La durée de son séjour dans l'un ou l'autre de ces secteurs dépend de l'abondance des vivres.

Photo: Roger Larose.

Nid — Après la pariade, la femelle s'occupe de l'emplacement de son nid. Elle l'installe dans un conifère, souvent dans une clairière, à une hauteur de trois à neuf mètres. Il est fait de branchettes, de radicelles et de mousse, fini à l'intérieur de délicates brindilles, d'herbes et de poils d'animaux sauvages.

Régime alimentaire — Plusieurs arbres lui procurent sa nourriture: le frêne, l'érable, le pommier, le cerisier, le cenellier, le sorbier, le pin et plusieurs arbustes. En automne, des bandes de Gros-becs des pins s'abattent dans les sorbiers (connus aussi sous les noms de cormier et maskouabina) et se gavent follement de petits fruits rouges, encore plus juteux quand ils ont subi l'action du froid.

C'est tout un spectacle que d'assister à un repas de Grosbecs des pins! Très délicatement, ils enlèvent la pelure de la sorbe et se régalent du noyau et d'une mince partie de la pulpe. S'ils semblent posséder une prédilection pour les sorbes, ils ne dédaignent pas non plus les graines enfouies dans les cônes du pin et de l'épinette. Ils déploient alors une habileté consommée à les extraire, munis comme ils le sont d'un bec solide et aiguisé. Très souvent, ils sont plus d'une trentaine cachés dans le feuillage d'un conifère, mais le craquement des cônes, sous l'action des mandibules, trahit leur présence.

Le chant — Le cri — Dans son habitat d'été, le mâle chante une mélodie semblable à celle du Roselin pourpré. Parfois, deux ou trois individus de l'espèce se perchent au sommet d'une épinette comme pour inspecter les environs. De leur poste d'observation, ils lancent, à de courts intervalles, un retentissant sifflement. Plus loin, des congénères répondent à l'appel. Après quelques échanges de ces messages mystérieux, les sentinelles rouges rejoignent le gros de la compagnie.

Notes particulières — Les anciens de Charlevoix, qui maintes fois ont été les témoins des larcins des « Bourgeonniers », ont dû apprendre d'eux la recette de la fabrication du vin de sorbe. Il est certain que les petits vendangeurs ailés n'eurent pas à leur enseigner la nécessité d'y ajouter une quantité respectable d'alcool, afin de rendre capiteux ce falerne laurentien.

LE SIZERIN À TÊTE ROUGE

Nom anglais: Common Redpoll
Nom scientifique: Acanthis flammea *(Linnaeus)*
Longueur: 12,7 cm (5 po)
Ponte: 2-5 œufs vert bleuâtre mouchetés de marron et de noir au gros bout

Le nord du Québec, depuis la baie de James jusqu'aux vastes régions subarctiques, abrite plusieurs espèces d'oiseaux qui, au cours de l'hiver, s'aventurent plus au sud. Le Sizerin à tête rouge ou Sizerin boréal, l'un de nos plus petits Fringillidés, appartient à cette faune septentrionale erratique.

C'est un oiseau à la mine agréable, facile à identifier en raison des teintes particulières de son plumage et que les gens de la Côte-Nord se plaisent à nommer familièrement le « Petit Pissou ».

Son nom générique *acanthis* fait partie de la mythologie grecque (Acanthis, inconsolable de la mort de son frère, est changée par les dieux en un oiseau du même nom); son nom spécifique *flammea,* qui signifie « flamme » est une allusion aux couleurs de feu de son front et de la poitrine du mâle.

Description — Le mâle porte au front une tache de couleur rubis. Des stries brun grisâtre et chamois couvrent la tête et le dos; un blanc grisâtre mêlé de rosé raye le croupion. Les tectrices sus-caudales imprégnées de brun grisâtre sont plus pâles sur les rebords; les rectrices et les rémiges sont brun grisâtre — ces dernières tachetées de blanc sur les grandes et les moyennes sus-alaires —. Les couleurs des parties inférieures se répartissent comme suit: menton noir, poitrine d'un rosé foncé se convertissant en blanc grisâtre sur le ventre; flancs striés de brun. La femelle se vêt d'une livrée identique, à l'exception du rosé des parties inférieures qui fait place à des tons gris. Chez le couple, le bec est jaune et l'iris brun.

Habitat — Il couvre tout le territoire du Nouveau-Québec et les îles de la Madeleine. Dans ces secteurs de la province, les arbres sont des nains comparativement aux essences de même espèce des régions plus au sud. Le Sizerin fréquente les buissons, les épinettes, les bouleaux, les saules et les aulnes tous plus ou moins rabougris. C'est son royaume de nidification.

Nid — Incubation — Dans de pareilles conditions climatiques, le choix d'emplacement d'un nid est limité. C'est habituellement sur un saule, un aulne ou dans l'enchevêtrement d'un buisson, de 0,9 à 1,92 mètre du sol (3 à 6 pieds) que la femelle le construit. C'est un logis grossier, constitué de branchettes et d'herbes, garni à l'intérieur d'une bonne épaisseur de plumes. L'incubation dure 10 ou 11 jours.

Régime alimentaire — Insectivore à part entière à l'époque où il élève ses petits, ce gentil prince du Nord devient un granivore ardent aussitôt que sévit la disette d'insectes. Il se gave alors de graines d'une grande variété de plantes et de bourgeons de bouleau, de saule et d'aulne.

Notes particulières — À l'instar de quelques autres espèces d'oiseaux indigènes, le Sizerin à tête rouge vit en cage. Le rouge de la tête et de la poitrine fait alors place à un jaune plutôt fade. Privé de sa liberté, il ne continue pas moins de chanter, surtout le matin et vers deux heures de l'après-midi. Le fonctionnement de tout appareil électrique, comme l'écoulement de l'eau d'un robinet l'invitent à dérouler son répertoire composé de notes rapides et mi-aiguës, « tiou-tiou-tiou » qui se terminent en des « trou-trou-trou » fortement roulés. Parfois, ce sont des « pi-ip » traînants, suivis de « pi-oup » saccadés qui s'achèvent en une roulade harmonieuse. Tout le long du jour, il fait entendre trois ou quatre cris différents, de joie ou d'affolement.

Migration à l'intérieur de la province — Dès octobre, des bandes de Sizerins à tête rouge quittent l'hémisphère boréal pour les secteurs cultivés. Ils survolent les champs en faisant entendre un doux sifflement, voisinent les Bruants des neiges, et, tous ensemble se ramassent en grappes serrées sur les bouquets de plantes gonflées de graines. Oiseau sociable, le Sizerin fréquente également le Chardonneret jaune qui a décidé d'hiverner chez nous. Il jouit aussi de la compagnie du Moineau domestique avec qui il s'attable à l'entrée des granges ou à la cantine de plein air qu'alimente l'un de ses admirateurs.

C'est toujours avec joie qu'on voit revenir dans nos paysages ce paquet de plumes sans malice, comme c'est avec mélancolie qu'on assiste, un beau matin de printemps, à son départ pour le Grand-Nord.

Photo: Ministère de l'Énergie et des Ressources, Service de l'éducation en conservation, Québec, par Jean Sylvain.

LE CHARDONNERET JAUNE

Nom anglais: American Goldfinch
Nom scientifique: Spinus tristis *(Linnaeus)*
Longueur: 12,7 cm (5 po)
Ponte: 3-6 œufs bleu sombre

Il n'est pas rare de voir, en automne, une volée de Chardonnerets jaunes agrippés à des plantes sauvages pour en becqueter les graines. Leur couleur de Serin tranche dans le vert des champs, tandis que leurs notes délicieuses inondent la campagne. Le nom générique *spinus* signifie « petite épine »: c'est sûrement celle du chardon, dont l'oiseau mange les graines et qui lui vaut d'être appelé « Chardonneret »; le nom spécifique *tristis* veut dire « désagréable ».

Description — Les parties inférieures du mâle sont toutes jaunes; il en est de même des parties supérieures à l'exception du front et de la partie antérieure de la couronne qui sont noirs. Les rémiges et les rectrices noires s'éclairent d'un peu de blanc — bord de quelques rémiges et extrémité des grandes tectrices caudales —. Le bec jaune orangé est noirâtre à l'extrémité. En automne, il troque l'éclat de ses couleurs contre celles de la femelle, mais toutefois les ailes et la queue conservent leur couleur noire. La femelle et le jeune s'habillent d'une livrée de ton olive. Le noir des rémiges et des rectrices est moins prononcé que chez le mâle. Tous ont l'iris brun.

Retour de migration — Habitat — Les individus de cette espèce qui ont émigré en automne reviennent vers la fin d'avril ou dans la première semaine de mai dans la région de Montréal et une ou deux semaines plus tard dans celle de Québec. Le territoire de ce Fringillidé s'étend de l'Atlantique au Pacifique. Au Québec, il ne semble pas nidifier au-delà de Godbout. Déjà, en 1882, N.-A. Comeau rapportait qu'il était rare à Pointe-des-Monts dans un rayon de seize kilomètres. Toutefois, il vit sur l'île d'Anticosti. Les vergers et les prairies sont les lieux préférés de ses ébats. D'ailleurs, il installe souvent son nid dans un arbre fruitier.

Nid — Incubation — C'est une coupe artistique peu profonde de 5 cm de diamètree (2 po), suspendue à une branche qu'elle traverse et qui en assure la solidité à une hauteur de 61 cm (2 pi) à 9,14 mètres (30 pi) du sol. L'extérieur tissé de paille fine est recouvert de duvet de chardon. L'intérieur est bordé de crin et de duvet végétal. La femelle seule s'occupe de l'incubation qui dure en moyenne treize jours.

Régime alimentaire — Comme cet oiseau ne couve pas avant la fin de juillet, voire en août — au moment où les chardons sont en pleine floraison — il a tout le temps pour errer le long des haies tout en pourvoyant à sa subsistance. Il est friand de graines de chardon, de dandelion (le pissenlit), de rudbeckie (une plante ressemblant à la marguerite des champs), d'aulne, de bouleau et de quelques autres mauvaises herbes. Insectivore à ses heures, il donne la chasse aux

Photo: Musée national des Sciences naturelles, Musées nationaux du Canada, 75-5386.

poux des plantes, aux petites sauterelles ainsi qu'à plusieurs espèces de coléoptères.

Technique de vol — Le chant — Bien reconnaissable à son plumage, il l'est également à son vol ondulé. Ses déplacements s'accompagnent de joyeux « ti-ri-ti » lancés sur un ton quelque peu mélancolique. Son répertoire composé de notes brèves comprend aussi un « i-oui » interrogateur et un « a-vic » délicieux.

Valeur économique — Ce granivore rend des services au cultivateur en débarrassant ses champs de graines nocives. Durant l'hiver il continue son travail de dépollution.

Notes particulières — Dans quelques régions du Québec, notamment au Lac-Saint-Jean et dans Charlevoix, le Chardonneret jaune est considéré comme un oiseau des quatre saisons. Tous les hivers, on le rencontre dans plusieurs secteurs de ces territoires.

Migration — Les individus de cette espèce dont la présence est signalée, au cours de l'hiver, sont probablement des cas d'exception. Il reste qu'en octobre une grande quantité de Chardonnerets jaunes emprunte la voie des airs pour le centre des États-Unis ou le Mexique.

LE CHARDONNERET DES PINS

Nom anglais: Pine Siskin
Nom scientifique: Spinus pinus *(Wilson)*
Longueur: 12,7 cm (5 po)
Ponte: 4-6 œufs bleuâtres ou verdâtres légèrement tachetés de marron

Il est plutôt de caractère erratique: certaines années, des individus de cette espèce sont nombreux dans une région et certaines autres, leur nombre est très restreint. C'est un proche parent du Chardonneret jaune, car il appartient comme lui au genre *spinus;* son nom spécifique *pinus,* qui signifie « pin », indique assez clairement son habitat.

Description — Le mâle et la femelle sont de couleurs identiques: parties supérieures grises, rayées de brun foncé; parties inférieures d'un blanc fade, également rayées d'un brun foncé, à l'exception de l'abdomen; rémiges et rectrices brun foncé bordées de blanc ou de jaune pâle; sus-alaires traversées de deux bandes blanchâtres ou chamois. L'iris est brun.

Habitat — Son royaume s'étend de l'Atlantique au Pacifique. On le signale dans plusieurs secteurs de la province: du parc de la Gatineau au lac Mistassini; dans toutes nos grandes réserves forestières; à Saint-Augustin près de Harrington,

Photo: André Duquette, Magog.

sur les îles de la Madeleine et d'Anticosti.

Nid — Incubation — C'est habituellement dans un conifère, à une hauteur variant de six à neuf mètres, que la femelle construit son nid. Il est fait de branchettes de sapin, de mousse et de radicelles; l'intérieur, d'un diamètre de 5 cm, est garni de duvet végétal, de poils d'animaux et de crin. L'incubation d'une durée de 13 jours est à la charge de la femelle.

Régime alimentaire — Lorsqu'il élève ses petits, il est surtout insectivore. En automne et en hiver, son appétit de granivore se fait sentir: il se nourrit alors de graines enfouies dans les cônes du pin, de bourgeons et de multiples graines provenant de l'aulne et du bouleau.

Le chant — Ses notes se rapprochent de celles du Chardonneret jaune: des « ti-i-ti » sifflants ou un rude « cli-ip ». Parfois, c'est un bourdonnant « shriiiii » qui se prolonge comme les « piiii » du Pinson familier. Il réserve ses « i-oui » mélodieux, lorsqu'il est en vol.

Notes particulières — En hiver, il tient souvent compagnie au Sizerin à tête rouge, au Chardonneret jaune et au Roselin pourpré. En mars et en avril, il se rapproche des habitations où il se nourrit de graines de tournesol, de grains de blé ou d'avoine mis à la disposition des oiseaux. Ceux qui émigrent se rendent au sud des États-Unis jusqu'à la Floride et au Mexique.

LE BEC-CROISÉ À AILES BLANCHES

Nom anglais: White-winged Crossbill
Nom scientifique: Loxia leucoptera *Gmelin*
Longueur: 15,24 cm (6 po)
Ponte: 3-4 œufs verdâtre pâle tachetés de brun

Au cours de l'automne, plusieurs espèces d'oiseaux quittent leur biome estival et s'envolent vers d'autres secteurs dans l'espoir d'y trouver une nourriture plus abondante. Le Bec-croisé à ailes blanches appartient à ce groupe de voyageurs qui, par nécessité, se déplacent à époque fixe à l'intérieur de nos frontières.

Le nom générique *loxia* vient du grec et signifie « oblique, de biais »: c'est sans doute une allusion au croisement des mandibules; le nom spécifique *leucoptera* vient également du grec et veut dire « aux ailes blanches ».

Description — Que ce soit dans le vert d'une épinette ou que ce soit dans la blancheur de la neige, les couleurs du Bec-croisé à ailes blanches se marient bien au paysage am-

♂

♀

Peinture: Germaine Gauthier.

biant. Le mâle porte une livrée rouge vermeil: tête, dos, croupion et parties inférieures. Les rectrices et les rémiges sont noirâtres; deux bandes blanches traversent les plumes alaires. Le plumage de la femelle, parties supérieures et parties inférieures, est vert olive parsemé de rayures foncées; le croupion est jaune; les couleurs des ailes et de la queue ressemblent à celles du mâle. L'iris est brun.

Habitat — Les zones de nidification de cette espèce s'étendent à toutes les forêts conifériennes de la province depuis Fort Chimo jusqu'au parc de la Vérendrye, du Témiscamingue, de la Gaspésie, de Rimouski, des îles de la Madeleine et d'Anticosti. Certains hivers, il apparaît dans la forêt laurentienne.

Pariade — Nid — Incubation — C'est au sommet d'un conifère que le mâle lance son chant d'amour ou lorsqu'il bat lentement des ailes tout en volant en cercle. Après avoir choisi son partenaire, la femelle détermine l'emplacement de son nid. Elle le pose à l'extrémité d'une branche de sapin ou d'épinette à une hauteur qui, en certains cas, atteint une quinzaine de mètres. Il est tressé de ramilles de conifère, de lambeaux d'écorce, de lichens et de radicelles. Une doublure de mousse, de feuilles, d'herbes et de fibres végétales assure plus de confort à la couvée. Pendant que la femelle seule incube, le mâle la ravitaille en graines diversifiées.

Il est difficile de prévoir le temps de la couvaison qui, chez cette espèce, peut survenir à toute époque de l'année, voire en plein hiver. Les oisillons naissent le bec droit. Ce n'est qu'à l'âge de trois semaines que le chevauchement des mandibules s'opère.

Nutrition des petits — Régime alimentaire — Technique d'alimentation — Les jeunes sont d'abord nourris d'une bouillie de graines; plus tard, les parents les sustenteront d'aliments solides. Toutes les espèces de conifères et quelques feuillus constituent des sources de ravitaillement. En été, les insectes entrent également dans le menu du Bec-croisé.

La tête des conifères a ses préférences. Il écarte avec dextérité les écailles rigides des cônes au fond desquels sont enfouies les graines à valeur nutritive. Un de ces cônes se présente-t-il mal, il l'attaque dans des poses d'acrobate agile qui fait fi du vertige. Il se suspend par les pieds à ce garde-manger aérien et, tête renversée, actionne ses mandibules qui décortiquent le fruit du conifère. Il demeure dans cette posture, qui ne semble pas l'incommoder du tout, aussi longtemps qu'il n'a pas épuisé les éléments bienfaisants de ce secteur.

Quand plusieurs Becs-croisés festoient au sommet d'une haute épinette, on peut entendre, sous le travail cadencé des becs, les craquements des lamelles ligneuses.

Le chant — Le cri — Sa composition musicale comporte quelques notes rapides, en staccato, répétées une dizaine de fois et qui s'achèvent en des vibrations harmonieuses semblables aux roulades du Canari. Au repos ou en vol, les Becs-croisés à ailes blanches font chorus de leurs touchants

« i-oui-i » qui rappellent les notes truculentes du Chardonneret jaune. En cas de danger, des « tchif » stridents fusent du groupe qui prend son envol vers un lieu plus sûr.

Notes particulières — Ces oiseaux possèdent un instinct grégaire très développé. Ils voyagent toujours en petites troupes et leurs déplacements s'exécutent dans la joie, car ils sont, par tempérament, toujours joviaux.

Photo: Musée national des Sciences naturelles, Musées nationaux du Canada, 79-3093.

LE BEC-CROISÉ ROUGE

Nom anglais: Red Crossbill
Nom scientifique: Loxia curvirostra *(Linnaeus)*

Son nom spécifique *curvirostra,* qui vient du latin et qui signifie « bec recourbé », peut tout aussi bien s'appliquer au Bec-croisé à ailes blanches.

Description — Il mesure 15,74 cm de longueur. Le mâle est vêtu de rouge terne, plus prononcé sur le croupion. Chez la femelle et le jeune, le jaune verdâtre se substitue au rouge. Le blanc est totalement absent des ailes. Lorsqu'ils quittent le nid, les jeunes portent une livrée gris pâle à rayures sombres sur les parties supérieures et inférieures.

Le chant — Le cri — Les premières notes en trille sont suivies de sons stridents: « chip-chip-chip-gi-gi-gi ». Son cri est traduit en des « tgip-tgip » moins rudes et beaucoup plus sonores que ceux du Bec-croisé à ailes blanches.

Notes particulières — Les mœurs de cette espèce sont une copie de celles de son cousin. Ce ne sont ni l'esprit d'aventure ni les caprices qui provoquent ses déplacements annuels: ils sont la conséquence d'une disette de fruits de conifères ou de feuillus.

LE PINSON VESPÉRAL

Nom anglais: Vesper Sparrow
Nom scientifique: Pooecetes gramineus *(Gmelin)*
Longueur: 14,6 cm (5,75 po)
Ponte: 3-5 œufs grisâtres mouchetés de brun et de gris violacé

Avec la Sturnelle des prés et le Goglu, le Pinson vespéral nous fait goûter à la quintessence de la symphonie pastorale. Quoique son chant soit plus modeste que celui de ses deux voisins, ces ténors de la prairie, il n'en est pas moins imprégné de douce poésie. Son nom scientifique *pooecetes gramineus* nous laisse entendre qu'il rôde dans les champs de graminées et s'y nourrit.

Description — À l'exemple de la plupart des Pinsons, il s'habille de couleurs ternes: parties supérieures brun grisâtres soulignées de rayures plus foncées; tache brunâtre sur les joues; parties inférieures d'un blanc sale, dont la poitrine et les flancs sont rayés de brun. Deux caractères surtout le différencient des autres espèces de Pinsons: deux rectrices latérales blanches, épaules — petites sus-alaires — de teinte marron, d'où son ancien nom de Pinson à ailes baies. Les pieds sont rose chair et l'iris brun.

Retour de migration — Habitat — Dès la fin de mars, il signale sa présence dans les campagnes autour de Montréal. Il arrive une dizaine de jours plus tard dans les secteurs agricoles de Québec. Son territoire s'étend depuis l'Outaouais jusqu'à la limite des terres cultivées.

Nid — Incubation — La femelle choisit une dépression du sol, parmi les herbages, où elle confectionne son nid composé d'herbes sèches, de radicelles, de lanières d'écorce, lambrissé de fines herbes et de crin. L'incubation dure en moyenne 12 jours.

Régime alimentaire — C'est à l'orée du bois ou le long des clôtures qu'il chasse les insectes: coléoptères, sauterelles, chenilles, vers blancs et plusieurs autres espèces. Il se gave aussi de graines de mauvaises herbes.

Le chant — Deux notes claires et sifflantes sont lancées lentement; deux autres plus élevées suivent et se prolongent en un gazouillis mêlé à des trilles des plus délicats qui se succèdent en un decrescendo.

La tombée du jour n'arrête pas ses élans musicaux: il continue ses sérénades, parfois tard le soir et même très souvent la nuit. Cette habitude lui a valu le nom français de « vespéral » et le nom anglais de « vesper ». Parfois, les plumes de la couronne relèvent quelque peu, dessinant une crête qui ne dure que le temps du concert.

Photo: Direction générale du cinéma et de l'audiovisuel, Québec, par J.-L. Frund.

Notes particulières — Le Pinson vespéral garde ses distances à l'endroit de l'observateur. Il est tellement timide qu'il s'envole à la moindre alerte, mais c'est alors le moment choisi pour distinguer deux plumes blanches de chaque côté de la queue.

Migration — Au début de novembre, il nous quitte pour les chaudes terres des États-Unis.

LE JUNCO ARDOISÉ

Nom anglais: Slate-colored Junco
Nom scientifique: Junco hyemalis (Linnaeus)
Longueur: 15,24 cm (6 po)
Ponte: 4-5 œufs blancs ou blanc verdâtre tachetés de brun

Son plumage, modeste comme le costume d'une moniale, lui a valu les jolis surnoms de Nonne et Nonnette. D'aucuns le connaissent mieux sous l'ancienne appellation de Pinson niverolle. Le nom scientifique, *junco hyemalis,* provient du latin: junco découle de « juncus » et signifie « graine »; *hyemalis* veut dire « de l'hiver ». À part son nom anglais officiel, il en porte cinq autres qui laissent sous-entendre que c'est un oiseau d'hiver et que lui ont donnés des observateurs américains: Snowbird, Black Snowbird, Common Snowbird, Slate-coloured Snowbird et Blue Snowbird.

Description — Les parties supérieures du mâle ainsi que la gorge, la poitrine et les flancs sont d'un ton ardoise. Le ventre est blanc de même que deux plumes rectrices latérales, visibles surtout quand l'oiseau vole. Chez la femelle, le ton ardoise fait place à une teinte brunâtre. Le bec du Junco est court et rosé; l'iris est brun.

Retour de migration — Habitat — Dès la mi-mars, il apparaît dans la région de Montréal. On le voit une quinzaine de jours plus tard dans celle de Québec. Avant de s'engager dans la forêt de conifères, il visite les humains de la grande ville ou de la banlieue — parfois un mois durant — pourvu que quelques arbres ou qu'une haie l'accueillent. Il sautille le long des arbustes serrés ou sous les épinettes, cherchant quelques grains substantiels ou partageant avec le Moineau domestique les miettes jetées par la cuisinière. Les graines de gazon nouvellement semées attirent son attention. De concert avec d'autres Fringillidés, il ratisse le terrain, becquetant les semis à découvert.

Son biome estival est la forêt coniférienne. Le campeur le voit tous les jours dans les grands parcs de la Gatineau, des Laurentides, de la Mauricie et dans plusieurs autres. Il nidifie jusqu'à la limite des arbres, y compris les îles de la Madeleine et d'Anticosti.

Nid — Incubation — Au temps des couvées — deux par année — il vit en solitaire. La femelle construit un nid composé d'herbes desséchées et le double de crins, de fourrure et de plumes. Elle le pose sur le sol en ayant soin de le dissimuler soit sous une touffe épaisse d'herbes, soit sous les racines dégagées d'un gros arbre ou sous une souche en état de décomposition. Mâle et femelle incubent à tour de rôle, et ce, pendant une douzaine de jours.

Élevage des petits — Régime alimentaire — Il devient un excellent insectivore à la naissance des oisillons. Il les nourrit d'espèces nuisibles ainsi que de chenilles. Quand les jeunes peuvent voler, ils accompagnent leurs parents qui les initient à la recherche de graines diverses qui constituent plus de 60 p. cent de leur alimentation.

En automne, ces oiseaux vagabondent en bandes, harcèlent les plantes des champs qui portent des graines, grattent le sol dans les clairières ou le long des terres cultivées pour y déceler quelque matière nourricière.

Le chant — Le cri — Le Junco ardoisé besogne fébrilement sans se préoccuper de ce qui se passe dans son entourage. De temps à autre, des « tic-tic », comme de légers chocs de lame d'acier, partent d'un groupe en liesse. Son chant est délicieux: c'est un roulis de quelques chaudes notes métalliques qui se situent entre l'aigu et le grave.

Migration — Quelques individus de l'espèce demeurent tout l'hiver dans les secteurs qui peuvent leur assurer des provisions en graines. Les autres, très tard en octobre, voire en novembre empruntent la route aérienne des États-Unis.

LE PINSON HUDSONIEN

Nom anglais: Tree Sparrow
Nom scientifique: Spizella arborea *(Wilson)*
Longueur: 13,33 cm (5,25 po)
Ponte: 3-5 œufs bleu verdâtre pâle mouchetés de brun

Autrefois, il était connu sous le nom de Pinson de montagne (Spizella monticola). La nouvelle appellation, Pinson hudsonien, lui convient mieux, parce qu'il nidifie au nord du Québec, notamment à la baie d'Hudson. Le nom générique *spizella* vient du grec et signifie « pinson »; le nom spécifique *arborea* appartient au latin et veut dire « arbre ». Il n'est pas un Pinson des arbres comme le laissent entendre les noms scientifique et anglais, car il cherche sa nourriture bien plus souvent sur le sol et sur les plantes.

Description — Deux traits particuliers identifient fort bien l'adulte: couronne marron et petite tache brun foncé au centre de la poitrine. Quelques autres caractères en donnent une description plus élaborée: mandibule supérieure brun foncé, extrémité de la mandibule inférieure de même ton et le restant de couleur jaune; bande marron courant de l'arrière de l'œil à la nuque; raie sourcilière gris ardoise; cou gris; dos rayé longitudinalement de brun, de roux et de noir; ailes brunes avec deux bandes blanches sur les grandes et les moyennes sus-alaires; poitrine grise; abdomen et flancs brunâtres; rectrices brun foncé; pieds noirâtres; iris brun. Chez le jeune, la couronne brun pâle est rayée de noir; les parties inférieures blanchâtres sont teintées de chamois sur la poitrine et sur les côtés.

Photo: Direction générale du cinéma et de l'audiovisuel, Québec, par J.-L. Frund.

Retour de migration — Habitat — Il arrive aux alentours de Montréal et de Québec à peu près en même temps que le Pinson chanteur et le Junco ardoisé. Alors que ce dernier est représenté en grand nombre dans les jardins de la banlieue, le Pinson hudsonien est le seul de son espèce et n'y demeure que quelques jours. Il se mêle alors aux Moineaux domestiques, aux Pinsons à gorge blanche et aux Juncos. Pendant ce temps, ses congénères survolent les champs, afin d'y glaner les graines de mauvaises herbes.

Après un trop bref séjour dans l'est, au printemps, il regagne ses quartiers de nidification: le sud du Labrador, les abords de la baie d'Hudson, de la baie de James et de la baie d'Ungava. Pour sa part, N.-A. Comeau rapporte, dans *La vie et le sport sur la Côte-Nord,* que ce Pinson est assez commun près de Pointe-des-Monts.

Nid — Incubation — La femelle bâtit habituellement son nid sur le sol. L'extérieur est lambrissé d'herbes, de tiges, de radicelles, de mousse et de lichen. L'intérieur est fini de plumes et de poils. La corvée de l'incubation revient à la femelle et dure une douzaine de jours.

Régime alimentaire — Dans son biome estival, il cherche sa pâture sur les arbrisseaux, les saules, les bouleaux nains et les aulnes. En plus d'être un insectivore consciencieux, surtout lors de l'élevage de ses petits, il s'avère un granivore de qualité.

Le chant — Le cri — Son chant débute sur une ou deux notes hautes, très claires qui se prolongent en un doux gazouillement. Les heures qu'il emploie à nourrir ses petits et à s'alimenter lui-même s'accompagnent d'agréables « tilitt »; au moindre danger, il lance des « tsit » d'une tonalité bien particulière.

Migration — Les individus qui hivernent au sud-ouest du Québec nous offrent, même par temps froid, le plaisir agréable de leurs douces mélodies. La plupart, toutefois, vers la fin de novembre ou au tout début de décembre, émigrent aux États-Unis, de la Caroline du Sud à Oklahoma.

LE PINSON FAMILIER

Nom anglais: Chipping Sparrow
Nom scientifique: Spizella passerina *(Bechstein)*
Longueur: 13,33 cm (5,25 po)
Ponte: 3-4 œufs bleu verdâtre marqués de points noirs

Le retour des oiseaux chanteurs, au printemps, suscite de joyeuses émotions tant à la ville qu'à la campagne. C'est alors l'heure de ravissants concerts et de défis amicaux dans le royaume des mélodies. Chacun des bosquets entretient son chœur d'artistes. Le Pinson familier qui arrive à la mi-avril se mêle à cet univers de symphonies.

Autrefois, on l'appelait le Petit pinson à couronne rousse, mettant ainsi en valeur sa coiffure dont la forme rappelle celle d'un jockey. De son côté, Claude Mélançon lui donne le gentil surnom de « Titit ». Son nom spécifique *passerina* signifie « passereau ».

Description — Il est un peu plus petit que la Mésange à tête noire. Sa livrée se compose de couleurs peu éclatantes: raies sourcilières blanches, dos brunâtre, ailes de même couleur et traversées de deux bandes blanches, partie supérieure de la queue gris olive, gorge et poitrine blanches, flancs gris. La femelle est semblable, mais les couleurs sont plus ternes. Le jeune se présente quelque peu différemment: tête et dos rayés de noir, poitrine et côtés de la tête teintés de chamois, bec rose chair.

Retour de migration — Habitat — À son retour du Sud, il ne trouve pas beaucoup d'insectes pour satisfaire son appétit. Il se rapproche alors des maisons pour y recueillir des miettes, flirte avec le Moineau domestique près des étables afin de découvrir dans les fumiers quelques bons grains. En granivore averti, il fréquente aussi les herbes qui ont conservé un peu de graines nutritives. À force d'ingéniosité, il réussit à sortir sain et sauf des derniers froids printaniers.

Au moment des semailles, il n'est pas rare de voir plusieurs de ces petits Pinsons se poursuivre agilement, traverser comme un éclair les branches des arbres, effleurer le sol, remonter rapidement, puis se poser dans les champs pendant quelques secondes.

Son territoire de nidification couvre une grande partie de la province: du sud-est aux îles de la Madeleine et d'Anticosti; du sud-ouest à la baie de James. Au Canada, son empire s'étend d'un océan à l'autre.

Nid — Incubation — L'époque des démarches amoureuses passée, le couple se met à la recherche de l'emplacement du nid. Bien des possibilités s'offrent au Pinson familier: une vigne, un arbuste bien feuillu, un buisson, une haie d'aubépines, un jeune pin ou tout simplement le sol herbeux.

Photo: Musée national des Sciences naturelles, Musées nationaux du Canada, 79-3074.

Le logis épouse la forme d'un hémisphère de 5,08 cm de diamètre (2 po) sur 3,8 cm de profondeur (1½ po). Il est soigneusement confectionné de paille, de radicelles, de mousse sèche, dont l'intérieur est lambrissé de crins de toute couleur. Cette habitude d'utiliser le crin est tellement ancrée chez lui que des ornithologues américains l'appellent « Hair Bird » ou « Hair Sparrow ». Par malheur, ces crins jouent parfois le rôle d'un collet et étouffent un oisillon. Il n'en continuera pas moins de faire usage de ces lassos mortels. L'incubation assurée par la femelle, ou de temps à autre par le mâle, dure 11 jours.

Élevage des petits — Régime alimentaire — Lorsque les oisillons voient le jour, une vie nouvelle agite le foyer. Le mâle et la femelle se démènent pour nourrir des bébés sans cesse affamés. C'est une chasse sans pitié aux chenilles, aux punaises, aux fourmis, aux guêpes ainsi qu'aux araignées. Les biologistes sont unanimes à reconnaître que durant mai et juin plus de 90 p. cent de l'alimentation de ce Pinson se composent d'insectes nuisibles.

Le chant — Le cri — La seule note qu'il fait entendre est réglée sur un registre très haut et se traduit en un long « pi-i-i-i-i-... » repris à de courts intervalles. Cette vocalise dure parfois une heure et demie d'affilée. Parfois, il agite la queue comme pour bien observer le rythme de son art musical. Quand il mange ou quand il est effrayé, il lance des « tchip-tchip » non dépourvus d'harmonie.

Notes particulières — La confiance de ce pinson est telle qu'il ne se méfie pas de l'homme à qui il laisse toute latitude de visiter son domaine. Pendant cette exploration, il s'éloigne pour semer à tout venant quelques miettes de mélodie.

Migration — À la mi-octobre, il s'envole vers les Antilles, le sud des États-Unis et pousse même une pointe vers le Mexique.

LE PINSON À COURONNE BLANCHE

Nom anglais: White-crowned Sparrow
Nom scientifique: Zonotrichia leucophrys *(Forster)*
Longueur: 17 cm (6,7 po)
Ponte: 3-5 œufs verdâtres mouchetés de brun

Le mois d'avril ramène du Sud plusieurs espèces d'oiseaux dont le Pinson à couronne blanche. Il appartient au genre *zonotrichia*, un mot grec qui a donné naissance à « zonotrichie », un genre d'oiseaux passereaux de la famille des Frigillidés. Le nom spécifique *leucophrys,* également d'origine grecque, signifie « aux sourcils blancs »; cette appellation décrit bien la partie supérieure de l'œil de l'espèce.

Description — La tête, du front à la naissance du cou, offre un ensemble bigarré de bandes blanches et noires qui rappellent le turban des Orientaux. L'absence de jaune, près de l'œil, aide également à le distinguer du Pinson à gorge blanche. Les autres couleurs se rapprochent sensiblement de celles de son parent: dos gris rayé de marron, partie supérieure de la queue brune, ailes brun grisâtre, bande blanche qui traverse les grandes sus-alaires et les moyennes, bec rosâtre et iris brun. Le jeune ressemble à l'adulte, à l'exception de la tête qui est brune et beige.

Retour de migration — Habitat — Son apparition dans l'Est, dans la première quinzaine d'avril, dure peu. Il partage alors la compagnie de plusieurs espèces de granivores qui cherchent leur pitance, égrène quelques notes de son répertoire, puis s'envole vers son habitat estival qui couvre le territoire du Nouveau-Québec. Il vit le long des cours d'eau, dans les broussailles en bordure des forêts, dans les clairières ou parmi les arbres rabougris — épinettes, bouleaux, saules et aulnes —.

N.-A. Comeau qui, en 1882, a dressé une liste d'oiseaux vivant dans un rayon de 16 km de la Pointe-des-Monts, note à propos du Pinson à couronne blanche: « Couve, mais n'est pas commun. » Un autre commentaire de Comeau complète et semble contredire quelque peu le premier: « Commun mais irrégulier, j'en ai vu une fois huit ou dix qui becquetaient du savon figé en bordure d'une bouilloire de savon refroidie. »

Photo: Jean Giroux.

Nid — Incubation — Il bâtit son nid sur le sol ou dans un buisson: c'est un lacis de branchettes, d'herbes et de radicelles; l'intérieur est fini d'herbes fines et de crins. L'incubation assumée par la femelle dure 12 ou 13 jours.

Régime alimentaire — Ce Fringillidé est surtout granivore: il mange beaucoup de semences de mauvaises herbes — environ 75 p. cent — et plus particulièrement celles du chiendent. Comme insectivore, il s'attaque aux chenilles, aux fourmis; il ajoute également des araignées à son menu.

Le chant — L'époque idéale pour l'observer et l'entendre est au printemps, avant son départ pour les denses taillis à l'orée de la forêt nordique. Il débite lentement cinq à sept notes mélancoliques: les premières sont sifflantes et claires comme celles du Pinson à gorge blanche; les dernières s'achèvent en un trille enroué.

Migration — En septembre, il fuit le nord pour le sud des États-Unis, tout en s'attardant encore dans l'est jusqu'à la fin d'octobre.

LE PINSON À GORGE BLANCHE

Nom anglais: White-throated Sparrow
Nom scientifique: Zonotrichia albicollis (Gmelin)
Longueur: 17 cm (6,7 po)
Ponte: 4-5 œufs bleuâtres tachetés de brun

Cet oiseau figure parmi l'un des plus remarquables Fringillidés tant par son apparence que par la richesse de sa voix. Cette assurance vocale qui fait de lui, selon Taverner, « le plus fameux chanteur des forêts du Nord » lui a mérité plusieurs surnoms: le Siffleur, le Frédéric, Petit Canada et le Chingolo à gorge blanche. Son nom spécifique *albicollis* vient du latin et signifie « dont la gorge est blanche ».

Description — Contrairement à la majorité des Pinsons, dont la parure en général se marie à celle du sol, il affiche une tête ravissante aux couleurs contrastantes: bande blanche au centre, de la naissance du front à l'extrémité de la couronne, bordée d'une étroite bande noire; tache jaune du bec à l'œil et qui se prolonge en une bande blanche lisérée de noir et arquée au début du cou; dessous de l'œil gris. Le dos et les épaules brun rouille sont striés de noir; le croupion et les sus-caudales teintés d'olive; le dessus de la queue coloré d'un brun pâle. Les bandes blanches des grandes et des moyennes sus-alaires mettent en relief le brun grisâtre des ailes. Le blanc du menton et de la gorge s'étend en un angle aigu du côté des joues. Le gris de la poitrine se prolonge sur les flancs qui brunissent légèrement; un

Photo: Direction générale du cinéma et de l'audiovisuel, Québec, par J.-L. Frund.

blanc uniforme recouvre l'abdomen et les tectrices sous-caudales. L'iris est brun.

Les parties supérieures du jeune, du front à l'extrémité de la queue, sont brunâtres. La gorge et la poitrine sont grisâtres; celle-ci striée de brun.

Retour de migration — Habitat — Il revient du Sud en avril: dans la première ou la deuxième semaine dans le secteur de Montréal; dans la troisième ou la quatrième dans la région de Québec. Tous les printemps, il fait une halte dans les bosquets et les jardins. Ils sont parfois quinze à vingt Pinsons à gorge blanche sur un petit terrain, mangeant en compagnie de Gros-becs errants, de Mainates bronzés, de Juncos ardoisés et de Moineaux domestiques.

Son territoire de nidification s'étend du sud du Québec au nord dans le Nouveau-Québec; il est présent aussi sur les îles de la Madeleine et d'Anticosti. Il se nourrit dans les clairières, les fourrés, les sous-bois et parmi les arbres abattus. Lorsqu'il gratte le sol, il déplace l'humus avec tellement de vigueur qu'on imagine, si on ne le voit pas, un oiseau beaucoup plus gros.

Nid — Incubation — La femelle dissimule son nid sur le sol soit dans une touffe d'herbes, soit sous un buisson. C'est une construction grossière faite d'herbes, de lanières d'écorce, de mousse et dont l'intérieur est lambrissé de fines herbes. L'incubation reste complètement à sa charge et dure de 11 à 14 jours.

Régime alimentaire — À l'instar des autres Fringillidés, il consomme une grande quantité de graines de mauvaises herbes, particulièrement celles de l'ambroisie (Herbe à poux), des baies sauvages et de nombreux insectes.

Le chant — Le cri — Si, à son retour de migration, il met en évidence les charmes de sa voix, il ne manque pas également de se faire valoir en plein cœur de l'été, parfois tard le soir. Les mesures musicales sont sujettes à des caprices d'artiste qui, en raison de son talent, se permet de nombreuses variantes.

Il siffle une première note claire suivie de dix autres plus élevées, mais sur un ton uniforme. Souvent la mélodie est plus courte, car il arrive à ce chanteur de lancer la première note, puis de s'arrêter brusquement, comme si quelqu'un ou quelque chose l'avait dérangé. Aucun autre oiseau n'a vu son chant interprété de si nombreuses façons. Ses cris d'alarme sont un « tsit » mal articulé ou un « chink » ferme.

Notes particulières — Les onomatopées qui traduisent sa mélodie diffèrent d'un ornithologue à l'autre et, également, selon la langue de chacun. En voici quelques-unes: « Je t'aime bien, Ca-na-da, Ca-na-da et le « Ca-che ton... (nez)?... Frédéric, Frédéric, Frédéric » de Claude Mélançon. Pour Raymond Cayouette, c'est le « Où est-tu, Frédéric, Frédéric, Frédéric? ». P.-A. Taverner l'entend en anglais dans « Hard-times-can-a-da-can-a-da-can-a-da » ou dans « Poor-Bill-Pea-bo-dy-Pea-bo-dy-Pea-bo-dy! » Quant à

George Gladden, c'est le « Ah! poor Canada, Canada, Canada ». Un autre interprétation fantaisiste comme « Viens-tu mon-a-mi, mon a-mi, mon a-mi? » recouvre en totalité la gamme de ce Pinson.

Migration — À la mi-octobre, après nous avoir salués une dernière fois, avoir partagé le garde-manger du Moineau domestique, il part discrètement vers des cieux plus cléments: le sud du Texas, la Floride ou le Mexique. Quelques rares individus subissent parfois le climat de notre rude hiver.

LE PINSON CHANTEUR

Photo: Musée national des Sciences naturelles. Musées nationaux du Canada. 79-3113.

Nom anglais: Song Sparrow
Nom scientifique: Melospiza melodia *(Wilson)*
Longueur: 16 cm (6,3 po)
Ponte: 4-5 œufs bleu sombre tachetés de brun

À son retour de migration, de la mi-mars au début d'avril, le Pinson chanteur, connu également sous le nom de « Rossignol d'Amérique », ne tarde pas à se proclamer l'un des hérauts du réveil de la nature. Ce n'est pas sans une émotion très vive que le travailleur matinal l'écoute après de longs mois d'une blanche léthargie. Son nom scientifique vient de la langue grecque: le genre *melospiza* est formé de *melos* qui signifie « chant, air ou mélodie » et de *spiza* qui veut dire « pinson »; l'espèce *melodia* se traduit tout simplement par « mélodie ».

Description — La tache brune située au centre de la poitrine le caractérise bien. Les autres couleurs n'ont rien de spectaculaire: parties supérieures brunâtres rayées de brun foncé; couronne brune rayée de noir et séparée au centre par une bande grise; raies sourcilières grises; parties inférieures grises fortement hachées de noir et de brun sur les flancs; iris brun.

Habitat — Son territoire s'étend jusqu'à la limite des arbres. Il se rencontre dans les taillis, les abattis, les buissons, les arbustes et le long des cours d'eau et des étangs où croissent les arbrisseaux. On le voit souvent au printemps dans les jardins ou dans les cours, mêlé à d'autres espèces d'oiseaux et cherchant sa nourriture sur le sol. Quelques individus passent même l'été dans les grands bosquets que forment les cours des résidences de la banlieue et où abondent les haies de chèvrefeuille, de thuya ainsi que beaucoup d'arbustes et plusieurs espèces d'arbres.

Nid — Incubation — Il confectionne son nid de paille grossière, de radicelles, de lanières d'écorce et lambrisse l'intérieur de crins. La femelle le pose habituellement sur le sol, mais il lui prend parfois la fantaisie de l'accrocher à un arbuste ou de le dissimuler dans une haie. Elle seule, pendant 12 jours, assure l'incubation, ce qui laisse à son dilettante de mari la liberté de donner libre cours à ses exécutions musicales.

Élevage des petits — Régime alimentaire — La femelle et le mâle nourrissent leur progéniture d'insectes capturés sur les arbrisseaux et sur le sol. L'adulte ajoute à son menu personnel des graines de plantes nuisibles et du grain, mais celui-ci en pourcentage très infime. Alors que la plupart des oiseaux se taisent pendant cette période, le mâle, tout en participant à la becquée de quatre ou cinq petits affamés, continue ses concerts.

Le chant — Le cri — Après un moment d'hésitation, comme un artiste aux prises avec le trac, il hoche la queue et relève fièrement la tête. Il lance alors trois ou quatre notes suivies d'un trille gracieux qui se termine en un mineur inattendu. Ce n'est que le prologue. Un temps de repos, puis le fragile musicien recommence avec plus d'amour, comme s'il voulait gagner le cœur de tous les êtres de son entourage.

Son numéro répété des dizaines de fois, accompagné de variantes multiples, éclate dès les premières lueurs du jour. Il chante pendant les jours de pluie comme pendant les heures les plus ensoleillées. Le coucher du soleil ne ralentit pas son ardeur, car il prolonge encore quelque temps sa troublante sérénade. Le cri d'alarme est un « tchap » ou un « tchec » court et nasal.

Migration — Quelques Pinsons chanteurs subissent le rigoureux hiver et accompagnent les oiseaux granivores dans leurs tournées. La plupart préfèrent toutefois s'envoler en octobre vers le sud des États-Unis.

LE BRUANT DES NEIGES

Nom anglais: Snow Bunting
Nom scientifique: Plectrophenax nivalis *(Linnaeus)*
Longueur: 17,27 cm (6,8 po)
Ponte: 4-6 œufs blancs teintés parfois de vert pâle

Lorsque la toundra se couvre de neige, une multitude d'oiseaux privés alors de leur pitance quotidienne émigre plus au sud. Leur dispersion s'effectue dans un immense territoire, en raison du contingentement des réserves alimentaires de chacune des régions. Le Bruant des neiges, ce fils de l'Arctique, fait partie de ces innombrables migrateurs qui couvrent plusieurs provinces du Canada, voire quelques États américains.

Il est connu également sous divers autres noms: Oiseau de neige, Oiseau blanc et Plectrophane des neiges. Cette dernière appellation traduit exactement le nom scientifique *Plectrophenax nivalis*.

Description — À son arrivée au mois d'octobre, il est vêtu de son plumage d'hiver: couronne, nuque, dos et croupion fortement marqués de brun rouille; rémiges primaires en partie blanches dont les extrémités noires sont soulignées de blanc; rémiges secondaires et sus-alaires brun rouille tranchées d'un peu de noir; six plumes rectrices centrales noires et les autres blanches; parties inférieures, côtés de la couronne et base des oreilles blancs; flancs légèrement roussâtres; bec jaune et iris brun. En avril ou en mai, les tons brunâtres disparaissent et font place à des couleurs noires et blanches.

Habitat — Au Québec, son lieu de nidification se situe à l'extrême nord du Nouveau-Québec. Il vit sur les terrains rocailleux: grèves, flancs de montagne et falaises; il fréquente aussi les endroits où se concentrent les humains et dans la toundra.

Nid — Incubation — La femelle dissimule son nid sous une roche ou dans une crevasse de rocher. C'est une coupe entrelacée d'herbes, de racines desséchées et de mousse, dont l'intérieur est garni de plumes. L'incubation assurée par la femelle dure habituellement 12 jours.

Élevage des petits — Régime alimentaire — Les oisillons sont nourris d'insectes. Comme les journées de pleine clarté sont très longues, la femelle consacre beaucoup plus d'heures à la sustentation de sa progéniture. De plus, ce Fringillidé consomme de nombreuses graines, des bourgeons et de petits animaux aquatiques.

Photo: Direction générale du cinéma et de l'audiovisuel. Québec, par J.-L. Frund.

Le chant — Le cri — Pendant que la femelle s'occupe des petits, le mâle chante. C'est un gazouillement agréable très fort lancé aussi bien au sol qu'en vol. Les « ti-ti » qu'il fait entendre tout en cherchant sa nourriture sont également très mélodieux. Son cri d'alarme est un rude « biz-biz ».

Notes particulières — Avant qu'une loi fédérale sévère ne protège ce granivore utile, il était tué en raison de la délicatesse de sa chair. Des brochettes de petits corps, soigneusement plumés, apprêtés avec soin, mijotaient dans le chaudron, voisins d'un lièvre ou d'une perdrix.

Migration intérieure — En octobre, des bandes de Bruants des neiges quittent l'Arctique et envahissent toutes les régions de la province — également du pays ainsi que plusieurs États américains —. Leur entrée dans notre décor champêtre ne cause nullement de surprise, car ils étaient attendus avec impatience. Habitués que nous sommes, durant la saison froide, à les voir survoler les champs, défier les tempêtes, dépouiller de leurs graines génératrices les plantes qui émergent de la neige, nous serions vraiment inquiets de ne pas les retrouver au rendez-vous annuel. Compagnons des bourrasques blanches, ils semblent les rechercher et prennent même plaisir à mêler leurs ailes aux aveuglants tourbillons. En plus de nous servir des leçons d'endurance, ces Nordiques emplumés razzient pour le bénéfice de l'homme, les mauvaises herbes qui veulent se substituer aux plantes nourricières.

Ils vivent également en bordure de la forêt où pullulent les végétaux en graines, visitent les rives herbeuses, s'approchent sans crainte des granges pour partager avec les Moineaux domestiques les grains de blé, d'avoine ou les miettes de pain. Leurs voisins de l'Arctique, les Sizerins à tête rouge, également chez nous pour assurer leur survie, rallient souvent une joyeuse troupe de Bruants des neiges.

INDEX DES ORDRES, FAMILLES, SOUS-FAMILLES ET ESPÈCES

En lettres majuscules: espèces décrites; le nombre italique indique le début de la page de la monographie de l'oiseau.

En lettres minuscules: espèces signalées, soit du Québec, soit d'une autre province, parfois suivies de notes brèves; ordres, familles et sous-familles.

En lettres minuscules italiques: espèces exotiques citées.

A

Accipitridés, famille des   8, 39.
Aigle à tête blanche   5, 39.
Aigle doré   39.
Aigle noir   5.
AIGLE PÊCHEUR   6, 8, *49.*
Aigrette, Grande   9.
Albatros à bec jaune   9.
Alcédinidés, famille des   82.
Anatidés, famille des   21.
Alcidés, famille des   64.
Anatinés, sous-famille des   21, 27.
Anhinga   14.
Anhingidés, famille des   14.
Ansériformes, ordre des   21.
Ansérinés, famille des   21.
Apodidés, famille des   79.
Apodiformes, ordre des   79.
Aptéryx   5.
Ardéidés, famille des   17.
AUTOUR   39, *41,* 49.
Autruche   5.
Aythyinés, sous-famille des   21, 32.

INDEX DES NOMS ANGLAIS

INDEX DES NOMS POPULAIRES

ABDOMEN
Partie du corps située entre la poitrine et les tectrices sous-caudales. Synonyme de ventre.

AIGRETTE
Réunion de quelques plumes qui ornent la tête de quelques oiseaux.

ALAIRE
Relatif aux ailes. Les plumes par-dessus les rémiges primaires et les rémiges secondaires sont appelées sus-alaires.

ATOCA
Un amérindianisme cité pour la première fois en 1632. C'est le nom vulgaire de l'airelle canneberge, plante caractéristique des tourbières.

AURICULAIRE
Ensemble de plumes de la région des oreilles.

AVIFAUNE
Ensemble des oiseaux qui vivent dans une région.

BARBES
Parties latérales de la plume liées le long du rachis ou axe central de la plume.

BATTURE
Portion du rivage que la marée descendante laisse à découvert.

BIOME
Territoire naturel où vivent les animaux. Synonyme de biotope.

BIOTOPE
Même sens que le mot précédent.

CAUDAL
Qui concerne la queue.

CÉDRAIE
Terrain couvert de cèdres. Nos gens disent surtout cédrière.

CÈDRE
Fausse appellation, au Canada, du thuya.

CHARDON
Nom vulgaire du cirse qui est une plante épineuse de la famille des composées.

CIRCUMPOLAIRE
Dans les régions voisines du pôle.

CIRE
Couche, à l'apparence de la cire, qui recouvre la base de la mandibule supérieure de la plupart des oiseaux de proie diurnes.

CONIROSTRE
Dont le bec est de forme conique.

CORME
Fruit du cormier, connu sous le nom de sorbier d'Amérique

Sorbus americana.

CROUPION
Extrémité postérieure entre le dos et les tectrices sus-caudales.

CULMEN
Ligne saillante de la mandibule supérieure, de la naissance du bec à son extrémité.

DENTELURE
Découpure pointue tout le long des mandibules de quelques canards.

DENTROCTONE
Insecte rongeur des épinettes blanches et rouges adultes.

DÉRATISATION
Ce qui se rapporte à la destruction systématique des rats.

DICHROMATISME
Phénomène de deux colorations chez un individu appartenant à une espèce bien déterminée.

DYTIQUE
ou **Dytiscus:** insecte bien connu, qui vit dans les eaux dormantes des mares, des étangs, et près du bord des rivières herbues au courant peu rapide. Il est aussi bien organisé pour le vol que pour la natation. Mesure jusqu'à 40 mm de longueur, soit 1,57 po (Gustave Chagnon, entomologiste).

ESPÈCE
Groupe d'êtres qui possèdent les mêmes traits.

FALERNE
Vin estimé récolté autrefois en Campanie, région de l'Italie qui s'étend sur l'Apennin central.

FAMILLE
Division taxonomique qui découle d'un ordre.

FRUGIVORE
Qui se nourrit de fruits.

GENRE
Division taxonomique qui découle d'une famille.

GÉSIER
Dernière poche de l'estomac des oiseaux.

GULAIRE
Ayant trait à la gorge.

IRIS
Membrane colorée de l'œil.

LAMELLE
Tranche cornée de chaque côté du bec de quelques canards.

LIMICOLE
Qui habite les endroits marécageux.

LONGICORNE
Insecte scieur dont la larve creuse dans le bois. Les antennes de l'adulte mâle mesurent parfois 7,6 cm (3 po).

LORE
Espace entre l'œil et la base du bec.

MACREUSE

Canard plongeur qui vit surtout en eau salée. La Macreuse à front blanc (Surf Scoter) est souvent vue sur le fleuve Saint-Laurent.

MANDIBULE

Chacune des deux parties du bec.

MASKOUABINA

Nom donné au sorbier d'Amérique. On écrit également « mascouabina ».

MIROIR

Portion des rémiges secondaires de couleur brillante qui caractérise souvent quelques espèces de canards.

MUSKEG

Région humide, désertique du nord du Québec.

NUQUE

Partie postérieure du cou juste à la base du crâne.

ONGLET

Partie cornée à l'extrémité de la mandibule supérieure des canards et autres Ansériformes.

OUAOUARON

Un amérindianisme cité pour la première fois en 1632. C'est une grenouille géante de l'Amérique du Nord qui peut atteindre huit pouces de long et dont le coassement ressemble à un meuglement.

ORDRE

Grande division taxonomique qui découle d'une classe.

PALMURE

Membrane reliant les doigts des oiseaux aquatiques et de quelques autres vertébrés.

PHALÈNE

Petit papillon nocturne.

PUPE

Cocon qui renferme un insecte avant qu'il atteigne l'état adulte. Quelques oiseaux, dont la Mésange, se nourrissent de l'intérieur de la pupe.

RACHIS

Axe central de la plume qui soutient les barbes.

RECTRICE

Plume rigide de la queue.

RÉMIGE

Chacune des grandes plumes de l'aile.

RUDBECKIE

Plante appelée souvent marguerite jaune, originaire de l'Ouest, qui envahit parfois les champs cultivés.

SEPTENTRIONAL

Tout ce qui a rapport au Nord. On appelle forêt septentrionale celle qui est située au nord.

SERRE

Griffe de l'oiseau de proie.

SORBE

Petit fruit rouge du sorbier d'Amérique appelé encore cormier ou maskouabina.

SOUS-ESPÈCE

Subdivision de l'espèce.

SUMAC

Le sumac vinaigrier est un petit arbre qui produit des fruits à pulpe mince dont sont friands plusieurs oiseaux.

TAXONOMIE

Science des lois de la classification.

TARSE

Partie de l'oiseau qui s'étend de la base des doigts jusqu'au bout de la cuisse. On le nomme souvent « patte ».

TECTRICE

Plume de taille moyenne qui en recouvre d'autres. Les tectrices sus-caudales font suite à celles du croupion; celles d'en dessous se nomment sous-caudales.

THUYA

Arbre à feuillage persistant. Au Canada, on l'appelle cèdre, mais c'est là une fausse appellation, car le vrai cèdre n'a aucun représentant en Amérique du Nord.

TOUNDRA

Région du Grand-Nord à végétation pauvre où croissent quelques graminés, des lichens et des arbres nains.

TOURNESOL

Plante cultivée très longtemps par les Amérindiens, appelée hélianthe ou fleur-soleil. Ses graines sont très appréciées de plusieurs espèces d'oiseaux.

VENTRE

Partie du corps située entre la poitrine et les tectrices sous-caudales. Synonyme du mot abdomen.

VENTRICULE SUCCENTURIÉ

Première partie de l'estomac des oiseaux.

VIBRISSES

Plumes filiformes, raides, situées de chaque côté des commissures du bec que possèdent quelques oiseaux qui se nourrissent en vol. Ex.: le Moucherolle.

XYLOPHAGE

Mot qui vient du grec et qui signifie: « qui se nourrit de bois ».

Achevé d'imprimer
en octobre mil neuf cent quatre-vingt
sur les presses de l'Imprimerie Gagné Ltée
Louiseville - Montréal - Canada

Dépôt légal: 4e trimestre 1980